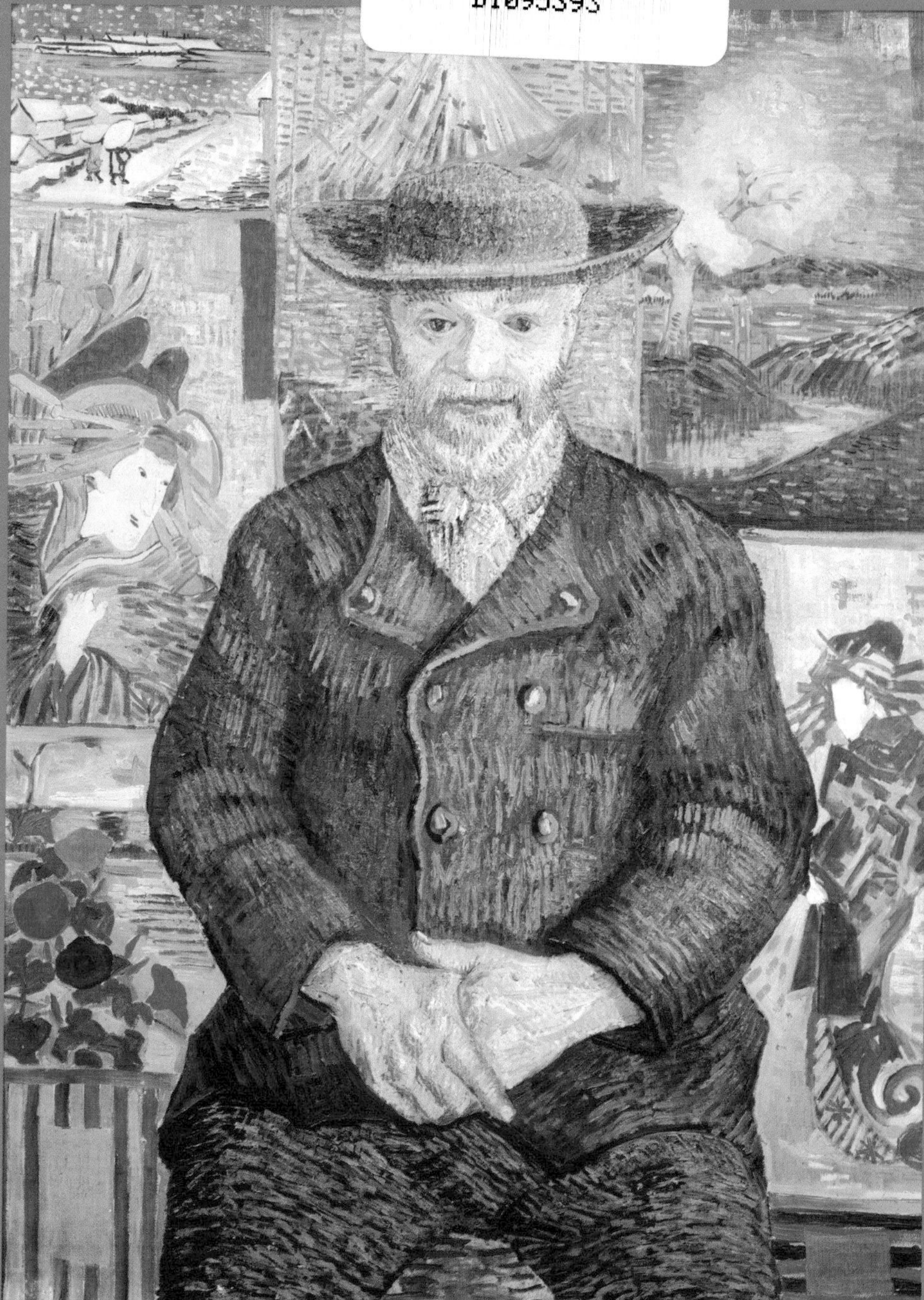

Sakura

MATILDE ASENSI

SAKURA

la esfera 🜨 de los libros

Primera edición: marzo de 2019

© Matilde Asensi, 2019
© La Esfera de los Libros, S.L., 2019
Avenida de San Luis, 25
28033 Madrid
Tel.: 91 296 02 00
www.esferalibros.com

ISBN: 978-84-9164-516-0
Depósito legal: M. 1.530-2019
Fotocomposición: J. A. Diseño Editorial, S.L.
Impresión: Unigraf
Encuadernación: Unigraf
Impreso en España-*Printed in Spain*

«No hay nada más peligroso que alguien
que quiera hacer del mundo un lugar mejor».

BANKSY

1

La venganza de un hombre muerto

Llegué al 14 de la *rue* Clauzel de París con una desagradable sensación de inseguridad y con muchas ganas de darme la vuelta y de salir corriendo. Aquella historia era demasiado rara para mí. Afortunadamente, me sentí un poco mejor
cuando vi que el lugar de la reunión parecía ser una galería de
arte, con una vidriera sobre la que podía verse un rótulo amarillo que decía «Père Tanguy». Toda la fachada era de un apagado color verde irlandés que se confundía fácilmente con
azul según cómo le diera la luz del brillante y caluroso sol de
aquella mañana de agosto. Dentro, las paredes estaban llenas
de cuadros y no había ni un alma. Entré y vi un cartel con una
flecha que señalaba una puerta al fondo del local. Me acerqué,
aún más preocupado y con más ganas de marcharme que antes, y vi un papel pegado en la puerta que confirmaba que el
encuentro al que me habían citado aquel día a aquella hora iba
a celebrarse allí. Abrí con un falso gesto decidido y entré.

Era una habitación de tamaño medio y alguien había
puesto unas cuantas sillas plegables de madera formando un
círculo. Parecía un almacén reconvertido en el lugar de reu-

nión de una secta. Algunas personas ya estaban sentadas en las sillas y me miraron con curiosidad. Hice un gesto de saludo con la cabeza y tomé asiento, dejando un espacio vacío entre los demás y yo. Había una mujer, pero estaba hablando en voz muy baja por el móvil y se tapaba la boca con la mano para que no la oyéramos. La sensación de inseguridad se me agudizó. Aquello daba muy mal rollo.

La puerta de la habitación volvió a abrirse y, para mi sorpresa, entraron dos japoneses muy sonrientes. Uno era bastante más grande que el otro, tan enorme como un luchador de sumo, y llevaba una insignia plateada en la camisa. Cuando pasó junto a mí pude leer en la chapa que era el gerente de aquel lugar. El otro, un pequeño y flaco japonés de mediana edad, avanzó hasta colocarse delante de la pantalla plana que colgaba de la pared y nos hizo una elegante reverencia a todos los presentes. El enorme gerente, con un marcado acento francés, nos anunció:

—Les presento al señor Ichiro Koga. Su anfitrión y patrocinador.

Aún no tenía muy claro qué patrocinaba exactamente el señor Koga, pero si aquel hombre de pelo corto y lacio iba a pagarme lo que habíamos firmado en el contrato, por mí podía pedirme que saltara al agua desde un acantilado con los ojos vendados. Estaba más que dispuesto a escucharle a cambio del sustancial adelanto que había sido ingresado ya en mi cuenta bancaria y de la enorme cantidad de pasta que me había prometido. Supuse que los demás estaban allí por la misma razón. Eran dos hombres y una mujer. De los hombres, uno era pelirrojo y grueso, de veintipocos años, y el otro, algo más mayor, era un mulato de brillantes ojos azules. La mujer, que aparentaba estar cerca de los treinta, era de ojos rasgados, morena y no demasiado alta. Todos parecían tan cohibidos como yo.

—*Ohayō gozaimasu*[*] —nos saludó el señor Koga inclinando la cabeza—. Gracias por venir hasta París y por acudir a esta reunión en la galería Boutique du Père Tanguy.

Sí, en París, en agosto, con un calor infernal incluso a aquellas tempranas horas de la mañana, pero todo gratis, con todos los gastos pagados. ¿Cómo no iba a estar allí? ¿Es que, acaso, había otra manera mejor de disfrutar del único mes anual de vacaciones?

—Todavía falta alguien por llegar —declaró Koga, moviéndose con soltura frente a nosotros. Parecía acostumbrado a hablar en público y desprendía una gran fuerza pese a su pequeña talla—. Por desgracia, no podemos esperar más. Ante todo, permitidme realizar las presentaciones adecuadas, ya que ninguno de vosotros conoce a los demás.

El pequeño almacén, sin ventanas e iluminado con una fría luz de neón, no daba para mucho, así que las sillas plegables que ocupábamos estaban pegadas unas a otras. El señor Koga extendió la mano hacia la única mujer presente, la morena bajita, que se encogió sobre sí misma y esbozó una sonrisa apocada.

—Odette Blondeau, de Marsella. Gracias por unirte a nosotros, Odette.

Nueva reverencia, esta vez sólo para la pobre Odette, que se había puesto completamente roja y nos miraba con

---

[*] «Buenos días».

ojos asustados. Koga se giró de manera imperceptible hacia el hombre grueso y pelirrojo que estaba sentado a su lado y que se irguió en la silla haciéndola crujir bajo su enorme peso. Llevaba barba y bigote y tenía un aspecto deplorable, vestido con una sudadera vieja, unos vaqueros manchados y una estropeada gorra de béisbol.

—John Morris, de Warren, Michigan, Estados Unidos. Gracias por venir desde tan lejos, John.

El americano hizo un brusco gesto de indiferencia con la mano. A continuación, después de la reverencia de rigor, me tocaba a mí. Todos los ojos, incluidos los dos pares orientales, me apuntaron. Me empujé las gafas hacia arriba con tanta fuerza que casi me las clavé en el entrecejo. Aquello era la reunión de una secta y yo quería largarme de allí.

—Hubert Kools, de Ámsterdam, Holanda. Gracias por estar hoy aquí, Hubert. Tu experiencia nos será de mucha ayuda.

¿Mi experiencia?, me pregunté, sorprendido. Yo sólo era el dueño de una galería de arte muy parecida a aquélla en la que nos encontrábamos. ¿Qué experiencia tenía yo, según Koga? Bueno, mientras pagaran lo prometido no habría ningún problema. Mi galería, Kools Kunstgalerie, estaba a punto de quebrar, las deudas me ahogaban y no faltaba mucho para que perdiera hasta la casa, de modo que aquella propuesta de Ichiro Koga a través de la empresa de materiales artísticos, Kamidana, con la que trabajaba desde hacía algunos años, era la única oportunidad que tenía de salir a flote e incluso de nadar con cierta elegancia hacia el futuro.

—Oliver Roos, de Liverpool, Inglaterra. Gracias por venir, Oliver.

El tal Oliver era algo extraordinario. De madre o padre de raza negra, tenía los ojos más azules que yo había visto en mi vida. Llevaba la cabeza rapada y era guapo como un modelo de pasarela, y también igual de bien vestido. Podría haberse hecho pasar por alguien de raza blanca —un poco tostado por el sol— si su ancha nariz y sus gruesos labios no resultaran tan obvios. Aquel inglés de casi dos metros no podía tener más de veinticinco o veintiséis años y, aunque su ropa no parecía especialmente cara, el tipo sabía llevarla como una percha. Yo también era alto y aún me conservaba bastante atlético, pero ya había cumplido los treinta y tres y alguna cana que otra había hecho acto de presencia no sólo en mi cabeza, sino también en mi bigote y en mi perilla. Pero tenía la gran suerte de que, siendo mi pelo de color castaño claro, no se notaba nada.

De repente, alguien abrió otra vez la puerta y una cabeza muy rubia se asomó mirando a todos lados.

—¡Por fin! —exclamó Koga con una sonrisa—. *Konnichiwa*, Gabriella. Pasa. Os presento a Gabriella Amato, de Milán. Ahora ya estamos todos. Gracias por venir, Gabriella.

Antes de que me diera tiempo a pensar en lo curioso que resultaba el hecho de que cada uno de nosotros tuviera un lugar de origen tan diferente, la imagen de la tal Gabriella, que entró en la habitación y se sentó junto a Oliver con satisfecha indiferencia, me dejó sin aliento. Era impresionante: alta, delgada, con el pelo rubio muy claro, casi dorado, y la piel maravillosamente bronceada por el sol. Tenía los ojos verdes y el óvalo de su cara era simplemente perfecto. Estaría sobre los treinta, me dije, año arriba año abajo. Hubiera querido tener lápiz y papel para dibujarla aunque el dibujo nunca había sido mi fuerte. Vestía una blusa sin mangas del mismo color que sus ojos, pantalones claros ceñidos y sandalias de tacón. Unos largos y finos pendientes le rozaban los hombros. Aunque llevaba el pelo rubio recogido, la luz blanca del neón hacía brillar una especie de halo alrededor de su cabeza formado por un puñado de finos cabellos que se escapaban del elegante peinado. No podía apartar los ojos de ella y creo que los demás tampoco.

—Por favor, poned vuestros móviles en silencio o apagadlos, como prefiráis —dijo Koga, cogiendo un mando a distancia que le entregó el gerente de la galería—. Lamentablemente, me siento obligado a recordaros que todos habéis firmado y aceptado una cláusula de confidencialidad y un uso limitado de vuestros teléfonos móviles durante la ejecución de este trabajo. No podéis tomar fotografías ni publicar en internet ningún tipo de imagen o información sobre lo que vamos a hacer, ¿de acuerdo? Y bien, ahora que ya estamos todos, podemos empezar la reunión.

Las luces se apagaron, dejando la sala iluminada sólo con unos pequeños puntos de luz a ras del suelo, y en el monitor que colgaba de la pared se vio una de las últimas pinturas realizadas por Vincent Van Gogh antes de morir, el famoso *Retrato del doctor Gachet*, el médico que, por recomendación de Camille Pissarro, trataba su enfermedad de melancolía en Auvers-sur-Oise, un pequeño pueblecito al norte de París, a menos de una hora de tren en aquella época. Cuando Vincent conoció al doctor Gachet, le escribió una carta a su hermano en la que le decía que el médico tenía serios problemas nerviosos y que estaba, al menos, tan enfermo como él mismo.

—¿Reconocéis la obra? —nos preguntó Koga.

—No —soltó abruptamente Morris, el americano. Los demás asentimos en silencio.

—No te preocupes, John —dijo Koga con amabilidad—. No es una de las pinturas más conocidas de Van Gogh. Todo el mundo ha visto o ha oído hablar de los cuadros de girasoles o de las famosas noches estrelladas pero poca gente sabe que esta obra existió, debido, sobre todo, a que desapareció misteriosamente en 1996 y no ha vuelto a saberse nada de ella. Y, por si faltara algo, las circunstancias que rodearon su desaparición fueron tan desagradables para tanta gente que existe una especie de pacto de silencio tanto en el mundo del arte como en el mundo político.

Ahí me había pillado. No tenía ni idea de que el cuadro hubiera desaparecido. De hecho, creía que estaba en el museo d'Orsay, allí, en París. Van Gogh, por supuesto, era uno de mis pintores favoritos y no sólo porque fuera mi paisano, que también, sino porque realmente fue un gran pintor. Además, era uno de los pocos en el mundo con museo propio y ese museo estaba en mi país y en mi ciudad, Ámsterdam. Van Gogh era, efectivamente, mi compatriota, el orgullo nacional de los Países Bajos y por todo eso y por haber estudiado Bellas Artes había terminado conociéndole mejor que a mi propia familia. Si le añades que, además, el padre de Vincent, Theodorus Van Gogh, fue durante algunos años, a finales del siglo XIX, el pastor de la pequeña capilla de mi pueblo, Nuenen, el pueblo donde nací y crecí, pues ya tienes todo lo necesario para una gran pasión por la obra de Van Gogh durante toda tu vida.

—De hecho —continuó contándole Koga a John—, si buscas en Wikipedia, descubrirás que el *Retrato del doctor Gachet* no desapareció en 1996 como yo os he dicho, sino que fue comprado en torno a 1997 por un inversor australiano o austriaco (la versión varía) que, debido a problemas financieros, tuvo que venderlo años después a personas desconocidas. Todo esto es falso, por supuesto. El cuadro no se ha vuelto a ver desde 1990, cuando lo adquirió en una subasta de Christie's en Nueva York el multimillonario japonés y magnate de los productos papeleros Ryoei Saito por la cantidad más grande jamás pagada hasta entonces por una pintura. Nada más y nada menos que 82,5 millones de dólares. Saito lo poseyó hasta su muerte, en 1996, cuando el cuadro desapareció para siempre.

La historia que estaba contando Ichiro Koga sobre el *Retrato del doctor Gachet* debía de ser importante y, desde luego, la razón por la cual nos encontrábamos todos allí. Desde la pantalla, el rostro profundamente triste y de color naranja brillante del doctor Gachet, que descansaba sobre su puño derecho, nos contemplaba con indiferencia, absorto en su propia y eterna melancolía. Su pelo también era de un color naranja intenso y el grueso chaquetón que vestía, bordeado y sombreado con negro, era de un hermoso azul cobalto con tres botones de color verde lima. El cielo tras su cabeza era también verde lima en distintos tonos y sobre la mesa en la que se apoyaba, cubierta por un mantel furiosamente rojo, había dos libros amarillos y un vaso con una planta de grandes hojas verdes. En fin, un Van Gogh puro, con unos colores deslumbrantes. Vincent había sido, sin duda, el mejor colorista de todos los tiempos.

John Morris se removía inquieto en su silla. El pobre era el único que parecía carecer de una mínima cultura que le permitiera apreciar lo que estaba viendo y oyendo. El señor Koga se daba cuenta y por eso le había estado hablando directamente a él, con paciencia y tranquilidad, como si hablara con un niño. Pero, de pronto, Koga levantó los ojos y nos miró a todos, uno por uno, fijamente.

—Vamos a enfrentarnos a la venganza de un hombre muerto —nos informó—. Para eso habéis sido contratados. Cada uno de vosotros posee una habilidad especial que le hace imprescindible. Ninguno está aquí de sobra ni de más. Antes o después, vuestros conocimientos, destrezas o experiencia nos serán muy necesarios. El señor Ryoei Saito no era un cualquiera. Llegó a tener un poder inmenso en Japón pero nunca dejó de ser un rudo e impetuoso empresario provinciano, un hombre extravagante e independiente. Hoy en día, en Japón, se le considera el ejemplo más desagradable de la corrupción económica que sufrió nuestro país en los años ochenta y noventa del siglo pasado y, sin embargo, nadie puede negar que Saito fue un profundo amante del arte, un hombre inconformista, original, sumamente excéntrico y, por encima de todo, vengativo. Muy vengativo. Y es a él, a Ryoei Saito en persona a quien nos vamos a enfrentar.

—Pero, señor Koga… —balbuceó con timidez la menuda Odette Blondeau, sin saber cómo dirigirse a nuestro anfitrión—. Creía que había dicho que murió en 1996.

El *Retrato del doctor Gachet* desapareció de la pantalla con un gesto de la mano del señor Koga y apareció en su lugar la fotografía de un robusto hombre japonés de edad avanzada, vestido con un traje negro de tres piezas, el pelo canoso peinado totalmente hacia atrás y un rostro cuadrado y sonriente.

—Sí, en efecto, murió en 1996 —asintió Koga—. Pero, por favor, llamadme Ichiro. Sólo soy uno más del equipo.

Tomó aire profundamente y se volvió para mirar con atención la fotografía del orgulloso y satisfecho Ryoei Saito.

—Tras la subasta de Christie's en Nueva York en 1990, el señor Saito se llevó el cuadro de Van Gogh a Japón. La intención que tenía, según declaró a la prensa mundial, era conservarlo unos años en su poder, por puro amor a la pintura con la que decía sentirse muy identificado y, más tarde, donarlo a un museo japonés para que todo el mundo pudiera disfrutarlo.

Ichiro sonrió ampliamente y nos miró con ojos chispeantes.

—Por si no lo sabéis, Japón adora a los impresionistas y, por encima de todos los impresionistas, adora a Vincent Van Gogh. El impresionismo está profundamente influenciado por el arte del grabado japonés conocido como *ukiyo-e*, que hacía furor a mediados del siglo XIX por toda Europa con láminas y xilografías abundantes y baratas. Vincent Van Gogh fue el que más dibujos japoneses copió, hasta el punto de que toda su obra, desde su llegada a París en 1886 para vivir con su hermano Theo, reproduce, total o parcialmente, grabados japoneses. Y por eso los japoneses adoramos a Van Gogh. Ryoei Saito no era diferente al resto de nosotros y cuando pudo adquirir el *Retrato del doctor Gachet* no lo dudó ni un momento. Quería que el cuadro estuviera expuesto en algún museo de Japón, como una muestra de orgullo y poderío nacional.

La cara de nuestro anfitrión volvió a ponerse seria de repente.

—Pero el estado japonés, a pesar de mostrarse muy agradecido por este pequeño detalle, le cobró 24 millones de dólares en impuestos en la declaración del año siguiente a la adquisición del cuadro. Como Saito había vendido muchas propiedades y había pedido algunos préstamos para adquirir el Van Gogh, el fisco japonés consideró que todo ese dinero habían sido beneficios para el industrial y por esos beneficios que, en realidad, sirvieron para pagar el cuadro que Saito pensaba regalar al estado, le cobró los 24 millones de dólares de impuestos. Y esto a Saito le sentó muy, muy mal —enfatizó.

Ichiro, de complexión muy delgada como buen japonés, empezaba a mostrar manchas de sudor en la camisa. No pude adivinar si era por el enorme calor de aquella primera semana de agosto en París (aunque en aquella habitación había aire acondicionado) o por la intensidad que para él tenía la historia que nos estaba contando. Creo que era más bien por lo segundo porque parecía realmente afectado.

—El 13 de mayo de 1991 —siguió contándonos Ichiro—, poco después de pagar los 24 millones de dólares en impuestos al estado, varios periódicos de todo el mundo publicaron la noticia: Saito había convocado una rueda de prensa mundial para anunciar que tenía la intención de llevarse a la tumba el *Retrato del doctor Gachet*.

La imagen de la pantalla cambió de nuevo y se vio la portada del *Daily Telegraph* de Londres, en su antigua edición de papel, exhibiendo un gran titular con las declaraciones de Ryoei Saito.

—Según el rito sintoísta japonés, los ataúdes son quemados no sólo con el cuerpo del fallecido dentro sino también con multitud de objetos, incluso objetos de lujo y muy valiosos, que la familia introduce para que sean quemados con el muerto en señal de respeto. El señor Saito afirmó que el Van Gogh sería incinerado con él para librar a sus hijos de la obligación de tener que pagar, cuando él muriera, una segunda fortuna al fisco japonés por los impuestos a las herencias. Está claro que, aunque al final hubiera decidido no quemar el cuadro, había abandonado por completo la idea de donarlo al estado para ponerlo en un museo público. Así de enfadado estaba.

Ichiro, que ya transpiraba abundantemente, se giró de nuevo hacia nosotros.

—Como podéis ver por la portada del *Daily Telegraph*, el mundo entero, que se había enterado el año anterior, 1990, de la importante adquisición del cuadro en la subasta de Christie's, se horrorizó por las declaraciones de Ryoei Saito, pero ni de lejos se horrorizó tanto como nosotros, los propios japoneses. ¿Sabéis por qué? Porque el mundo creyó que era una fanfarronada, palabrería vacía de un multimillonario enfadado, pero los japoneses sabíamos que lo que Saito estaba diciendo no era ninguna fanfarronada. En Japón nadie se tomó a broma sus declaraciones ya que la práctica de la incineración de objetos valiosos con los muertos no sólo era una costumbre históricamente arraigada sino que, incluso entonces, en los modernos años noventa, todavía muchísimas personas acomodadas se hacían quemar con sus obras de arte más valiosas: rollos de caligrafía, joyas, pinturas de maestros del *ukiyo-e*, cerámicas... Los japoneses sabíamos que aquellas declaraciones iban muy en serio y que alguien como Saito no iba a cambiar de opinión por mucho que unos días después, ante la escandalizada reacción de Occidente, declarara que sólo había querido gastar una broma a las autoridades de la Hacienda tributaria japonesa. El mercado del arte y el mundo entero respiraron aliviados y olvidaron rápidamente el asunto mientras que en Japón conteníamos el aliento y tratábamos de sobrellevar como podíamos la vergüenza que para nosotros suponía la más que segura destrucción de una monumental pintura de Van Gogh por parte de uno de nuestros compatriotas.

Yo me había quedado helado, sin reacción, ante la magnitud de lo que Ichiro Koga estaba contando. Y también mis compañeros. ¿Cómo se podía destruir una obra de arte como si fuera una fruslería, una baratija sin importancia? Claro que diecisiete años atrás, en 2001, los talibanes habían hecho volar en pedazos los hermosos budas de Bamiyán, en Afganistán, unas estatuas del siglo v en plena Ruta de la Seda. Pero de unos fanáticos mentalmente anclados en la Edad Media podía esperarse cualquier cosa. De un rico industrial papelero del siglo xx era más difícil de creer, por muy japonés que fuera. O precisamente más difícil de creer por ser japonés, ya que siempre asociamos a los japoneses con la bonita ceremonia del té, el arte de la decoración floral, los cerezos en primavera... o el sushi.

—Mi padre, Kentaro Koga —siguió contándonos Ichiro— era, en 1991, el propietario de la principal funeraria de Shizuoka, la prefectura de la que, igual que la familia Saito, somos originarios los Koga. De hecho, mi padre y el señor Saito se conocían desde pequeños. No eran amigos ni nada parecido pero, cuando saltó el escándalo, recuerdo que mi padre me dijo: «Ryoei se quemará con el Van Gogh». Yo tenía entonces diecisiete años y acababa de terminar mis estudios en el instituto. La vergüenza me abrumó, como a todo el mundo en Shizuoka y en Japón. Por aquel entonces mi padre quería que fuera a la universidad y que estudiara Derecho pero a mí no me apetecía nada la idea, así que terminé el instituto y empecé a trabajar en la funeraria —Ichiro sonrió, muy divertido—. Es un buen trabajo, aunque os cueste creerlo. Y, además, como morir en Japón es muy caro, enormemente caro, los familiares cercanos, los amigos y los invitados al funeral tienen que aportar dinero para ayudar con los gastos. Así que una funeraria es un buen negocio.

Momentos antes, el gerente japonés de la galería Boutique du Père Tanguy había salido de la sala silenciosamente y ahora regresaba con una pequeña botella de agua que entregó a Ichiro con una reverencia. Éste agradeció el detalle de igual manera, quitó el tapón y dio un largo trago de agua antes de seguir con su historia mientras dejaba la botella en una silla vacía.

—En 1990, el año de la subasta de Christie's, el señor Saito, que necesitaba dinero rápidamente para poder comprar el *Retrato del doctor Gachet*, sobornó al gobernador de la provincia de Miyagi para que recalificara como urbanos unos terrenos forestales propiedad de su empresa, Daishowa, que usaba los árboles de la zona en la fabricación de papel. Saito vendió casi todo el terreno recalificado, ahora mucho más valioso, y destinó el dinero a la adquisición del cuadro, quedándose sólo con una pequeña parcela donde construyó un campo de golf al que puso por nombre «Vincent».

Sonrió irónicamente y volvió a coger la botella de agua y a dar otro pequeño trago. Esta vez ya no volvió a dejarla en la silla sino que se la quedó.

—En noviembre de 1993, Saito, de setenta y siete años, fue arrestado en su casa de Tokio por el cargo de soborno al gobernador de Miyagi, encarcelado en la Casa de Detención y despojado de su título de presidente de Daishowa. Fotografías suyas en el momento de la detención por oficiales de la Oficina de Fiscales del Distrito de Tokio se publicaron en todos los periódicos del mundo.

En la pantalla de la pared apareció de pronto el mismo japonés de avanzada edad que antes sonreía orgullosamente siendo sacado ahora de su casa por los mencionados fiscales de Tokio y, luego, en otra imagen, sentado en la parte trasera de un coche de policía con la cabeza hundida entre los hombros, como escondiéndose.

—Un mes después, en diciembre, estaba tan enfermo que tuvo que abandonar la cárcel y ser ingresado en un hospital. Nunca se recuperó. Su compañía, Daishowa, se desplomó en bolsa y quedó al borde de la quiebra. La caída del poderoso Ryoei Saito conmocionó a todo Japón. El nuevo presidente de Daishowa, Shogo Nakano, nombrado apresuradamente, intentó llevar a cabo una reestructuración para evitar el hundimiento, pero separar las propiedades y finanzas de Saito de las propiedades y finanzas de Daishowa no resultaba sencillo y, de hecho, no lo consiguió. Con todo, el escándalo se apagó pronto, sobre todo por respeto al señor Saito, que era ya muy mayor, estaba muy mal de salud y todo el mundo sabía que no le quedaba mucho tiempo de vida.

Lo que más me llamaba la atención del discurso de Ichiro era la referencia permanente al respeto, al agradecimiento, a las fórmulas de cortesía, al honor y al deshonor, a la vergüenza, a las extrañas tradiciones orientales mezcladas con el industrialismo y la modernidad más occidental. Desde luego, el mundo, siendo ya global y cada vez más pequeño, seguía dividido en zonas culturales que bien podían considerarse como planetas diferentes separados por varios millones de años luz.

Haciendo acopio de fuerza, pues ya llevaba hablando mucho rato, Ichiro volvió a empuñar el mando con decisión y cambió la imagen de la pantalla. De repente vimos un largo cortejo de coches fúnebres muy engalanados avanzando por una desolada carretera. Era otra imagen en blanco y negro sacada de un viejo periódico de papel.

—Ryoei Saito murió el 30 de marzo de 1996 de un ataque fulminante al corazón. Tenía casi ochenta años —con el dedo apuntó hacia el coche principal del cortejo—. El ataúd de Saito iba aquí, en el coche más grande, el que lleva los banderines fúnebres en los costados. Y, por cierto, el conductor de ese coche era yo.

Odette Blondeau soltó una exclamación ahogada.

—La empresa de tu padre se encargó del funeral de Saito… —murmuró pensativa la rubia Gabriella, cruzando las piernas y apoyando el codo sobre la rodilla con un gesto tan natural y encantador que volví a quedarme un poco alelado. Parecía que ella estaba atando cabos, llegando un poco más allá de lo que nos había contado Ichiro hasta entonces.

—En efecto —asintió él—. Mi padre personalmente se encargó de los ritos funerarios, que en Japón son mucho más complicados que en Occidente, y yo le serví de ayudante. El resto de nuestros empleados esperaban junto a nosotros o fuera de la casa del industrial en Shizuoka, en las estribaciones del monte Fuji. Mi padre nos hizo trabajar a todos aquel día. Entre él y yo, aunque él dirigía, llevamos a cabo el ritual de limpieza del cuerpo y nos encargamos de vestirlo, maquillarlo y perfumarlo, tras lo cual, metimos el cuerpo en el féretro, que dejamos abierto como es la tradición, y nos retiramos para dejar paso a la familia. Estábamos en una sala muy grande, de muchos *tatamis*,* que utilizábamos como *reianshitsu*, es decir… —Ichiro dudó, buscando en su cabeza la forma de trasladar aquella palabra al inglés, idioma en el que nos estábamos comunicando—. Significaría algo así como «habitación pacífica para el alma del difunto», y había un gran número de familiares y amigos contemplando en silencio nuestro trabajo. Decoramos también el altar de la ceremonia con flores e incienso y pusimos una gran fotografía del señor Saito junto a los regalos familiares. Cuando terminamos y pedimos a la familia que se acercara para despedirse del fallecido, el primero en hacerlo fue su hijo mayor, Kiminori, al que yo había visto en la televisión muchas veces. Llevaba cuidadosamente en las manos un tubo de cartón con tapas de plástico en los extremos que depositó con delicadeza dentro del ataúd, junto al cuerpo de su padre.

—¿El cuadro de Van Gogh…? —le interrumpió Oliver Roos con gran curiosidad. Aquel tipo, que sin duda era un modelo de belleza masculina, transmitía ingenuidad y bondad por los cuatro costados, sobre todo por cómo miraban sus ojos azules. Parecía sencillamente una buena persona.

Ichiro le sonrió de oreja a oreja.

—¡Por supuesto! —exclamó, echándose a reír—. El cuadro de Van Gogh estaba dentro de aquel tubo. Pero dejadme seguir con la historia hasta el final. Ya no falta mucho —dio

---

* El tamaño de las habitaciones en Japón se mide por el número de *tatamis* que pueden contener. El *tatami* es una estera tradicionalmente hecha de paja que mide 90 x 180 x 5 centímetros.

unos pasos vacilantes arriba y abajo, por delante de la pantalla, como si no supiera por dónde continuar—. Voy a saltar directamente al momento en el que el cortejo fúnebre se dirige hacia el crematorio de nuestra funeraria en Shizuoka, hasta el momento preciso que recoge esta fotografía —dijo señalando la imagen en blanco y negro de los coches fúnebres—. Yo conducía el vehículo y mi padre iba sentado a mi lado. Detrás estaba el ataúd, ya cerrado y lleno de regalos y objetos valiosos que la familia había depositado durante la despedida. De repente, mi padre, que entonces tenía cuarenta y siete años, sólo unos pocos más de los que tengo yo ahora, se dio la vuelta en el asiento y haciendo bastantes acrobacias saltó a la parte posterior del vehículo, que, por suerte, como podéis ver en la fotografía, llevaba los cristales tintados de negro.

Ichiro soltó aire por la boca poco a poco y bajó la cabeza hacia el suelo.

—Me quedé horrorizado. Le pregunté a gritos qué estaba haciendo. Pero él me mandó callar desde la parte de atrás. Moví el espejo retrovisor y vi cómo abría el ataúd de Ryoei Saito, sacaba el tubo de cartón, lo escondía bajo unas mantas de trabajo y volvía a cerrar el féretro. No pude sentir mayor vergüenza ni más ganas de morirme en aquel mismo momento. Cuando mi padre regresó al asiento no podía mirarle a la cara. Jamás, nunca, bajo ningún concepto, hubiera sospechado que mi padre fuera capaz de humillar el honor de nuestra familia de aquella manera. El miedo hacía que me temblara todo el cuerpo pero mi padre ni me miró. Sólo dijo: «Tenía que salvar el Van Gogh», y ya no volvió a abrir la boca en varios días. Después, se hundió en la depresión y en la vergüenza. No se atrevía ni a mirar a mi madre, que nos observaba a los dos con profunda preocupación. El tubo de cartón permanecía, bajo llave, en un armario de su despacho. Ryoei Saito fue quemado, sí, incinerado, reducido a cenizas y entregado a su familia, pero su Van Gogh estaba en nuestra casa y no tenía ni idea de lo que mi padre pensaba hacer con él.

Guardó silencio un momento y, luego, dijo:

—Fueron días difíciles. Creo que no salí del templo al que pertenecía nuestra familia ni para dormir. Todo lo que quería, con desesperación, era que el *kami* de Saito, su espíritu, perdonara a mi padre. Pero mi padre se iba consumiendo día tras día ante los atemorizados ojos de mi madre y los míos. Su culpa sería eterna y su vergüenza también, y él lo sabía. Había ofendido al espíritu de Saito y a su familia y había ensuciado para siempre su honor y el honor de la nuestra.

—¿Por qué no entregasteis en secreto el cuadro a las autoridades? —quiso saber Oliver. Por su parte, Morris, el americano, soltó un bufido de desprecio, como diciendo que lo último que él haría sería entregar el cuadro a las autoridades.

—Porque no podíamos —le aclaró Ichiro—. Según me dijo mi padre el día que, por fin, hablamos de todo este asunto, si devolvíamos el cuadro a la familia Saito, aunque fuera en secreto, ellos se verían obligados a quemarlo igualmente como ofrenda para el muerto, para evitar su venganza desde el mundo de los espíritus y, además, no les costaría mucho deducir cómo había podido salir la obra del ataúd de su familiar. Tampoco podíamos entregarlo a las autoridades japonesas porque no sólo no eran las propietarias del cuadro sino que, además, habían sido las causantes, en buena medida, del desastroso final de Saito. ¡Mi padre temblaba ante la venganza del espíritu de Ryoei si se lo entregábamos a las autoridades!

Qué complicados eran los japoneses, pensé. Mundo de los espíritus, venganza de los muertos desde el más allá... Lo dicho, planetas separados por millones de años luz.

En ese momento, Ichiro se echó a reír de nuevo y nos miró.

—Ya sé que todo esto os suena muy raro a vosotros, los occidentales, pero intentad comprenderlo y, si no podéis, aceptadlo sin más. De todas formas, nuestros problemas morales y espirituales duraron poco tiempo.

La fotografía del cortejo fúnebre desapareció y, en su lugar, apareció el lienzo del *Retrato del doctor Gachet* extendido sobre el suelo de madera de algún lugar con una hoja de papel llena de caracteres japoneses y una pequeña lámina del tamaño de un folio en la que se veía (mal) otro cuadro de Van Gogh con un hombre sentado, como posando para una fotografía, con sombrero y chaquetón.

—Esto fue lo que encontramos cuando abrimos el tubo de cartón y sacamos su contenido.

Se hizo un extraño silencio en la sala. Yo miraba la imagen atentamente porque había algo que llamaba mi atención aunque, así, de pronto, no era capaz de apreciar de qué se trataba. Después de fijarme mucho me di cuenta de un detalle: los botones del chaquetón que vestía el doctor Gachet no eran de color verde lima sino amarillos y el rojo carmín del mantel de la mesa se había convertido en un naranja azafranado parecido al color del pelo del propio doctor Gachet.

—¡Era una falsificación! —exclamé sin poder contenerme.

Ichiro me miró muy satisfecho y asintió.

—Así es, Hubert. Se trataba de una falsificación. Pero lo más importante de todo era la carta que acompañaba a la falsificación. Como ninguno sabéis japonés, la he traducido.

Del bolsillo trasero de su pantalón sacó reverencialmente un cuadrado de papel que desplegó con meticulosidad oriental y, tras beber un nuevo sorbo de agua, empezó a leer:

«Honorables magistrados de Tokio y honorables autoridades fiscales de Japón, si están leyendo esta carta será porque han conseguido impedir, seguramente por la fuerza, que el *Retrato del doctor Gachet* de Vincent Van Gogh haya ardido con mis restos como era mi deseo. Qué desilusión se habrán llevado al descubrir que no es el verdadero cuadro de Van Gogh. Me estoy riendo de ustedes desde la tumba. Han destrozado mi vida, han provocado mi enfermedad y mi muerte y, ahora, creían que podrían impedir que se cumpliera mi última voluntad. Nunca tuve la intención de quemar el cuadro, sólo quería tenerles aquí, donde les tengo ahora, leyendo mi carta. Juré que mis hijos no pagarían los vergonzosos impuestos que aplican ustedes a las herencias y, créanme, lo voy a conseguir. Es decir, que yo gano. ¿Quieren el cuadro? Si lo encuentran es suyo. He gastado un tiempo precioso de mis últimos años de vida organizando un juego para que ustedes se diviertan mientras buscan mi Van Gogh. Examinen con atención la pequeña lámina impresa con el *Retrato de Père Tanguy*, pintado por Vincent en París en 1887. El original se encuentra en el museo Rodin, por si quieren estudiarlo con más atención. Vayan a París. Allí empieza el juego. Suerte. Su enemigo desde el mundo de los espíritus, Ryoei Saito».

Conocía el *Retrato de Père Tanguy*, lo había visto varias veces en el museo Rodin de París, en una sala de paredes blancas del primer piso, colgando solitario entre dos puertas con desagradables luces verdes en la parte superior. Siempre había sido, para mí, el fantástico retrato de alguien anónimo. Ahora la cosa cambiaba un poco porque, en ese momento, aquel grupo de desconocidos y yo nos encontrábamos en una galería de arte de París llamada Boutique du Père Tanguy. Las imágenes empezaban a tomar cuerpo y, en realidad, estaba claro que el juego empezaba allí.

2

El reino de la muerte

—¡Ajá! —exclamó Ichiro con gran satisfacción—. Veo, por vuestras caras, que ya lo habéis adivinado. Sí, en efecto, el juego o, mejor, la venganza de Ryoei Saito empieza aquí, exactamente aquí, en la Boutique du Père Tanguy. Kazuhiko, por favor…

El gerente de la tienda ocupó el lugar de Ichiro y éste aprovechó para sentarse un momento y descansar.

—El primer propietario de esta *boutique* fue un fabricante de pinturas del siglo XIX llamado Julien Tanguy —empezó a contar el luchador de sumo con un inglés deficiente—, aunque todo el mundo le conocía como Père Tanguy, o padre Tanguy, ya que, en realidad, se comportaba como un padre con los pobres pintores impresionistas muertos de hambre que entraban a comprar pigmentos baratos para sus cuadros. *Monsieur* Tanguy fabricó colores para Monet, Renoir o Cézanne, entre otros, y, desde luego, para Vincent Van Gogh. Como no podían pagarle con dinero, le pagaban con cuadros que nadie quería y que se acumulaban aquí mismo, en este antiguo almacén en el que nos encontramos ahora, o ahí afuera, en la galería, con la intención de que alguna vez encontraran un comprador… Cosa que raramente ocurría, debo añadir. Vincent Van Gogh se hizo muy amigo de *Monsieur* Tanguy porque era el único que exhibía sus pinturas en todo París y muchos días salían juntos por ahí para continuar las largas conversaciones sobre el color de los impresionistas que casi siempre terminaban en terribles peleas. Ambos tenían un genio muy vivo y eran bastante radicales en sus posturas.

Ichiro, desde la silla, alargó la mano y en el monitor apareció, a pantalla completa y en alta definición, el *Retrato de Père Tanguy*. El fabricante de pigmentos aparecía sentado en el centro del lienzo como si fuera un buda. Lo único que le diferenciaba de la escultura de un auténtico buda era la postura de sus piernas, que no estaban cruzadas sino extendidas hasta la rodilla y cubiertas por unos pantalones más o menos marrones, pero en todo lo demás, incluso en la forma de cogerse las manos, era un auténtico buda con sombrero, pañuelo amarillo anudado al cuello como una corbata y un llamativo chaquetón de color azul cobalto, bordeado y sombreado con negro. El buen tendero de la *boutique* lucía un bigote y una barba muy bien recortados que Van Gogh había querido teñir de color violeta mientras que las pobladas y anchas cejas desaparecían bajo el ala del sombrero de paja, cubierto casi por completo con pigmento verde oscuro. La piel de su rostro y de sus manos era una mezcla de rosa y amarillo que contrastaba con el azul y el negro de sus ojos. Su expresión, según cómo se mirase, podía ser bondadosa como la de un buda o totalmente inexpresiva.

Mientras examinábamos con curiosidad la imagen, el gerente tomó asiento e Ichiro se puso en pie de nuevo frente a nosotros.

—¿Veis lo que os decía antes sobre el amor de Van Gogh por Japón? —nos preguntó con orgullo.

Sólo entonces, después de su pregunta, mis ojos se apartaron de la gran figura central de Julien Tanguy para prestar atención al fondo de la imagen, hasta entonces nada más que un extraño batiburrillo de colores chillones. Pero el fondo tenía forma o, mejor dicho, varias formas. Detrás de Tanguy, Van Gogh había llenado una supuesta pared con láminas de grabados japoneses. Vamos, que un poco más y el enorme monte Fuji que se veía sobre la cabeza de Tanguy se podía haber caído sobre nosotros sin que nos diéramos cuenta. Rodeando al vendedor de colores, en el sentido de las agujas del reloj, después de un enorme Fuji nevado sobre un cielo rosa se veía un pequeño riachuelo con un precioso cerezo en flor lanzando, literalmente, su copa sobre el agua. Después, el esbozo de una mujer sin cara vestida con un kimono de colores incandescentes, que era la reproducción en pequeño de un cuadro mucho más grande de Van Gogh que yo había visto multitud de veces en mi vida. A continuación, a ambos lados de las piernas cortadas de Tanguy, un relleno de líneas horizontales y verticales sin sentido que daban paso, ya en el lateral izquierdo de la obra, a un macizo de flores de color verde, rojo y lila, sobre las que se agazapaba desde arriba, desde su propia lámina, otra mujer en kimono luciendo un extraño peinado decorado con rayos anaranjados. Por último, de nuevo junto al monte Fuji, el fondo de Tanguy terminaba con la imagen de un hermoso cielo azul sobre un pueblecillo de casas amarillas sobre las que caía una gran nevada. Dos figuras con sombrillas japonesas cubiertas de nieve blanca avanzaban por el camino paralelo al pueblo.

—Después de encontrar la carta del señor Saito —nos explicó Ichiro—, la vida de mi padre y la mía cambiaron radicalmente. Mientras yo me matriculaba en la Universidad Nacional de Bellas Artes y Música de Tokio, me especializaba en Historia del Arte y realizaba mi doctorado sobre Van Gogh, el impresionismo y el postimpresionismo, mi padre se dedicó a viajar por Europa con mi madre y a visitar uno por uno los lugares en los que transcurrió la vida de Van Gogh, incluida esta galería de arte, por supuesto. Cuando se jubiló en 2014, hace cuatro años, yo dejé mi trabajo de profesor en la universidad para encargarme de los negocios familiares y él, con mi madre, continuó con sus viajes de investigación sobre Vincent Van Gogh. Nos obsesionamos, ésa es la verdad. Queríamos recuperar el cuadro.

Otro japonés de pelo blanco y gafas apareció en el monitor. Parecía un profesor universitario y, aunque no era Ichiro, se le parecía bastante.

—Éste es mi padre, Kentaro Koga, poco antes de sufrir el año pasado un derrame cerebral que le dejó atado a una silla de ruedas para siempre. Ahora necesita la atención constante de mi madre, que también es ya mayor, y de mi esposa, Midori, que cuida de los dos mientras yo continúo con la búsqueda del *Retrato del doctor Gachet*, el mayor y único deseo de mi padre —Ichiro levantó la mirada con un gesto de enorme tristeza—. Y por eso os hemos contratado —concluyó—. Por eso habéis firmado una cláusula que os obliga a mantener absoluto secreto sobre este tema. Por eso estáis hoy aquí, en París, escuchando esta historia.

—¿Y él? —preguntó John Morris señalando al gerente—. ¿También ha firmado un contrato como nosotros?

Los dos japoneses se miraron y se echaron a reír a carcajadas.

—¡Oh, no! —rechazó Ichiro, al cabo de un poco, secándose las lágrimas—. Kazuhiko es mi primo, uno de los hijos del hermano de mi padre y, además, mi mejor amigo.

¿Primos…? ¿Un enorme luchador de sumo y el enclenque propietario de una funeraria…? A la fuerza, alguno de los dos tenía que ser adoptado.

—Hace muchos años —siguió contándonos Ichiro—, mientras yo estudiaba en la universidad, Kazuhiko vino a París con el propósito de convertirse en el gerente de esta galería. Mi padre, tras descartar cuidadosamente cualquier otra posibilidad, llegó a la conclusión de que el juego del que hablaba el señor Saito en su carta empezaba aquí. Mi primo Kazuhiko ha estado investigando milímetro a milímetro toda la galería desde que fue contratado. Pero, por desgracia, no ha encontrado nada.

—Y si él no ha encontrado nada —insistió Morris despectivamente, quitándose la gorra de béisbol un momento para secarse la frente con el brazo—, ¿por qué crees tú que nosotros sí podemos?

Su brusco tono de voz sorprendió al afable Ichiro.

—Bueno, quizá tú no encuentres nada, John —le contestó, llamándole tonto sin que el otro se diera cuenta— pero puede que los demás sí. Como os dije antes, cada uno de vosotros posee una habilidad especial que os hace imprescindibles. Tú, John, por ejemplo, eres lo que en Estados Unidos se llama un contratista y que aquí en Europa sería algo parecido a un constructor de nivel medio o un manitas, ambas cosas al mismo tiempo. Puedes construir una casa, ponerle la fontanería y la electricidad, lijar las superficies, pintarlas, fabricar cualquier mueble… Hubert es el propietario de una importante galería de arte en Ámsterdam. Odette es enfermera en el servicio de urgencias de un hospital. Oliver es pintor…

—Artista urbano —le corrigió el propio Oliver—. Pinto con spray.

Ichiro no se inmutó.

—Artista urbano. Y también Gabriella.

—No, yo sí que soy pintora de verdad —declaró ella con una sonrisa—. No pinto con spray. Me dedico al arte contemporáneo sobre lienzo, con acrílico, y hago esculturas de vez en cuando.

La mezcla era un tanto extraña. Arte y manualidades, podríamos decir. ¿Por qué demonios íbamos a servir nosotros para encontrar un cuadro escondido por un viejo y amargado japonés? En fin, dinero, me recordé. Yo estaba allí por dinero y si Ichiro quería ponernos a dar vueltas por la galería Tanguy, daría vueltas hasta caerme redondo.

—¿Por qué no empezamos ya? —nos propuso él con una enorme y feliz sonrisa en la cara, como si nuestro triunfo fuera inevitable—. Kazuhiko ha preparado un bufé en la galería y ha bajado las persianas metálicas. Podemos tomar algo y empezar.

—Pero ¿empezar a qué? —gruñó desagradablemente Morris—. ¿Qué se supone que debemos buscar?

—El cuadro de Van Gogh, naturalmente —repuso Ichiro muy sorprendido—. ¿Aún no has entendido todo lo que os he explicado?

El americano se encendió como una antorcha.

—¡Lo he entendido perfectamente! —bramó, conteniendo los puños para no pegarle al japonés. Luego, se calmó como si un pensamiento sensato (el dinero) le hubiera cruzado la cabeza—. El cuadro de Van Gogh. Muy bien. Pues busquemos el cuadro de Van Gogh.

Salimos del almacén y nos dirigimos todos a la mesa que había preparado el primo de nuestro patrocinador. Me serví un refresco y me puse a dar vueltas por la galería que, incomprensiblemente, ahora aparecía llena de copias del *Retrato de Père Tanguy* de Van Gogh. Las había pequeñas, grandes, de estilo pop, surrealista, hiperrealista, abstracto, cubista... Pero sólo de la figura de Tanguy, no del fondo de láminas japonesas, que desaparecía misteriosamente en cada una de las muchas interpretaciones que distintos pintores habían hecho de la obra de mi compatriota a lo largo de los años. Lo que me pareció más raro fue darme cuenta de que cuando entré en la galería aquella mañana sólo vi cuadros, en general. Mi cerebro no registró que esos cuadros eran todos, o casi todos, réplicas de una misma obra de Van Gogh. El rostro de bonzo de Julien Tanguy estaba por todas partes, incluso en el pequeño aseo, cuya puerta abrí por curiosidad.

Oliver, el inglés, entró en otro antiguo almacén al que se accedía por un pequeño pasillo. Yo le seguí. Perdimos de vista a Ichiro y a su primo, así como a Odette, que charlaba animadamente con ellos, y al americano, que se había quedado pegado a la mesa del bufé. Gabriella, que nos había visto, venía detrás de mí. Notaba su presencia como si fuera un radiador. Hacía sólo tres años que me había divorciado de Annelien. Me enteré de que se estaba acostando con un compañero de trabajo. Desde entonces todo había ido cuesta abajo: mi vida, mi galería... Ella se había vuelto a casar y supe que estaba esperando un niño sólo dos días antes de salir hacia París. Llegué a la ciudad del amor arrastrando el alma por sus soleadas y achicharradas calles. Al menos, la búsqueda de aquel cuadro llenaría, aunque fuera sólo en parte, otro mes de agosto vacío, otras vacaciones con la galería cerrada y sin nada que hacer ni ganas de hacer nada.

El nuevo almacén era más grande que el otro, como del doble de tamaño, y estaba bastante más sucio. Oliver apartó una caja de madera que había junto a una pared y tuvo que sacudirse las manos en los pantalones.

—Éste es el sitio perfecto —dijo Gabriella a mi espalda.

Oliver y yo nos volvimos a mirarla. Era, con diferencia, la mujer más atractiva que había visto en mi vida.

—Si hay algo escondido en esta galería —insistió ella—, sólo puede estar aquí.

—Pues prepárate para mancharte a base de bien —le dijo Oliver cogiendo sin esfuerzo otra caja del suelo y ofreciéndosela—, porque este lugar está asqueroso.

Ella sonrió y, sin miedo a la mugre, tomó con sus manos la sucia caja, doblándose un poco bajo su peso. Al cabo de un rato de husmear por allí, dábamos pena: pelo, cara, manos, ropa, gafas, cristales de gafas… Todo manchado de porquería. Y, total, para no descubrir nada. Al cabo de un rato entraron también Ichiro y Kazuhiko, que se quedaron en el umbral de la puerta mirándonos.

—¿Vosotros no vais a ensuciaros las manos? —les preguntó Gabriella con retintín.

—Nosotros ya nos las hemos ensuciado muchas veces —le respondió Kazuhiko amablemente—. Cuidado con las cajas. Contienen las viejas herramientas de *Monsieur* Tanguy y muestras de sus antiguas pinturas en vejigas de cerdo. También las tenemos en tubos de estaño plegables, que aparecieron a mediados del siglo XIX. Todo lo que hay en esas cajas son objetos históricos muy valiosos.

—Ya se nota —repuso Oliver limpiándose la nariz con el dorso de la mano.

Gabriella empezó a restregar enérgicamente con el puño una parte del muro del almacén que exhibía una gloriosa mancha mohosa de gran tamaño.

—Ahí no hay nada —le avisó Kazuhiko—. Sólo la pared.

Ichiro le propinó un doloroso codazo en las costillas. El luchador de sumo se contrajo un poco hacia delante.

—¡Kazuhiko! —gruñó su primo—. Deja que busquen por su cuenta. No te metas. Ellos pueden triunfar donde nosotros hemos fracasado.

El gigantón asintió. En ese mismo momento se oyó una exclamación de Oliver y todos nos volvimos rápidamente a mirarle. Pero él estaba señalando a Gabriella. Bueno, no, a Gabriella no. A la mancha mohosa que Gabriella estaba limpiando.

—¡Mirad lo que aparece por ahí! —exclamó el inglés con los ojos desorbitados lanzándose hacia la parte baja de la zona sucia, casi a la altura del suelo. Me acerqué en dos zancadas y me fijé en un pequeño dibujito hecho en la pared.

—Es una rata —señaló Ichiro, que ya debía de haberla visto antes.

El diseño del animalito era uno de esos que se veían por las calles hechos con plantillas y pintura de aerosol, en este caso negra. La rata tenía el rabo estirado hacia delante, pasándole por encima de la cabeza, y estaba dando un salto muy grande porque todo su cuerpo estaba dibujado en horizontal, con las patas extendidas como si volara.

Pero Oliver parecía estar viendo no una rata miserable sino *La Piedad* de Miguel Ángel. Se arrodilló delante del dibujo del bicho y, con sus dedos sucios, apartó un poco de yeso seco.

—¿Es valioso? —se extrañó Ichiro.

—¡Blek le Rat! —murmuró Oliver con reverencia—. Es la firma de Blek le Rat. Aquí tiene que haber alguna obra suya.

—¿Quién es Blek le Rat? —preguntó Gabriella con curiosidad.

Ichiro ya lo estaba buscando en su móvil.

—¡Vaya, pues parece que sí que es importante! —murmuró observando la pantalla y deslizándola con sus limpísimas manos.

—¡Es muy importante! —protestó Oliver buscando algo por todas partes—. ¡Necesito un cincel o un punzón! ¡Un cúter, maldita sea! ¡Ahí hay una obra de Blek le Rat!

Mientras Kazuhiko se abalanzaba fuera del almacén para traerle al ansioso Oliver alguna de las herramientas que había pedido, Gabriella y yo sacamos nuestros móviles para consultar en internet quién demonios era el tal Blek. Y resultó que Blek le Rat era un artista famosísimo que llevaba pintando en las calles de París desde 1983. Parte de su obra se exponía ahora en el museo Georges Pompidou ya que había alcanzado el éxito como uno de los más importantes representantes del movimiento *street art* (arte callejero o arte urbano). Por lo visto era el antecesor y padre artístico del famosísimo Banksy, un grafitero que hasta yo conocía porque sus obras alcanzaban cifras en el mercado del arte que no podían pasar desapercibidas de ninguna manera. Pero, aunque había oído hablar mucho de Banksy, jamás había oído nada sobre este francés que parecía ser anterior e incluso mejor que el propio Banksy. No hay nada como nacer norteamericano o inglés para triunfar en el mundo entero sin demasiado esfuerzo. Los artistas de otros países tienen que conformarse con ser segundones en el mercado, aunque sean mejores. Y Blek le Rat era, indiscutiblemente, mucho mejor. Lo que veía me gustaba bastante.

Kazuhiko le entregó un cúter a Oliver que empezó a despegar con mucho cuidado la capa de yeso que cubría la obra del artista francés. La capa no estaba completamente adherida. Saltaban trozos completos y grandes en cuanto el cúter hacía un poco de palanca. Odette y Morris también se habían unido a nuestro grupo y todos juntos contemplábamos el delicado trabajo de Oliver que antes se hubiera clavado el cúter en el corazón que permitir que se estropeara la pintura que había debajo del yeso enmohecido. Poco a poco una colorida imagen de *street art* fue quedando a la vista.

—¿Otra vez el Tanguy ese? —rezongó Morris.

Sí, era otra reproducción, a tamaño natural, de la imagen de Julien Tanguy pintada por Van Gogh pero esta vez con estilo grafitero, de plantillas y espráis. Y la rata en blanco y negro a los pies de la obra.

—¡Es una obra de Blek le Rat! —repetía Oliver alejándose y acercándose para contemplarla con ojos brillantes. Estaba realmente emocionado. Empezó a sacar fotografías con su móvil como un demente después de pedirle permiso a Ichiro, que se lo dio a condición de que no publicara nada en redes, al menos todavía. Los demás, claro, le imitamos. Era, de verdad, una buena obra y me recordó el caso de Adolphe Monticelli y Vincent Van Gogh. Nadie recordaba a Monticelli y todo el mundo adoraba a Van Gogh, que bebió del estilo pictórico de Monticelli y se confesaba su rendido admirador, del mismo modo que nadie conocía a Blek le Rat y todo el mundo adoraba a Banksy.

—¿Cuánto podría valer esta pintura? —pregunté con curiosidad de galerista. Los ojos azules de Oliver me devolvieron una mirada cargada de reproche y de indignación.

—El arte no tiene precio —afirmó desde la enorme altura de su superioridad artística. No se lo tomé en cuenta. Aún era un soñador ingenuo. El arte no tenía precio para los que se morían de hambre intentando, como los impresionistas en sus primeros tiempos, vivir de él. Para el resto del mundo, como para Ryoei Saito, el arte podía valer decenas de millones, centenares de millones de dólares. De hecho, yo vendía arte. Ése era mi trabajo y el de millones de galeristas y marchantes en todo el mundo. Vender arte para que la gente pudiera tenerlo en sus casas y disfrutarlo, como la música y los libros.

—Más o menos, entre diez mil y cincuenta mil euros —me respondió Gabriella—. No puedo estar segura. Si fuera un Banksy valdría millones.

Esa mujer, curiosamente, hablaba el mismo idioma que yo aunque perteneciera al mundo de los artistas soñadores como Oliver.

—Dentro de la rata hay unos números —comentó Odette, adelantándose para examinarlos mejor.

—Son números romanos —comentó Oliver, agachándose—. MCM… 1995. El año en que lo pintó. Es raro que los artistas callejeros fechen sus obras y aún más con números romanos.

Una campanita empezó a tintinear dentro de mi cabeza pero, justo antes de que pudiera darme cuenta, Morris ya se había puesto junto a Oliver y empezaba a deslizar sus gruesos dedos por la superficie del dibujo. Las zonas que tocaba quedaban relucientes (menos mal, pensé, que no había tenido que estrechar su grasienta mano durante las presentaciones), como si aplicara barniz a la pintura. A fin de cuentas, el barniz es aceite, sea humano o vegetal.

—Hay un borde —masculló—. Esta cosa está incrustada en el muro. No forma parte de él.

—¡Esta *cosa* es una obra de arte! —le reprochó el inglés.

—Sí, bueno, lo que tú digas —resopló Morris colocando sus manos sobre las manos de Julien Tanguy y empujando con fuerza.

—¿Qué haces? —gritó Oliver, dándole un empujón. Oliver podía ser una percha atlética de dos metros, pero Morris era un americano grande y gordo, criado seguramente con hamburguesas.

—Aparta, idiota —le dijo al inglés apoyando esta vez las palmas de sus manos a los lados de la cabeza de Julien Tanguy. Le oímos gruñir y jadear haciendo fuerza contra la pared—. Se mueve un poco —rezongó—. ¡Ayudadme!

Todos a una nos lanzamos contra la obra del pobre Blek le Rat poniendo nuestras manazas sucias por todas partes. Las mujeres acabaron retirándose y el japonés pequeño también. Pero Morris tenía razón: aquel trozo de muro se movía. Ahora ya podíamos ver el borde irregular de la pieza, que se había hundido un par de centímetros hacia dentro. Yo empujaba con todas mis fuerzas sobre el brazo izquierdo de Tanguy y, en un momento dado, tras un inesperado chasquido metálico, me encontré precipitándome hacia el suelo dentro de un lío de brazos, cabezas y cuerpos. La pieza de muro con la obra de Blek le Rat había cedido, abriéndose hacia un lado como una puerta y dejando a la vista otro pequeño almacén.

Me quité el brazo de Morris de la nuca, la mano de Kazuhiko de la cara y las piernas de Oliver de la espalda para incorporarme del suelo a cuatro patas con polvo de yeso hasta en las pestañas. Me había magullado la nariz con las gafas, que se habían torcido con el golpe y tuve que quitármelas y comprobar que no me había roto nada. Para entonces, Gabriella, Odette e Ichiro ya se habían colado por el hueco y buscaban inútilmente la manera de iluminar aquel lugar con un interruptor. Ichiro encendió la linterna de su móvil.

Por suerte, la varilla torcida de mis gafas volvió a su sitio fácilmente y los cristales estaban intactos, así que, tras una pasada rápida por la camisa para quitar la suciedad, recuperé la visión nítida. Todos habían entrado en el lugar recién descubierto y encendían rápidamente las linternas de sus móviles.

Yo no salía de mi asombro. La figura de Tanguy pintada en 1995 por Blek le Rat era una puerta secreta que no había sido descubierta durante veintiocho años. Claro que estaba bien tapada por una fina capa de yeso y tenía montones de cajas sucias delante, apiladas hasta casi cubrirla. Sólo los muchos años transcurridos habían permitido que la capa se enmoheciera, se diferenciara del resto de la pared del almacén y llamara la atención de Gabriella. Y, ahora, ahí estábamos, empezando sin duda el malvado juego de Ryoei Saito.

—Tenemos que bajar —dijo Morris señalando unos escalones de piedra que descendían hacia un pozo oscuro.

Odette y Gabriella se miraron, un poco asustadas.

—¿Cómo podemos saber si eso es lo que debemos hacer? —preguntó Odette, insegura.

Ichiro, que ya estaba poniendo el pie en la escalera, se volvió hacia ella con un gesto radiante en la cara.

—No tengo la menor duda de que esa puerta disimulada es obra del señor Saito —afirmó con decisión—. Tiene su firma: la obra de un artista, el año, el lugar… Todo encaja, Odette.

Kazuhiko sujetó a su primo por el brazo para detenerle.

—¿Qué quieres que haga? ¿Voy contigo?

Ichiro se detuvo un momento para pensarlo y, finalmente, negó con la cabeza.

—No, Kazuhiko, quédate. Si no hemos vuelto dentro de tres o cuatro horas, pide ayuda.

El luchador de sumo asintió y dio un paso atrás. Los demás, obviamente, seguimos a Ichiro por la escalera. Yo encendí también la linterna de mi teléfono aunque no hacía falta porque con las luces de los demás ya se veía bastante bien. No sé por qué suponía que llegaríamos a algún sótano o algo parecido, que es lo que hay en algunas casas antiguas de los centros de las ciudades, pero aquellos escalones de piedra seguían hundiéndonos en las profundidades de la tierra más allá del supuesto tamaño de un sótano. Al cabo de un rato, Oliver se detuvo:

—¿Cuánto habremos bajado ya? —inquirió, preocupado.

—Unos veinte metros —le respondió Morris tranquilamente, acostumbrado a medir todo tipo de cosas en su trabajo.

—¡Veinte metros! —se espantó Gabriella—. Debemos estar, como poco, en el estrato romano de París, en la antigua Lutecia de Astérix y Obélix.

—Pero, vamos a ver —reflexionó Oliver—, ¿cómo puede ser todo esto obra del señor Saito si él ya estaba enfermo en 1993? ¿Acaso pudo, enfermo y detenido, venir a París para encargarse de todo esto?

—¡Era un multimillonario! —le explicó Gabriella con buen humor—. ¿Acaso no has oído nunca que el dinero todo lo puede?

—Pero ¿no se había arruinado con el pago de impuestos?

—¿Arruinarse? —sonrió Ichiro—. No, Ryoei Saito era demasiado rico para arruinarse. Puede que tuviera más deudas que dinero pero eso no cambiaba nada.

—Tendría gente de confianza que vendría a París en su nombre —aventuré.

—Tampoco creo que tuvieran que hacer mucho —murmuró Ichiro—. El subsuelo de París es como un queso gruyer. Hay cientos de kilómetros de galerías excavadas a lo largo de los siglos para extraer la piedra caliza con la que se ha construido tanto la ciudad como sus famosos monumentos. Se trata de una enorme red subterránea de túneles con más de dos mil años de antigüedad totalmente prohibida al público. Nadie puede bajar hasta aquí.

—¿Y cómo sabes tú eso siendo japonés? —preguntó Morris con escepticismo.

Ichiro, que bajaba los escalones cada vez más despacio y con mayor recelo, no pareció ofenderse por el tono de la pregunta del americano.

—Lo descubrimos mi padre y yo hace algunos años. Quisimos explorar los túneles debajo de la galería Tanguy, exactamente lo que estamos haciendo ahora, pero las autoridades de París nos lo prohibieron. Por eso lo sé. Por cierto, creo que hemos llegado al final, mirad.

E iluminó con su móvil el último tramo de escalones. A saber dónde estábamos exactamente. Algo denso y espeso flotaba en el aire enrarecido por la humedad y el frío (sí, frío de verdad, en agosto). Creo que era nuestro miedo. Yo, al menos, empecé a sentir algo parecido al pánico y a la claustrofobia. Lo que más hubiera deseado en el mundo era salir de allí precipitadamente, escaleras arriba.

Pero ese miedo que ondeaba como una bruma sobre nuestras cabezas se convirtió en terror cuando, tras dejar atrás los escalones de piedra y avanzar unos metros por un tortuoso corredor de tamaño humano, llegamos a una pieza rectangular cuyo techo casi nos rozaba la cabeza. Frente a nosotros, entre columnas pintadas de negro con grandes rombos blancos, una abertura a modo de puerta lucía, en la parte superior, un rótulo en francés que decía: *Arrêtez. C'est ici l'empire de la mort*. «Alto. Éste es el reino de la muerte».

3

El color marrón no existe

—¡Yo me voy! —soltó Morris, retrocediendo—. Vosotros haced lo que queráis pero yo no me quedo aquí.

—Esto no me gusta —declaró Gabriella acercándose al americano.

—No podéis marcharos —declaró Ichiro muy serio—. Recordad el contrato que firmasteis y el adelanto que recibisteis.

Morris soltó una grosería y Gabriella le sujetó por el brazo para contenerle. Pero el americano estaba decidido.

—Ya te he dicho lo que puedes hacer con tu dinero —le espetó a Ichiro—. Y, ahora, adiós.

Con paso resuelto desapareció por el corredor para volver a las escaleras. Tuve unas enormes tentaciones de seguirle.

—¿Alguien más quiere abandonar? —preguntó nuestro anfitrión con gravedad.

—Quisiera irme con John —murmuró Odette, avergonzada, dando unos pasos tímidos tras el americano.

—¿Alguien más? —insistió Ichiro viendo que las tropas le abandonaban.

No cabía ninguna duda de quiénes necesitábamos de verdad el dinero: Gabriella, Oliver y yo. Ninguno de nosotros se movió. Y no por falta de ganas.

—Pues vamos —dijo Ichiro, furioso, entrando por la puerta que había bajo el maldito rótulo del reino de la muerte.

Vi cómo Odette nos hacía un gesto triste de despedida con la mano y desaparecía en el angosto túnel iluminada por la luz de su propio móvil.

Los tres que quedábamos caminamos en silencio en pos de Ichiro, cruzando silenciosos una amplia antesala cuyo techo de roca caliza sin desbastar estaba sostenido por gruesos pilares de piedra y argamasa a ambos lados del pasillo. No hubiera podido datar aquellos pilares, pero no parecían tener dos mil años. Si acaso algunos cientos. Puede que menos. La antesala terminaba al cabo de unos treinta o cuarenta metros y una oquedad estrecha nos condujo directamente al lugar más espeluznante que había visto en toda mi vida. Sin duda, el reino de la muerte. Millones de huesos humanos, especialmente fémures y tibias perfectamente colocados, se apilaban ordenadamente desde el suelo hasta el techo a izquierda y derecha. A media altura, unas filas de calaveras de cuencas vacías nos miraban. ¿Cuántos cuerpos podía haber allí? ¡Millones, sin duda!

Vi que Gabriella, impresionada, se acercaba a Oliver buscando protección y que Oliver le pasaba un brazo sobre los hombros y la atraía hacia él. Si no hubiéramos estado allí donde estábamos quizá me hubiera sentido herido o algo así pero lo cierto era que tener tan cerca a la muerte, a tanta muerte, embotaba la capacidad no sólo de pensar sino también de sentir. ¿Qué tienen los restos humanos que provocan un terror tan básico e irracional? Sólo eran huesos, los mismos huesos que llevamos dentro de nuestros cuerpos durante toda la vida formando nuestro esqueleto. ¿Por qué daban tanto miedo cuando no tenían carne encima? Quizá porque nos recordaban que no íbamos a vivir para siempre.

No sé cuánto tiempo caminamos antes de tropezar con el primer letrero que nos aclaró un poco la situación: *Ossements de l'ancien cimetière St. Laurent déposés en 1848 dans l'ossuaire de l'ouest et transférés en 1859* («Huesos del antiguo cementerio de San Lorenzo depositados en 1848 en el osario del oeste y transferidos en 1859»). Cada cien o doscientos metros encontrábamos otro letrero parecido a éste, con referencias a un cementerio distinto, de modo que, a la vista de las fechas, reconstruimos la historia lo mejor que pudimos: por alguna razón (epidemias, guerras o algo así) los cementerios de París se habían colapsado entre finales del siglo XVIII y principios del XIX y los parisinos, aprovechando que tenían los túneles de las canteras, metieron allí —por supuesto, con un elegante diseño y un marcado buen gusto—, los millones de huesos antiguos de personas sin identidad que ocupaban el espacio que se necesitaba para poder seguir enterrando gente.

Es evidente que, cuando estás en un lugar así y, de pronto, escuchas un grito lejano y espantoso que procede de algún lugar a tu espalda, la sangre se te congela en las venas y el vello de todo el cuerpo se te eriza como si te hubiera caído un rayo. Incluso el del bigote.

—¿Qué ha sido eso? —pregunté, alarmado.

La cara de angustia de Gabriella me llevó a arrepentirme de mi pregunta. Seguía apretándose contra Oliver como si él fuera uno de los pilares de piedra que sostenían aquel lugar.

—Sin duda —dijo Ichiro retrocediendo hasta mí, que iba el último—, un grito de mujer y me atrevería a decir que podría haber sido Odette. Al menos, me ha parecido ella.

—¿Habrán vuelto? —inquirió Oliver, sorprendido.

—¿Odette y Morris…? —tartamudeó Gabriella, que no parecía capaz de controlar el temblor de su cuerpo—. No… No creo.

—Regresemos —propuso Ichiro.

—Pero ¿y si nos encontramos con una pandilla de asesinos matando a una mujer o algo así? —se espantó el inglés.

—¡Pues la ayudamos, hombre! —afirmé resueltamente, como si enfrentarme con pandillas de asesinos fuera una actividad rutinaria en mi vida. Alguna que otra pelea había tenido de joven, cuando salía de copas, pero de ahí a enfrentarme con una pandilla de asesinos había una gran diferencia. Sin embargo, si alguien necesitaba auxilio, había que ir a ayudar. Era algo que no se podía cuestionar.

—Quedaos vosotros dos aquí —les dijo Ichiro—. Vamos, Hubert. Tenemos que averiguar que está pasando.

Echamos a correr por aquella catacumba en dirección contraria y ya estábamos llegando a la entrada cuando vimos a Odette fuertemente abrazada al enorme americano pelirrojo. Estaba claro que se había quedado horrorizada al ver los huesos.

—¡Morris! —exclamó Ichiro muy sorprendido—. ¿Qué hacéis aquí? ¿Por qué habéis vuelto?

Morris lanzó una mirada asesina al japonés y soltó a Odette sin miramientos.

—Porque no hemos podido irnos —le explicó muy enfadado—. No había escaleras.

—¿Cómo dices? —me alarmé.

—¡He dicho que las escaleras por las que hemos bajado han desaparecido! —me escupió a la cara como si el imbécil fuera yo y no él, que lo era de natural—. Un bloque de piedra cerraba el corredor. No se puede regresar por allí.

Sentí que el alma se me caía a los pies y me dejé llevar por el pánico durante unos segundos. Entonces recordé que habíamos dejado arriba a Kazuhiko precisamente por si se producía una situación como ésa. Sin embargo, ante la noticia de la desaparición de la escalera, Ichiro sonrió con un brillo de fanática satisfacción en los ojos.

—Vamos bien —exclamó—. Estamos de verdad en el juego de Saito y vamos muy bien. Lo que daría mi padre por estar aquí.

Empecé a preguntarme si la familia Koga no tendría antecedentes graves de locura y si yo no estaría haciendo el primo, jugándome la vida, por un dinero que, quizá, no valiera tanto la pena.

Reemprendimos el camino de regreso hacia donde se encontraban Gabriella y Oliver que se quedaron de piedra cuando, tras vernos llegar a todos juntos, les contamos lo del muro que había cerrado la salida. Quizá en un túnel sin huesos nos hubiera impresionado menos la idea de estar atrapados pero, allí, en aquel espantoso y gigantesco cementerio humano, la idea resultaba cualquier cosa menos reconfortante.

Odette se pegó a Gabriella, Gabriella a Oliver y Morris a mí. Menuda suerte tengo, pensé para mis adentros. Así que me adelanté discretamente mientras caminábamos y me puse al lado de Ichiro. Que Morris cerrara ahora la marcha. Si los muertos nos atacaban por la espalda, que le atacaran a él. Qué curioso, pensé, los japoneses sentían terror a los espíritus de los muertos mientras que a nosotros, los occidentales, nos aterrorizaban los esqueletos.

Caminamos durante mucho tiempo por aquellas catacumbas de un solo y largo corredor (por el tiempo que llevábamos andando calculé que ya habríamos recorrido varios kilómetros) y entonces, inesperadamente, todos a la vez vimos algo tan raro que tuvimos muy claro que no podía ser otra cosa que la señal que estábamos buscando: en el muro de tibias y fémures de la derecha, en un nicho retranqueado, alguien había cambiado el adorno de la discreta y elegante cenefa de calaveras mironas por unas letras japonesas hechas con la parte superior de los cráneos, es decir, con la frente y los huesos de la cabeza, los parietales. Ahora las cuencas vacías quedaban hacia abajo, lo que daba mayor tersura y brillo al mensaje: «ファン・ゴッホ» y una flecha hacia abajo.

Por supuesto, salvo Ichiro, que soltó una exclamación de júbilo, los demás no teníamos ni idea de lo que decían aquellos signos pero ¿alguien podía dudar de que estaban relacionados con Ryoei Saito...?

—¿Qué dice ahí? —pregunté al extasiado Ichiro.

—«Van Gogh» —repuso con voz temblorosa por la emoción—. Dice «Van Gogh». Está escrito en el sistema *Katakana*, que es el silabario usado en Japón para escribir fonéticamente nombres extranjeros de lugares o personas.

Ahí delante estaba el objetivo de su vida, el escondite del *Retrato del doctor Gachet*. Por fin iba a poder tenerlo en sus manos después de tantos años y de tantas luchas y esfuerzos. Bueno, en fin, pues al tajo, me dije, a terminar rápidamente con aquella locura.

Justo delante del nombre y la flecha, en el suelo, un disimulado asidero de hierro debía de abrir alguna trampilla aún invisible. Por votación popular silenciosa, le tocó a Morris dar el primer tirón. Por suerte, no hizo falta un segundo. Aunque la trampilla estaba cubierta con una superficie fina de la misma piedra caliza que formaba el suelo de las catacumbas, en realidad era de aluminio y se abrió con suavidad y sin hacer ruido.

—Esta cosa lleva bisagras metálicas —anunció el manitas yanqui— y, por desgracia, también pernios.

—¿Y eso qué significa? —preguntó Odette.

—Que se cerrará sobre nosotros cuando hayamos bajado y que no la podremos volver a abrir desde dentro.

Un sudor frío empezó a bajarme por la frente.

—¿Nos vamos a quedar encerrados ahí abajo? —inquirí aterrorizado.

—¡Ya estamos encerrados *aquí* abajo, idiota! —me insultó Morris, que carecía de la menor educación o habilidad social—. ¿Es que aún no te has enterado de que nos han cerrado la salida?

No pude evitarlo y me dirigí hacia él, encarándome.

—Como vuelvas a insultarme otra vez, Morris, vamos a tener problemas tú y yo —silabeé en su cara—. Puede que seas más fuerte, pero te vas a llevar una sorpresa cuando empieces a recibir de lo lindo. ¿Me has entendido? Procura ser un poco más educado porque aquí nadie te está faltando al respeto a ti.

Como todo matón de patio de colegio, en cuanto escuchó mis furiosas amenazas Morris se encogió.

—Disculpa, tío —murmuró bajando la mirada al suelo—. Es que estoy un poco nervioso.

—Los demás también lo estamos —gruñí— y no vamos insultándonos unos a otros. Procura calmarte, que ya eres adulto.

Aunque eso lo dudaba mucho porque se comportaba, literalmente, como un niño pequeño y malcriado.

—Bueno, qué, ¿entramos? —nos animó Ichiro asomándose al hueco y pasando la luz de su móvil por encima del agujero para ver qué nos esperaba ahí abajo—. Hay una escalera metálica sujeta a la pared y se ve un suelo de tierra aplastada a unos cuatro metros. Ahí abajo hay una habitación llena de comodidades —se rio—. Venga, vamos. ¿Alguien quiere bajar primero? ¿No…? Pues ya bajo yo.

Mientras Morris le sujetaba la portezuela, Ichiro se introdujo en el agujero poniendo los pies en los peldaños y llevando el móvil en la boca. Al poco sólo se veía su luz. Como nadie parecía animarse, yo fui el siguiente. Luego entraron todos los demás. El último fue el americano.

—Entonces, ¿suelto la trampilla? —nos gritó desde arriba—. Aunque puedo quedarme aquí sujetándola.

—Quédate ahí sujetándola —le concedió Ichiro desde abajo.

Estábamos los cinco en un recinto excavado en la roca con medios y materiales más modernos que los que se habían utilizado en las catacumbas de arriba. El suelo de tierra era llano y recto, la superficie de las paredes estaba chapada con aluminio blanco y el techo de piedra estaba también pintado de blanco, aunque no había nada más. Era una habitación completamente vacía. Tampoco era muy grande, tendría unos cinco metros de largo por tres o cuatro de ancho.

—En la roca del techo hay plafones incrustados y se ven bombillas —observó Gabriella—. ¿Cómo se encenderán?

Ninguno respondimos. Allí no había interruptor alguno por ningún lado. Pero los cráneos decían claramente «Van Gogh» en japonés, así que la probabilidad de error era mínima. Tenía que ser allí.

La voz de Morris se escuchó por el tubo de la escalera.

—¡Seguramente se encenderán si cierro la trampilla! —afirmó.

—¡Pues ciérrala! —le ordenó Ichiro.

Se hizo el silencio arriba.

—Pero, entonces, ¿bajo o me quedo aquí arriba? —había una nota de enfado y temor en su voz. No quería quedarse solo en la catacumba con los muertos, cosa bastante comprensible, pero si bajaba con nosotros y la portezuela no se podía volver a abrir, ¿cómo íbamos a salir de allí?

—No creo que Ryoei Saito quisiera matar a los inspectores y fiscales que llegaran hasta aquí, ¿verdad? —murmuró Oliver, asustado—. Esto no empezará a echar gas letal si Morris cierra la portezuela, ¿o sí?

Ichiro se echó a reír.

—¡Claro que no, Oliver! —afirmó—. El señor Saito no era un asesino. Recuerda que en su carta dice que todo esto es un juego, un juego que él organiza para reírse de las autoridades japonesas, no para matarlas. Nunca hubiera hecho nada parecido. Quería humillar, quería vencer, pero no matar. Tranquilos. Sigamos jugando —se detuvo un momento, pensativo—. ¿Recordáis que en su carta decía que el juego empezaba en París…? Quizá no esté aquí aún el *Retrato del doctor Gachet*, quizá esto sólo es el principio. En cualquier caso, estoy seguro de que no debemos tener miedo. Nadie nos va a gasear como en un campo de exterminio de la II Guerra Mundial.

—¿Bajo o no bajo? —volvió a preguntar el americano a gritos.

—¡Baja! —le ordenó Ichiro.

Un golpe sólido y seco nos arrancó del pecho un suspiro de resignación. La trampilla se había cerrado tras Morris y, tal y como el manitas había predicho, las lámparas del techo se encendieron y la habitación se iluminó. Pero no sólo se encendieron las luces. De pronto empezaron a pasar otras muchas cosas que cambiaron completamente el aspecto de la habitación.

Una pantalla blanca de linóleo se fue desplegando suavemente sobre la pared del fondo desde una estrecha y larga abertura en el techo y, desde el suelo, a unos cuatro metros del linóleo, dándonos un susto de muerte, un rectángulo de roca emergió hacia arriba como el periscopio de un submarino, brotando de su interior tres pequeños focos de luz cada uno de los cuales llevaba un dímer —un regulador— que parecía servir para encenderlos y graduarlos. El rectángulo de roca se detuvo a media altura, tomando el aspecto de una consola de mandos. Mientras tanto, de la pared donde estaba la escalera por la que habíamos bajado, estaba saliendo también, a la altura del techo, una hilera de luces. Sin embargo, nuestra atención estaba puesta en el linóleo porque mostraba, dibujada en negro, la silueta de Tanguy, aunque no exactamente al estilo de Vincent Van Gogh si no más bien al estilo de Blek le Rat pero sin colores.

—¿Qué demonios es esto? —se enfadó Gabriella, apagando la linterna de su teléfono para no gastar la batería.

Morris, que ya había apagado la suya, se había puesto a jugar con los dímers de los focos, que ahora que estaban encendidos se veían de tres colores distintos: rojo, verde y azul.

—¿RGB?* —se extrañó Oliver, al ver el color de las luces.

—¿Qué...? —le preguntó Odette, desconcertada.

En ese momento, la intensidad de la iluminación del techo disminuyó y una luz de la nueva hilera de la pared alumbró directamente, en la pantalla, la zona blanca del sombrero de Tanguy. A continuación, para sobresalto de Morris, los tres focos de la consola de mandos se movieron también autónomamente apuntando con sus luces en la misma dirección.

—¿Qué significa todo esto? —exclamé alterado—. ¿Qué está pasando aquí?

—Me temo que tenemos que pintar —masculló Oliver dirigiéndose hacia la consola con los focos y los reguladores.

—¿Pintar? —se extrañó Gabriella—. Te refieres a pintar con luz, ¿verdad?

De repente, sólo estaban ellos dos en aquel extraño lugar. Los demás habíamos desaparecido. Si había que pintar, aunque fuera con luz, ésa era su habilidad especial y, por lo tanto, eran los encargados de realizar la tarea. Me relajé. Que se preocuparan ellos, que eran los artistas. A Ichiro, a Odette, a Morris y a mí sólo nos faltaban una sillas cómodas desde las que contemplar la escena.

—¿Lo ves? —le dijo Oliver a Gabriella—. Son los tres colores primarios de la luz, el rojo, el verde y el azul. Creo

---

* RGB es el nombre del modelo de color basado en la síntesis aditiva de la luz. Está formado por las siglas en inglés de Red (Rojo), Green (Verde) y Blue (Azul).

que con estos reguladores tenemos que pintar el sombrero de Tanguy del mismo color que tenía en la obra de Blek le Rat.

Rápidamente, todos sacamos nuestros teléfonos de los bolsillos y buscamos las fotografías que habíamos tomado de la pintura antes de ponernos a empujarla como si estuviéramos locos. El sombrero era de color verde oscuro.

—Voy a mover el dímer rojo —anunció Gabriella.

—De acuerdo —convino Oliver, examinando aún sus muchas fotografías—. No lo subas mucho. Parece un verde menta.

—Entonces —repuso Gabriella— hay que subir más el verde que el azul. No podemos mezclarlos con fuerza.

Estaban trabajando mentalmente con sus paletas de pintor porque ésa era la base de sus conocimientos aunque yo tenía claro, y ellos también, que los pigmentos reales, las pinturas de tubo, no tenían nada que ver con los colores de la luz. Mezclar colores reales, es decir, añadirles o sumarles tonos, siempre da como resultado el color negro mientras que la suma de colores de luz siempre da como resultado el blanco. Son efectos totalmente opuestos.

Gabriella giró lentamente un dímer detrás de otro, contemplando el resultado en el linóleo blanco. Trabajaba sobre el verde y, luego, lo oscurecía más o menos con el rojo y el azul.

—¡Ahí! —le gritó Oliver—. ¡Ya lo tienes! Baja un poco más el rojo, pero sólo un poco.

Cuando por fin las luces admitieron que Gabriella había seleccionado el color correcto para el sombrero, se escuchó un sonido curioso, una especie de «bip» agudo que puso el punto y final. Me pareció notar que el suelo temblaba bajo mis pies pero me dije que no podía ser, que debía tratarse de una alucinación. La luz de la pared que apuntaba al sombrero cambió de color y se quedó fija en el verde menta que había compuesto Gabriella y que reproducía el esténcil de Blek le Rat, mientras que otras de aquellas luces apuntaron entonces a la cara y las manos de Tanguy.

—¡Es un amarillo esponja! —le indicó Oliver a Gabriella, que estaba mirando sus propias fotos y que frunció el ceño peligrosamente.

—¿Qué demonios es para ti un amarillo esponja? —le replicó ella, muy digna.

Él se quedó perplejo.

—Bueno —repuso—, así es como se llama este color en spray. No sé cómo se llamará en tubo de óleo o acrílico.

—Amarillo de Nápoles —le informó ella con orgullo.

Nunca he vuelto a dudar desde entonces de que, aunque todos los artistas tienen ese puntito especial que les hace sentirse superiores a los demás por su arte, entre ellos mismos también hay clases sociales que ponen nombres distintos a sus colores. Un amarillo esponja perdía toda su fuerza rebelde frente a un elegante y exquisito amarillo de Nápoles. Aunque fueran el mismo color.

La cuestión fue que ese amarillo les costó mucho de conseguir y sudaron lo suyo entre discusiones y broncas. Con verde y rojo obtuvieron al final un cierto color bronce que, al añadirle pequeñas cantidades de azul, fue pasando a un óxido y, luego, a un roble claro. Después de un buen rato, mientras Gabriella giraba muy despacio el dímer rojo otra vez para subirle el tono, se escuchó el «bip» que indicaba que lo habían conseguido y la luz de color amarillo esponja de Nápoles se quedó fija en la cara y las manos. De nuevo, coincidiendo con el sonido, noté un golpe en el suelo. Esta vez más fuerte que el anterior.

—¿Lo habéis notado? —pregunté a todos.

—Lo estamos viendo —rezongó Morris, señalando la superficie de tierra de la habitación que ahora ya no parecía tan lisa como cuando habíamos bajado. Una red de líneas y columnas de pequeños montecitos, apenas separados entre sí por un par de centímetros, lo había convertido en un suelo totalmente irregular.

Odette, que por estatura era la más cercana al suelo, se agachó con las piernas juntas (llevaba un vestido veraniego de tirantes estampado de flores) y sacudió la tierra de una de las extrañas protuberancias.

—¡Ay! —exclamó, llevándose un dedo a la boca.

Ichiro se inclinó junto a ella corriendo.

—¿Qué te ha…? —empezó a preguntar antes de detenerse en seco al ver lo que había herido a Odette.

Una púa metálica muy afilada sobresalía del suelo.

—*Tetsubishi* —murmuró espantado.

—¿Tetsu-qué? —quise saber.

—*Tetsubishi* —repitió él, incorporándose y ayudando a Odette a incorporarse a su vez—. Un arma japonesa muy antigua. Los ninjas esparcían por el suelo estrellas de púas afiladas, de varios centímetros de largo, que siempre quedaban con una de sus puntas hacia arriba y que herían los pies de los guerreros y las patas de los caballos.

—¿Y por qué esas púas ninja —quiso saber Gabriella— están floreciendo en este suelo de París como si fueran hermosas plantas?

—No lo sé —murmuró Ichiro con gran preocupación. Miró alrededor pero, obviamente, no había ningún sitio al que pudiéramos subirnos. La escalera serviría, en el mejor de los casos, como estribo de seguridad para dos o tres de nosotros pero Oliver y Gabriella no podían alejarse de la consola de los focos de colores y Morris pesaba demasiado.

Preocupados por las púas, no nos habíamos dado cuenta de que unas nuevas luces blancas habían iluminado la barba y las cejas de Tanguy. Por desgracia, fue un nuevo «bip» y otro golpetazo en el suelo (que ya dejó a la vista la punta de las púas) lo que nos devolvió a la realidad. Nos quedó claro que, si dejábamos pasar mucho tiempo sin mover los dímers, aquellos aguijones japoneses seguían creciendo. El mecanismo de la trampa tenía un cronómetro incorporado.

Las finas sandalias veraniegas de Odette y de Gabriella no aguantarían mucho. Oliver y Morris eran los únicos que llevaban botas de gruesa suela de goma, pero Ichiro y yo calzábamos zapatos con suela de cuero, que no tardaría en rasgarse con las púas ninja.

—Odette, sube a la escalera y quédate ahí —le indicó Ichiro con gesto inquieto—. Morris, dale tus botas a Gabriella.

—¡De ninguna manera! —exclamó ella, horrorizada ante la idea de meter sus perfectos pies de uñas pintadas y pedicura reciente en el calzado de aquel desaseado y grasiento americano.

—¡Las púas se te clavarán hasta hacerte sangrar, Gabriella! —la intentó convencer Ichiro, pero aquella mujer era más terca que una mula y no dio su brazo a torcer pese a las muchas súplicas que recibió de todos nosotros. El pobre Morris no entendía por qué no quería sus magníficas botas si él estaba dispuesto a dejárselas y todos tuvimos la delicadeza de no mencionarle directamente la verdadera razón. Al final, Gabriella accedió a entregar los mandos a Oliver y a trabajar con él desde la escalera en la que ya estaba subida Odette.

Otro «bip». Y otro golpe bajo el terreno. Las espinosas púas mostraban casi medio centímetro de afilado metal. Parecían agujas hipodérmicas, aunque mucho más grandes.

Oliver regresó a toda velocidad a la consola de luces.

—Violeta. La barba y las cejas son violeta vaticano —susurró Oliver tomando los dímers entre sus manos esta vez. Ahora era Gabriella la que miraba fotografías desde lo alto de la escalera.

—¿Violeta qué? —le preguntó ella, incrédula.

—Te repito que son los nombres de los colores en bote de spray. Llámale como tú quieras pero date prisa.

—Púrpura dioxacina.

—¿Púrpura dioxacina? —preguntamos varios a la vez, estupefactos. Pero sólo recibimos el desprecio por respuesta.

—Sube primero el rojo —le indicó ella a Oliver—. Añade azul, pero no mucho. ¡Te has pasado! Menos azul.

—Pues entonces también menos verde —protestó él y, ella, por suerte, asintió.

Tardaron al menos diez minutos largos, quizá quince, en ponerse de acuerdo con el violeta vaticano que también era púrpura no sé qué. En fin, aquello de los nombres de los pigmentos era una locura. Y menos mal que las púas estaban quietas mientras movían los dímers, porque, en cuanto acabaron y volvió a escucharse el temido «bip», alcanzaron el centímetro y atravesaron las suelas de mis zapatos y de los zapatos de Ichiro. Noté al menos cinco o seis púas clavadas. Al cabo del rato la sangre, embebida en la tierra, rodeaba nuestras suelas. Vi que Ichiro se sacaba la cartera del pantalón y me la enseñaba antes de apoyarse dolorosamente contra la pared y ponerla debajo de uno de sus pies, que sostuvo todo su peso. No era mala idea, me dije. Las tarjetas de crédito eran de plástico duro y mi cartera era de una piel resistente al agua, con varias capas y forros en el interior. Llegar hasta la pared fue el recorrido más doloroso y sangrante de mi vida. Tenía que clavarme las púas para poder avanzar.

Después de la barba de Tanguy vino el chaquetón, que resultó ser azul cobalto, es decir, mucho azul, un poco de verde y una chispa de rojo. El pañuelo amarillo volvió a complicarnos la vida, sobre todo porque los artistas no se ponían de acuerdo en la intensidad de los tres colores y al final resultó que sí, que Gabriella tenía razón y que dos de los dímers, el rojo y el verde, debían estar casi al máximo, mientras que el azul sólo necesitaba un tono presencial.

Otro «bip» y un poco más del doloroso *tetsubishi*. Bajo las carteras pusimos nuestras camisas y, finalmente, también las camisas de Oliver y Morris formando unos fardos de tela lo más gruesos posible. Lástima que eran telas de verano, pero la sudadera de Morris, que terminamos rompiendo para repartírnosla, nos salvó de perder mucha sangre. Con esa fuerza emergía del suelo el maldito *tetsubishi*.

Por fin, sólo quedaron por pintar los pantalones de Tanguy, que yo veía marrones en mis fotografías. Pero nuestros expertos artistas me aclararon con cierta virulencia que el color marrón no existía y que nunca había existido, ni siquiera en la realidad, que sólo era un amarillo o un naranja sin brillo, apagado. Me quedé de piedra. Con todo, para Oliver los pantalones eran de color piel de parásito y para Gabriella rojo indio. Para roja, mi sangre y la sangre de Ichiro. Me quemaban las plantas de los pies como si las hubiera puesto al fuego.

Suerte que Saito no pudo sospechar la futura existencia de teléfonos móviles con cámaras incorporadas ni tampoco que se pondría de moda llevar botas de recia suela de goma ni que serían dos pintores jóvenes los que se enfrentarían a su maldito juego en lugar de dos burócratas japoneses sin idea de cromatismo. A saber cómo hubieran acabado los pobres burócratas de haber estado allí. No quería ni pensarlo.

Cuando sonó el último «bip» y las púas ninja del *tetsubishi* hicieron su último y brutal ascenso, todo se calmó. La figura de Tanguy, agradablemente coloreada con luz, se fue apagando mientras el linóleo ascendía hacia el techo y desaparecía cubriendo la grieta por la que había descendido. También las afiladas puntas metálicas retrocedieron lentamente hundiéndose de nuevo en el terreno y desapareciendo, dejando sólo marcas de agujeros que podíamos pisar sin peligro. La consola de mandos con los focos y los dímers también desapareció en la tierra. Allí no había pasado nada, por lo visto. Excepto porque en ese momento una puerta disimulada en la pared derecha se abrió lentamente con un suspiro hidráulico. La salida estaba a nuestra disposición. ¿Se había terminado ya el martirio o nos quedaba algo más?

Las mujeres bajaron de la escalera con precaución, los de las botas comprobaron los daños en sus suelas (que habían quedado destrozadas) y, por fin, Ichiro y yo, pálidos como muertos, nos dejamos caer en el suelo y nos quitamos lo que quedaba de nuestros zapatos, que no era mucho. Teníamos los pies hinchados como botas y manchas secas de sangre por todas partes, ya que ésta se había metido y había subido por todos los huecos posibles entre nuestra piel y la piel de nuestros zapatos.

Odette, milagrosamente, sacó de su bolso un pequeño botiquín de emergencias. ¡Menos mal que teníamos una enfermera allí!

—Lo llevo siempre encima —dijo levantando el botiquín en el aire—. Por los niños. Tengo dos hijos pequeños y no os podéis imaginar lo mucho que lo utilizo.

Nos limpió la sangre y las heridas con suero fisiológico y gasas estériles. Nos secó bien los pies y los roció con clorhexidina. Luego, nos obligó a sostenerlos en alto hasta que se secó el desinfectante (ofrecíamos una imagen tan ridícula que todos terminamos riéndonos, hasta Ichiro y yo, que ya nos encontrábamos mejor) y, por último nos puso, en cada herida, tiritas de colores chillones con dibujitos infantiles.

—Usad los restos de la sudadera de John —nos aconsejó— para haceros unas calzas.

—¿Unas qué? —preguntó Ichiro.

—Perdonad —se disculpó sonriendo—. Es argot hospitalario. Las calzas son lo que se pone sobre los zapatos para entrar en quirófano.

—Quieres decir —aclaré yo— que nos enfundemos los pies con la tela de la sudadera de Morris a modo de zapatos.

—Exacto —me replicó sonriente.

Cuando por fin Ichiro y yo pudimos ponernos en pie y cojear hasta la puerta de la pared de la derecha, los demás nos siguieron con un silencio respetuoso. Ellos no estaban heridos, pero nosotros sí.

Ichiro salió el primero de la habitación maldita y yo fui después. Aquello era un simple trozo de corredor, pero había una mesa de piedra con algunos curiosos objetos y, detrás, una escalera.

—¿Qué son estas cosas? —preguntó Morris acercándose.

Una era una preciosa estampa japonesa, preservada dentro de un plástico sucio que quitamos, con la imagen de un pescador cubierto por un ancho sombrero de paja empujando su balsa con una pértiga a lo largo de un río, con muchas cañas de bambú por todos lados y una vista parcial del monte Fuji en la zona superior, velado en parte por otro monte más bajo de color verde. En la almadía del pescador se veía un tejadillo a dos aguas que cobijaba un fuego del que se desprendía una larga columna de humo que terminaba saliéndose de la lámina por la zona de arriba. En la parte posterior, había unas letras japonesas escritas a mano.

—*Kore ga egaka reta basho* —leyó Ichiro a media voz.

Otra de las cosas que había sobre la mesa de piedra era una especie de ficha de madera casi cuadrada, de unos seis o siete centímetros por lado, tallada con símbolos extraños en las esquinas. Y la última cosa era una llave, una simple llave vieja y oxidada, que no parecía abrir ninguna puerta moderna.

Lo cogimos todo y comenzamos el ascenso, aún asustados por si teníamos que enfrentarnos a alguna otra trampa de Ryoei Saito. Pero, por suerte, quince minutos después el sol nos daba en la cara y el aire contaminado de París llenaba nuestros pulmones. Habíamos salido a la superficie por una tapa de alcantarillado que estaba en el centro de un jardín público junto a la plaza Pigalle, vacío por el calor de esas primeras horas de la tarde. Nos encontrábamos cerca de la basílica del Sacré-Coeur, a los pies de Montmartre. Es decir, a menos de quinientos metros de la galería Boutique du Père Tanguy. Habíamos estado dando vueltas y no lo habíamos notado.

Aquella noche, tras ser atendidos durante la tarde por un médico que nos recetó a Ichiro y a mí una buena dosis de antibióticos en una única y dolorosa inyección, decidimos cenar juntos en el restaurante del hotel en el que estábamos alojados para discutir cuáles debían de ser nuestros siguientes pasos. Como no queríamos que nadie escuchara nuestra conversación, nos ofrecieron un bonito reservado con balcones a la calle y una larga mesa ovalada llena de flores. El único pez fuera del agua era, como siempre, John Morris, que no había estado nunca en un restaurante como aquél y que, como se sentía inseguro e incómodo, se mostraba especialmente desagradable. Por lo que había visto en Google aquella tarde, Warren, su ciudad de procedencia, en el estado de Michigan, era uno de esos pequeños municipios norteamericanos con una tasa de paro altísima y en franca decadencia económica y, por supuesto, cultural. John era el producto de su lugar de nacimiento y había que aceptarle así o terminar enfrentándote a él, lo que podía resultar muy mala idea.

Ichiro, que presidía la mesa, se mostraba entusiasmado y feliz por haber superado parte del juego de Saito. Estaba claro que se sentía orgulloso de la selección de personal que había hecho para su estrafalaria aventura y nos trataba con tal afecto que parecía que nos conociera de toda la vida. También entre nosotros se había creado un lazo de amistad extraño porque, en realidad, nos habíamos visto por primera vez aquella misma mañana y, sin embargo, tras pasar por los túneles y catacumbas de París, también sentíamos que nos conocíamos desde hacía mucho más tiempo.

En fin, allí estábamos, tan a gusto, entre copas de buen vino francés, risas y bromas, cuando nuestro anfitrión sacó de un portafolio los objetos que habíamos recogido en el subsuelo parisino. En cuanto vimos la estampa japonesa, el trozo de madera con símbolos raros y la vieja llave, un pesado silencio cayó sobre la mesa.

—Nos vamos todos a Japón —nos anunció Ichiro, eufórico—. El juego de Saito continúa allí.

4

La casa ninja

Aterrizamos en el Aeropuerto Internacional de Narita, en Tokio, dos días después, a media mañana, e Ichiro nos prometió llevarnos a conocer su casa en Shizuoka lo antes posible para presentarnos a su mujer y a sus padres, que seguían con gran interés todo lo que estábamos haciendo. Pero antes debíamos resolver algunos pequeños asuntos, dijo irónicamente, en la capital del país.

Hacía un calor infernal en Japón, sofocante y bochornoso, que nos hacía sudar a mares, y con una humedad tan alta que parecía que estuviéramos respirando agua. Jadeábamos asfixiados y sentíamos un cansancio brutal cada vez que debíamos atravesar alguna zona donde no hubiera aire acondicionado.

Nos alojamos en el hotel Ascott Marunouchi, en el mismo centro de Tokio, junto al antiguo palacio imperial. Pero Ichiro apenas nos dio tiempo para dejar las maletas ya que un pequeño microbús nos esperaba para llevarnos al lugar que señalaba la lámina. Porque la lámina del pescador en el río señalaba un lugar muy concreto. Resulta que era obra de un tal

71

Hiroshige, un famosísimo artista japonés del último período del *ukiyo-e*, en el siglo xix. *Ukiyo-e* venía a significar algo así como «pinturas del mundo flotante» y era un género pictórico que se materializaba sobre el papel a través del grabado por xilografía, o lo que es lo mismo, por la impresión con planchas de madera. Cada plancha estampaba un color y, de ese modo, las pinturas podían imprimirse masivamente para alegría de los japoneses de los siglos xvii a xix, que compraban vorazmente las obras artísticas del mundo flotante.

Esas estampas o láminas impresas con planchas de madera del estilo *ukiyo-e* fueron las que llegaron a Europa a mediados del siglo xix, revolucionando a los pintores de la corriente artística que empezaba a surgir en ese momento: el impresionismo. Los pintores japoneses de *ukiyo-e* que más influyeron en los impresionistas fueron Hiroshige y otro igual de importante y famoso llamado Hokusai, cuyo rastro podía seguirse en todos los impresionistas y postimpresionistas, especialmente en Vincent Van Gogh, que directamente los copiaba.

Así pues, la lámina que Ryoei Saito nos había dejado en las catacumbas de París era obra del famoso Hiroshige. Se titulaba *El río Sagami* y era la número dieciocho de una importante serie de grabados llamada *Treinta y seis vistas del monte Fuji*, pintada entre 1858 y 1859, poco antes de la muerte del gran artista japonés. Pero lo más fuerte de la historia que nos fue contando Ichiro hasta que aterrizamos en Japón era que esa estampa llamada *El río Sagami* era la que aparecía sobre la cabeza de Julien Tanguy en el retrato que le había pintado Van Gogh rodeado de láminas japonesas. Lo que había hecho Van Gogh era esconder muy bien al pescador que empujaba su balsa con la pértiga detrás de la cabeza y el sombrero del fabricante de pinturas.

Tuvimos ocasión de comprobarlo cogiendo una reproducción del cuadro de Van Gogh y la lámina de Hiroshige. *Et voilà*, ahí estaba: el mismo color rosáceo para el cielo, las mismas cañas de juncos, el mismo azul del río y, sobre todo, el mismo monte Fuji nevado y parcialmente tapado por otro monte más bajo que, en lugar de ser verde, como lo había pintado Hiroshige, en Van Gogh era azul. El monte que cubría el Fuji, nos explicó Ichiro, era el monte Ōyama, situado en Atsugi, en la prefectura de Kanagawa, por donde aún circulaba el río Sagami. Esa zona estaba tan cerca de Tokio que se la consideraba una más de las típicas ciudades-dormitorio del área metropolitana. Y el río Sagami seguía fluyendo por el mismo cauce que cuando Hiroshige lo pintó.

Llegados a este punto, el mensaje que Ryoei Saito había escrito a mano en la parte posterior de la lámina y que Ichiro había leído en voz alta en japonés, empezaba a adquirir sentido: «Donde se pintó esta estampa». Así, nos había dejado muy claro que era allí adonde debíamos dirigirnos. Claro que no sabíamos el lugar exacto donde Hiroshige se había sentado a pintar, pero Ichiro estaba convencido de que, con ayuda de la imagen, podríamos encontrar la ubicación correcta.

El microbús nos recogió después de comer en la puerta del hotel (fue terrible cruzar la acera caliente bajo aquel sol abrasador) y tardamos veinte minutos en llegar a Atsugi, sin que me diera la impresión de abandonar Tokio en ningún momento. Bajamos del vehículo justo en el punto en el que Atsugi se unía al cauce del río Sagami, que fluía plácidamente rielando con fuerza bajo la potente luz solar. Afortunadamente, durante el trayecto, Ichiro nos había provisto de una batería de productos típicamente japoneses para combatir el calor: el más sencillo era una pequeña toalla de mano que había que llevar siempre encima para secarse el sudor, pero también unos paquetes que, sólo con darles un golpe, se convertían en una especie de pequeña barra de hielo con la que podías mitigar el calor de la frente o de la nuca; además, nos entregó unos espráis con un líquido refrescante para los brazos, el cuello y la cara; unas extrañas cintas adhesivas que, a modo de calcetín congelante, impedirían que los pies se nos recalentaran dentro de los zapatos mientras caminábamos sobre el asfalto; una botella de agua helada y, lo más raro de todo, unas gotas para los ojos por si alguno quería sentirlos bien frescos.

Las pequeñas experiencias vividas hasta ese momento nos convencieron de la imperiosa necesidad de usar todas aquellas cosas para sobrevivir a lo que se nos venía encima. Así que adoptamos con gusto las extrañas costumbres japonesas. Los únicos objetos que conocíamos de todo aquel arsenal eran el repelente contra mosquitos y también, por los dentistas, el paquete que con un golpe se convertía en hielo, aunque la versión japonesa era mucho más potente. Ichiro nos previno de que íbamos a ser atacados no sólo por los habituales mosquitos veraniegos de Japón sino que, como íbamos a caminar junto a un río, otros mosquitos enormes en gigantescas bandadas se nos tirarían encima como vampiros sedientos de sangre. Por supuesto, nos rociamos de arriba abajo con el repelente hasta vaciar las botellas.

En cualquier caso, cuando bajamos del microbús, ningún producto mágico nos salvó del brutal cambio de temperatura. Ichiro nos dijo que sólo debíamos caminar río abajo sin perder de vista el monte Fuji y el monte Ōyama y, en cuanto viéramos que su disposición era la misma que en la pintura, nos encontraríamos en el lugar correcto. Lo que Ichiro no había calculado era que la ciudad de Atsugi, como todas las ciudades desde el siglo XIX, había crecido y se había expandido una barbaridad, robándole margen al río Sagami que ahora, en lugar de una hermosa orilla de cañas de bambú, aparecía confinado entre edificios y obras en construcción. Pero nada podía quebrantar la fe de hierro de Ichiro. Era un optimista nato.

Aquel día paseamos durante varios kilómetros siguiendo el trayecto del Sagami y no encontramos el lugar que buscábamos. Estábamos agotados, el calor nos mataba y la pobre Odette no podía dar un paso más. Pero, como aún nos quedaba mucho río por recorrer, volvimos a Tokio, al hotel, en cuanto oscureció (sobre las siete de la tarde), dispuestos a empezar de nuevo a la mañana siguiente, más descansados del viaje y un poco más vigorosos tras unas buenas horas de sueño.

Sin que Ichiro lo supiera, habíamos creado un grupo de WhatsApp para estar en contacto entre nosotros cinco. No era por marginarle, pero a fin de cuentas era nuestro «patrocinador» y eso, por definición, le separaba de nosotros, los «patrocinados». Habíamos creado el grupo estando aún en París pero, de momento, sólo había servido para darnos la bienvenida y saludarnos (otra tontería más). Sin embargo, aquella noche, en Tokio, justo cuando me estaba metiendo en la cama, el móvil empezó a sonar. Al ver que no era nadie de Ámsterdam y que se trataba de mis compañeros de aventura que se encontraban en las habitaciones cercanas, me negué a participar. Me encontraba terriblemente cansado y necesitaba mi espacio de silencio y soledad. Yo no era un tipo demasiado sociable y tener que estar todo el día acompañado por aquellos charlatanes que no paraban nunca de hablar me agotaba más que la propia búsqueda del cuadro de Van Gogh.

Pero los pitidos no cesaban y, al final, doblé la almohada y me senté en la cama sin encender la luz para leer lo que aquellos pesados estaban escribiendo.

Odette estaba subiendo fotos de sus hijos para que los conociéramos, dos niños pequeños como otros millones de niños pequeños que tenían un cierto parecido con su madre, sobre todo por los ojos rasgados y el pelo oscuro. Los demás le escribían cosas maravillosas sobre sus criaturas y Gabriella celebró la buena pinta del padre de los niños. Morris subía fotos de él con un amigo en distintas correrías en moto por el estado de Michigan. Oliver y Gabriella, además de tontear entre ellos, subían fotografías de sus últimas obras de arte y esto ya me interesó más. Conocer la obra de un artista siempre me ha resultado irresistible. Las pinturas de Oliver en las calles de Liverpool y los lienzos de Gabriella expuestos en varias páginas web me resultaron infinitamente interesantes. No fue ninguna sorpresa descubrir que los grafitis de Oliver reflejaban el caótico mundo de colores chillones de los jóvenes artistas callejeros contemporáneos, lleno de paisajes urbanos sórdidos y deprimentes; ni tampoco que Gabriella pintara *op-art*, un estilo artístico basado en los efectos ópticos de las líneas, las formas geométricas, el contraste cromático y la repetición de patrones.

Si el arte visual debía representar el mundo, la vida y las costumbres de cada época, yo me debatía en la duda de si los artistas actuales sólo veían lo peor de la nuestra o es que la nuestra era exactamente como ellos la representaban, en cuyo caso resultaba bastante deprimente, cosa que me negaba a admitir. Claro que si las vacas partidas por la mitad y conservadas en formol de Damien Hirst (inglés), los letreros emborronados de Christopher Wool (norteamericano) o las calaveras pintarrajeadas de Basquiat (norteamericano) eran las obras más valoradas actualmente por el mercado mundial del arte, poco podían hacer los nuevos artistas con estos patéticos ejemplos.

A las seis de la mañana del día siguiente ya estábamos de nuevo en Atsugi (amanecía a las cuatro de la madrugada) y retomamos nuestro paseo donde lo habíamos dejado. Al poco de empezar a caminar, el río se fue alejando de nosotros hasta que estuvimos a punto de perderlo por completo. La orilla se había convertido en un amplio margen de casi doscientos metros en el que había almacenes, parques, zonas intransitables de puro barro, viejas casas japonesas en un estado lamentable, tierras de cultivo… Y los dos montes, el Fuji y el Ōyama, seguían sin verse en la misma posición en la que aparecían en la pintura de Hiroshige.

Nos detuvimos para comer en un pequeño restaurante que servía comidas rápidas a los trabajadores de la zona: había platos de ejemplo expuestos en el mostrador con su nombre en japonés y un número y, luego, una máquina donde metías los yenes y pulsabas el número del plato que querías comer. La máquina te daba un ticket y el cambio, y el ticket había que entregárselo al camarero (todo esto lo hizo Ichiro, que nos recomendó no excedernos con los experimentos y pedir arroz con curri para todos). Estaba bueno y en las mesas había jarras llenas de agua fresca que era la única bebida disponible en el local.

En menos de media hora estábamos de regreso junto al río, pero el cauce se alejaba más y más. Pasamos cerca de varios puentes gigantescos cuyos pilares se hundían en el barro de la orilla, seguidos por campos de deportes de todas clases y en todas las condiciones posibles de deterioro y abandono. Al final, Ichiro nos hizo entrar en una tienda de ropa de trabajo que había por allí y compró enormes botas de poliuretano para todos. Al parecer no sólo eran buenas para el agua sino que también eran muy resistentes a los productos químicos, a las grasas, al estiércol y al aceite. A partir de ahí, con nuestras nuevas y extrañas pintas, dejamos el asfalto y empezamos a meternos por un barrizal inmenso que nos llevó, de nuevo, hasta la orilla del río.

Pero, afortunadamente, en algún momento, el Fuji y el Ōyama empezaron a converger, colocándose, por fin, en la posición correcta. Nos estábamos acercando a nuestro destino.

Una hora después lo alcanzamos. Los seis estuvimos de acuerdo, cada uno con su copia de la lámina en la mano —levantada para colocarla al lado de la silueta visible de los dos montes—, en que allí, con bastante precisión, era donde Hiroshige había pintado *El río Sagami*. La desolación nos invadió cuando fuimos conscientes del lugar en el que nos encontrábamos: casi debajo de los ciclópeos pilares metálicos de un puente, en mitad de un sucio cenagal, a unos ciento cincuenta metros de la hilera de casas de Atsugi y a otros ciento cincuenta metros de la orilla del río. Nada que ver con la preciosa pintura de Hiroshige. Y, por no haber, no había ni una mustia caña de bambú por ninguna parte. Bueno sí, algunas se veían por detrás del alto muro de una antigua casa japonesa superviviente del desastre, prácticamente escondida entre las formidables patas metálicas del puente. Aquello no podía ser casualidad e Ichiro, por fin, sonrió.

—¡Vamos! —voceó alegremente, olvidando que el peso del barro de las botas no nos permitía correr hacia la casa como ligeras gacelas.

—Esta propiedad está cerrada, Ichiro —le recordó Gabriella a la vista del alto muro de piedra.

Pero él, inmutable en su confianza, sacó la vieja llave oxidada que habíamos encontrado en París y se la enseñó como diciéndole que aquélla era la única respuesta que ella se merecía por su falta de fe.

El muro de piedra tenía un viejo portón de madera en el lado norte —el que daba al río Sagami, al monte Fuji y al monte Ōyama—, cerrado con un extraño candado triangular, grande y recio.

—Este candado tiene más de cien años —nos comentó Ichiro cogiéndolo con una mano y tirando de él. Pero el candado tenía un vástago que atravesaba un par de gruesos anillos de hierro fijados al muro de piedra y otros dos más fijados al portón.

—Pues será todo lo viejo que quieras —comentó Morris, quitándoselo a Ichiro para sopesarlo y examinarlo con detalle—, pero es excelente.

—Prueba la llave, Ichiro —pidió Oliver—. A lo mejor funciona.

—Sería increíble que funcionara —ironicé.

Pero la llave entró perfectamente en la vieja cerradura y, con un poco de fuerza por el tiempo que llevaba sin usarse, giró y soltó el candado.

—¡Lo sabía! —exclamó Ichiro empujando la gruesa puerta de madera.

Con un chirrido agudo, el portón se abrió de par en par.

El jardín estaba abandonado y descuidado desde hacía mucho tiempo, años probablemente, y los árboles y las plantas o bien estaban muertos o bien habían crecido sin control haciendo de aquel lugar lo más lejano a un bonito jardín japonés que se pueda imaginar. El puente sobre nuestras cabezas debía de tener mucho que ver con aquella situación, manteniendo la humedad de las lluvias y los tifones y eliminando la llegada directa hasta el suelo de la luz del sol. De no haber sido por los bambúes salvajes no hubiera podido asegurar que me encontraba en Oriente.

—Es una antigua casa tradicional japonesa —murmuró Ichiro, mirando al fondo.

No hacía falta que lo dijera. Los aleros del tejado apuntando hacia arriba y los canalones con forma de dragón ya lo habían dejado bastante claro.

—El *roji* debería de estar por aquí cerca —siguió diciendo Ichiro como si hablara consigo mismo mientras buscaba algo en el suelo apartando las ramas muertas con las botas de agua.

—¿Qué es el *roji*? —preguntó Gabriella.

—El camino de piedra que debe conducir, a través del jardín, hasta el *engawa*, el pórtico de la casa.

—¿Por qué no te olvidas de todo eso y vamos hasta allí directamente? —dijo Morris empezando a aburrirse—. No quedan muchas horas de luz y a saber qué nos vamos a encontrar dentro.

Ichiro asintió y, saltando todos sobre el ramaje, nos encaminamos hacia la vivienda. Como todas las casas antiguas japonesas, ésta estaba preparada para los terremotos y las lluvias torrenciales con una amplia elevación sobre el terreno.

Ichiro subió al pórtico y con gran respeto, hizo una reverencia a lo que parecía ser la entrada principal, un par de pesados paneles corredizos de madera sin ninguna medida de cierre o seguridad. Siempre había creído que las paredes de las casas japonesas eran de papel, pero aquélla estaba hecha de madera, una preciosa madera oscura que más tarde supe que era de ciprés.

Ichiro separó los paneles corredizos y entró.

—Esta zona es el *genkan* —nos dijo con mirada brillante—, donde hay que descalzarse. Y aquel mueble de allí es el *getabako* y sirve para dejar los zapatos. Entrar con el calzado puesto en una casa dejando en el suelo toda la suciedad de la calle es una terrible falta de respeto y de educación, y aún más en una casa tan antigua y hermosa como ésta. Pero, aunque sólo sea por las suelas de goma, no creo que debamos quitarnos las botas de poliuretano, no vaya a ser que nos pase como en las catacumbas de París.

—No te preocupes, Ichiro —le respondió Morris adelantándole por un lado—, luego pediremos disculpas.

En cuanto Morris pisó lo que debía de ser el salón, que era la primera habitación tras el *genkan*, las luces de la vivienda se encendieron. Y, sin duda, eran luces modernas, o todo lo modernas que podían ser en 1994 o 1995, años durante los cuales Ryoei Saito debió ordenar que aquella antigua y respetable construcción se convirtiera en una trampa mortal. Cada paso que daba cada uno de nosotros por aquel salón llamado *kyakuma* (el lugar para agasajar a los invitados), hacía chirriar algún tipo de mecanismo bajo el suelo, haciendo que el corazón se nos detuviera en el pecho.

Ichiro parecía desconcertado:

—Es muy raro —murmuró alargando las sílabas al hablar—. ¿Por qué habrá aquí *uguisubari*...? Quiero decir, suelos ruiseñor. Los *uguisubari* sólo se usaban en las casas ninja.

—¿Otra vez los ninja? —se enfadó Morris.

—¿Para qué sirven los *uguisu*... los suelos ruiseñor? —preguntó Oliver, con una mirada huidiza que recorría el *kyakuma* esperando que sucediera alguna desgracia de manera inminente.

—Para que nadie puede entrar en la casa y caminar por ella sin ser oído por los dueños —explicó Ichiro, apoyando el pie sobre el suelo de madera para producir el sonido—. Entre las maderas hay pequeñas piezas metálicas que, al rozarse, producen ese sonido parecido al canto del ruiseñor. Pero, como te digo, históricamente sólo se utilizaban en los palacios de los nobles o en las casas de los ninjas, para prevenir los ataques por sorpresa. En esta casa no parece haber nadie que deba protegerse de un asalto.

No, definitivamente en la casa no había nadie que necesitara protegerse de un asalto. Era la casa misma la que se protegía. Y se protegía de nosotros, los intrusos. En cuanto escuchamos el golpe seco de los pesados paneles corredizos de madera de la entrada juntarse de golpe, supimos que estábamos atrapados.

—¡Las puertas *obito* se han cerrado solas! —exclamó Ichiro, incrédulo.

No dio tiempo a más. Desde la parte baja de las paredes del *kyakuma* empezaron a salir disparados centenares de pequeños dardos de unos cinco centímetros que se nos clavaban en las piernas y los muslos con un dolor terrible.

—¡*Fukibari*! —aulló Ichiro—. ¡Hay que salir de aquí! ¡*Fukibari*!

No hacía falta que lo repitiera. Todos teníamos las piernas sangrando y la ropa desgarrada, y dardos *fukibari* clavados por todas partes como si fuéramos alfileteros. Por suerte las botas de poliuretano eran de caña alta y repelían parte de las cortantes astillas metálicas pero por encima de ellas no había protección. Oliver, Odette y Gabriella siguieron a Ichiro hacia el *genkan*, pero también allí las paredes tenían cerbatanas ocultas. Morris y yo, por el contrario, nos dirigimos hacia una puerta corredera por donde no salían *fukibari*. Yo creí que sería una especie de armario en el que poder encerrarnos, de modo que la abrí y me encontré de bruces con una cuerda flotando en el aire pegada a mi cara. Morris me apartó de un empujó y, sin dudarlo ni un segundo, tiró de la cuerda con toda su fuerza. Una escalera de madera bajó desde el techo.

—¡Por aquí! —grité a los demás mientras Morris subía rápidamente por la escalera. Cuando pisó un escalón cerca de mi oído pude escuchar cómo sus pies chapoteaban dentro de las botas con la sangre que le resbalaba desde los muslos. Saito no querría matarnos, o eso parecía, pero lesionarnos y provocarnos dolor sí que entraba en sus planes. No recuerdo cómo llegaron los demás al piso de arriba porque me lancé como un loco por la escalera detrás de Morris, que me tendió su gruesa mano para ayudarme a subir más rápidamente.

Pero el piso de arriba no era un piso, o sea, no era la siguiente planta de la casa con sus habitaciones y todo eso. El lugar al que llegamos por la escalera sólo tenía un metro de alto y no podías incorporarte del suelo aunque quisieras. Claro que tampoco queríamos. Estábamos demasiado hechos polvo, lacerados y doloridos. El problema era que con los *fukibari* clavados tampoco podíamos dejarnos caer tranquilamente.

—¡Ni se os ocurra quitaros los dardos! —nos ordenó Odette en cuanto llego al hueco en el que estábamos—. ¡Esperad a que yo os cure! ¡Aguantad!

Odette, por ser la más bajita del grupo y tener una altura más o menos japonesa, era la única que tenía *fukibari* en la zona de las nalgas. Pero se comportó con más valentía que el resto de nosotros mientras se curaba a sí misma discretamente. El maravilloso botiquín de Odette había duplicado su tamaño desde París. Como buena enfermera y sabiendo ya el tipo de cosas que podían pasarnos, se había provisto de un auténtico arsenal sanitario. ¿Sería por eso que Ichiro la había contratado? Morris había demostrado sus habilidades como manitas y experto en construcciones en repetidas ocasiones y Odette se había mostrado absolutamente necesaria como enfermera para aquella aventura. Decidí que Ichiro debía saber lo que decía cuando hablaba de la venganza del hombre muerto y que había sospechado los peligros que podíamos correr mucho más de lo que nos había contado.

Odette, después de curarse, empezó a avanzar a gatas o a arrastrarse sobre su abdomen hasta llegar a cada uno de nosotros intentando que sus guantes de látex no se ensuciaran. Con gasas, pinzas, suero, antiséptico y unas nuevas tiritas que sellaban completamente la herida nos fue quitando los *fukibari*. En cuanto me arregló y me dio gasas húmedas para que limpiara —otra vez— la sangre que manchaba mis piernas y mis pies en la zona protegida por las botas, salió corriendo a atender a Gabriella. Me dejé caer sobre el piso de madera, agotado, incapaz de pensar que estábamos atrapados en aquella casa y que, con toda seguridad, aún nos esperaban un puñado de serios problemas antes de llegar al final. Podía ver el techo con toda claridad porque también allí había luz. Menos que abajo, pero se veía bastante bien.

—No podemos volver al primer piso —escuché decir a Gabriella—, así que debemos encontrar algún modo de subir hacia arriba.

—Quizá deberíamos empujar el techo —comenté, mirándolo—. A lo mejor hay alguna trampilla.

Los que ya estábamos curados (había que ver el montón de dardos metálicos que Odette había extraído de nuestras carnes) nos dedicamos a empujar con los brazos los viejos travesaños y vigas de madera por ver si alguno cedía. Y sí, una de las esquinas del fondo se hundió cuando Morris la empujó. No hacían falta escaleras para subir, bastaba con incorporarse dentro del agujero y ya tenías medio cuerpo en la parte de arriba. Un pequeño impulso con las manos y llegabas perfectamente al ático, donde se veía, aunque estaba en penumbra y no había luz eléctrica, la parte interior del gigantesco y altísimo tejado a dos aguas.

—¿Por dónde salimos de aquí? —preguntó Odette mirando la oscuridad a su alrededor—. No hay ninguna puerta.

—Tiene que haber otra trampilla en el suelo —aseguré.

—Pero bajaríamos de nuevo hasta el piso de abajo —protestó Oliver—, y allí nos atacarían los dardos otra vez.

Morris se le plantó delante con los brazos en jarras.

—¿Tú crees que una casa sólo tiene una habitación? —le preguntó con muchos humos—. Estábamos en el *kyaku-*

ma, el salón para invitados. ¿Recuerdas su tamaño? Vale, pues mira este enorme espacio y dime dónde queda el salón.

Tras pensar un poco, Oliver se lo dibujó en el aire aproximadamente.

—Exacto —le dijo Morris—. El resto, son otras habitaciones del primer piso a las que se debe poder llegar desde aquí. Busquemos la trampilla que dice Hubert.

Y menos mal que nos pusimos a buscarla de inmediato porque, en cuanto empezaron a escucharse otra vez los cantos del suelo ruiseñor bajo nuestras botas, del altísimo caballete, la viga superior que unía las dos vertientes del tejado, comenzaron a soltarse y a caer con mucho impulso unas cosas que yo había tomado por adornos pero que resultaron ser unas pequeñas hoces afiladas que colgaban de unas largas cadenas y que se balanceaban con fuerza y peligrosamente. No, aún era peor; no se trataba sólo de hoces afiladas. Eran unas cosas extrañas formadas por una especie de cuchillo de doble filo del que sobresalía perpendicularmente otra cuchilla en forma de hoz. Ese cuchillo con la hoz simplemente segaba todo lo que rozaba, de manera que ahora era la parte superior de nuestros cuerpos, especialmente los brazos con los que nos protegíamos y las cabezas, los que sufrían cuchilladas y laceraciones. Aquello era un infierno. Morris, encolerizado como una bestia herida, se lanzó a sujetar las cadenas de aquellas cosas pero, en cuanto las cogía, la cadena daba un tirón brutal hacia arriba y le cortaba. Ichiro empezó a gritarle histérico:

—¡Déjalo Morris, déjalo! ¡Tírate al suelo! ¡Tiraos todos al suelo, rápido!

En cuanto estuvimos tumbados en el suelo, las puntas de aquellos cuchillos dejaron de herirnos porque pasaban unos centímetros por encima de nosotros. Pero seguían siendo unas puntas muy peligrosas.

—Son *kyoketsu shoge* —nos explicó Ichiro con la boca aplastada contra la madera—. Otro invento ninja. Lo peor de todo no son las cuchillas sino las cadenas. Si te quedas enredado con alguna de ellas estás perdido.

—¡Busquemos la maldita trampilla para salir de aquí! —gritó Morris, con los nervios rotos por completo. Sus gruesos dedos manchaban el suelo de sangre. También le vi una brecha en la cabeza y varias heridas en los brazos. Claro que yo no estaba mucho mejor. Ni los demás tampoco.

Aquellos *kyoketsu shoge* seguían balanceándose de un lado del tejado al otro sin interrupción ni descanso. Como la viga central del ático era tan larga, habría no menos de cincuenta o sesenta de aquellas malditas cuchillas danzarinas. Debíamos arrastrarnos pegados al suelo para buscar la trampilla. Y el suelo no paraba de trinar en nuestros oídos hasta que aquellos cantos de ruiseñor se convirtieron en lo que realmente eran: los estridentes chirridos de dos trozos de metal rozando uno contra otro.

Pero, finalmente, Oliver pasó por encima de un segmento de suelo que no gorjeaba. Entre varios conseguimos levantar y quitar el trozo rectangular de madera y Morris, de nuevo, fue el primero en bajar por la escalera poniendo un pie a cada lado de los largueros y dejándose resbalar a toda velocidad hasta el primer piso. Odette, que bajó a continuación, utilizó los travesaños como cualquier persona normal y, de paso, fue limpiando cuidadosamente con gasas la sangre de las manos de Morris. No dijo nada pero, como enfermera, ella sabía que la sangre podía ser tan peligrosa como los *fukibari* y los *kyoketsu shoge*.

Llegamos a una parte de la casa que estaba tan vacía como el salón principal pero de menor tamaño. Ichiro nos explicó que, probablemente, se trataba de uno de los dormitorios. Los japoneses no han usado nunca camas como las nuestras en Occidente. Para dormir, extienden en el suelo una especie de colchonetas de algodón llamadas *futones* que, por las mañanas, se retiran y se guardan en los armarios. De esta manera, y moviendo los paneles llamados *fusuma*, que son los que dividen libremente las habitaciones, se podía dedicar el espacio de la casa que se quisiera a otras actividades. También allí los ruiseñores metálicos trinaban bajo nuestros pies, cosa que no me gustaba nada porque, hasta ahora, ese sonido sólo había implicado peligro.

Y volvió a implicarlo. Aún no habíamos dejado de sangrar por los cortes producidos por los *kyoketsu shoge* cuando, súbitamente, las paredes empezaron a escupir el más peligroso de los artefactos ninjas: las estrellas de cuatro puntas llamadas *shuriken*, las que salían en las películas. Aquellas cosas no sólo se clavaban en nosotros dolorosamente sino que hacían un sonido silbante al cortar el aire girando sobre sí mismas que asustaba casi más que recibir el cuchillazo. No se quedaban clavadas ya que las puntas eran bastante cortas y, además de poder quitártelas, ellas mismas terminaban soltándose. La mayor parte de las veces sólo nos hacían rasguños y caían al suelo.

Salimos corriendo de la habitación pero, cada vez que pisábamos en una nueva zona y se escuchaba el canto de los ruiseñores, los *shuriken* aparecían misteriosamente de entre las tablas que formaban las paredes. Y no había forma de salir de la casa ni de escapar tirándose al suelo porque, esta vez, salían disparadas desde todas las alturas posibles, desde el suelo hasta el techo.

Corrimos como locos buscando algún lugar donde protegernos y, como no lo encontramos, decidimos que debíamos volver al salón de invitados porque preferíamos los dardos *fukibari* a las estrellas *shuriken*. Pero la casa era muy grande y los paneles de madera, que no de papel, la convertían en un auténtico laberinto. Si al menos hubiera tenido muebles hubiéramos podido protegernos de alguna manera, pero no había nada.

Por fin, después de un largo rato de terrible angustia y ansiedad, Ichiro nos llamó a gritos desde algún lugar que ahogaba el sonido de su voz. Para entonces yo ya estaba aprendiendo a golpear los *shuriken* con los brazos para repeler los golpes.

Corrimos desde todas direcciones hacia el lugar del que procedía la voz de Ichiro y lo encontramos agachado mirando hacia abajo. Había tenido que quitar un trozo de panel de madera y otro semejante del suelo para dar con aquel hoyo.

—¡Es el pozo de la casa! ¡Vamos! —nos ordenó.

El pozo surtía de agua a la vivienda desde el interior. Yo me introduje en el agujero de la pared poniendo los pies a ambos lados del agujero mientras los demás se protegían de las estrellas ninja con los paneles de madera retirados por Ichiro, formando una barricada. No podía entender cómo era posible que, si la casa se alzaba a unos treinta centímetros del suelo, aquel agujero se abriera directamente en el interior.

—Es una locura, Ichiro —le dije, resoplando como un caballo—. No sabemos si tiene salida ni, si la hay, a cuánta distancia está. Podríamos ahogarnos fácilmente.

Él me miró con la misma determinación con la que había mirado a Gabriella cuando le enseñó la llave que abriría el candado.

—¡Ésta es una casa ninja, Hubert! —declaró, jadeando también—. Yo visité varias casas ninja cuando era pequeño. Con el colegio. Es la típica excursión escolar japonesa. Las casas ninja sólo tenían una pequeña parte alzada sobre el suelo, la parte que quedaba a la vista. El resto se construía directamente sobre el terreno para poder excavar pozos como éste, que se convertían en la última esperanza de salir con vida si el asalto enemigo triunfaba. Créeme, Hubert. Sé lo que digo.

Aunque el pozo estaba oscuro como la boca de un lobo, encendí la luz del móvil y apunté hacia abajo, entre mis pies. Era un simple pozo abierto en la roca que no admitiría a dos personas al mismo tiempo dándose un baño. Al fondo, como a unos dos metros de profundidad, brillaba un agua muy negra bajo la luz de mi linterna. ¿Cómo íbamos a meternos en algo tan sucio con la cantidad de heridas que teníamos? Pero, si queríamos salir de allí, no quedaba otra.

—¡Déjate caer al agua, Hubert! —me apremió Ichiro—. Una vez que estés abajo busca un túnel en la pared y métete.

—¿A qué distancia estará el final de ese túnel? —me asustaba quedarme sin aire en un agujero infecto bajo el suelo de una ciudad dormitorio en Japón. No era así como quería morir.

—No te preocupes por eso —me urgió Ichiro—. Los ninjas no eran tontos, ¿o qué creías? ¡Salta!

Después de quitarme apresuradamente las gafas y de guardarlas en el bolsillo de la camisa, que tenía botón, juntando las piernas y los pies, salté. Solté una palabrota cuando entré en contacto con el agua, que estaba helada como la nieve, y, luego, me hundí. Por suerte, al hundirme toqué con las botas el fondo del pozo y pude impulsarme hacia arriba, sacar la cabeza y tomar aire. Estaba tan cansado que hasta respirar me dolía.

—¡Busca el túnel! —me ordenó Ichiro desde arriba.

Ayudándome de manos y piernas encontré, por fin, un orificio por debajo mismo del nivel del agua.

—¡Lo tengo! —grité.

—¡Pues entra para que pueda bajar Morris! ¡Nada todo recto hasta el final! ¡Y quítate las botas de agua o te hundirán!

Ya no podía pensar, actuaba por impulsos mecánicos, de modo que me quité las botas, las dejé caer al fondo, volví a tomar todo el aire que pude (de hecho, hice lo mismo que había visto hacer a los buceadores profesionales en la televisión y respiré afanosamente varias veces antes de coger la última bocanada para llenarme de oxígeno), y metí la cabeza en el conducto inundado. Llevaba mi móvil en la boca y se me ocurrió de repente que si, por casualidad, el agua llegaba a entrar y a tocar la batería de litio, me explotaría en la cara. Era una posibilidad remota pero, aun así, me heló un poco más la sangre en las venas. Por suerte, la linterna siguió funcionando bien dentro del agua y ver algo en aquellos momentos, por poco que fuera, era un consuelo impagable.

Mientras avanzaba por el túnel, recto como una regla, descubrí otro agujero redondo a mi derecha. ¿Tenía que decidir cuál era la salida? Ichiro me había dicho que siguiera hasta el final sin desviarme. Pero encima de aquel otro túnel, con letras metálicas clavadas en la piedra, había unos caracteres japoneses que reconocí de inmediato: «ファン·ゴッホ» y una flecha hacia abajo. Mi visión era un poco borrosa pero, sin duda, se trataba de los mismos caracteres que habíamos visto en las catacumbas de París y que significaban «Van Gogh» (recordaba perfectamente sus extrañas formas y ese punto del centro). Tenía que entrar por allí. Quizá fuera, por fin, el escondite del *Retrato del doctor Gachet*.

Así que me desvié, tomé el conducto de la derecha y nadé afanosamente hasta que, de pronto, el túnel terminó. Miré hacia arriba y vi la superficie del agua de otro pozo redondo. Ascendí nadando a toda velocidad y saqué la cabeza del agua respirando ávidamente. Aquel lugar no llevaba a ningún sitio, era parte de la excavación del túnel, aunque, desde luego, se trataba de una ampliación posterior al diseño original de los ninjas ya que, dado el nombre de Van Gogh y la flecha, no podía ser obra más que de Saito.

La linterna de mi móvil mojado recorrió la pequeña cueva subterránea y descubrí una especie de altarcillo. El nivel del agua era más alto que en el otro pozo, de modo que puse las manos en el borde y me impulsé hacia arriba. Hacía un frío de mil demonios en aquel lugar y empecé a temblar muchísimo y, temblando, me acerqué al altarcillo. Allí, sellada dentro de una bolsa de plástico que permitía sacarla por el agua sin que se estropease, había otra lámina de *ukiyo-e*. Pero esta vez la reconocí, aunque no pudiera decir el nombre del pintor: era el original que aparecía copiado en la esquina superior derecha del *Retrato de Père Tanguy*, el enorme cerezo en flor de tronco gris y gran copa rosa inclinado sobre un río. Claro que la lámina de *ukiyo-e* era muchísimo más bonita que el dibujo de mi compatriota Van Gogh, pero no eran obras comparables. La lámina tenía unas letras japonesas escritas a mano en la parte posterior, como la otra.

—¿Has encontrado algo? —la voz de Morris, al mismo tiempo que su chapoteo en el agua, me devolvió de golpe a la realidad.

—Parece que hay otra pista —le dije cogiendo la bolsa. Entonces, por el peso, me di cuenta de que también había algo más: otra ficha de madera casi cuadrada, igual que la que encontramos en París, tallada esta vez con unos símbolos diferentes, una especie de semicírculo con un apéndice.

—Vete —me dijo con su habitual amabilidad—. Yo me quedaré aquí hasta que llegue Odette, que venía detrás de mí. Si nos llevamos ahora esto, los que se desvíen hasta aquí se extrañarán de no encontrar nada. Como el último será Ichiro, que él lo recoja.

La cabeza de Morris no funcionaba tan mal como parecía a simple vista. Asentí y me tiré de nuevo al pozo. Nadé hasta la intersección y doblé a la derecha. Como había respirado en la cueva me resultó fácil llegar hasta el final del estrecho tubo. Mi móvil no tuvo tanta suerte. La luz de la linterna empezó a temblar y se apagó. De pronto, me encontré buceando a oscuras en aguas abiertas y cálidas aunque aún a bastante profundidad. No se veía nada, así que solté un poco de aire por la boca y seguí la dirección de las burbujas. Salí a la superficie y bajo el cielo estrellado de Atsugi respiré un maravilloso aire fresco. Me encontraba en mitad del río Sagami, debajo del puente que cubría la casa ninja —que apenas se distinguía entre los pilares— y ya era noche cerrada.

Nadé hacia la orilla guiándome por las luces de la ciudad y me dejé caer en el barro totalmente agotado, jadeando afanosamente, lleno de heridas que, aunque habían dejado de sangrar en el agua helada, ahora se abrían de nuevo. El resto de mis compañeros fueron apareciendo poco a poco. El último en llegar fue Ichiro, con todo el pelo negro pegado como si fuera un gorro de goma para piscinas.

Cuando, por fin, alcanzó la orilla y se dejó caer en el barro, levantó el brazo triunfalmente y nos enseñó la bolsa de plástico hermética con la lámina y la ficha de madera.

5

El cerezo de Yoshitsune

Alguien debió de encontrarnos y pedir ayuda porque sólo recuerdo que, al cabo de un rato, aparecieron un montón de ambulancias con luces y sirenas y nos recogieron a todos del fango. En la ambulancia me inyectaron algo que me durmió profundamente y mi siguiente recuerdo fue despertar en una cama de hospital. Estaba cubierto de apósitos y tenía una vía cogida en el brazo derecho que iba hasta una bolsa que colgaba de una percha metálica. El letrero de la bolsa estaba en japonés, así que no tenía ni idea de lo que había dentro y estaba entrando en mi vena. Como no venía nadie a verme y no entendía ni lo que decían los enfermeros cuando entraban ni lo que decía la televisión, dormitaba casi todo el tiempo, menos cuando me traían comida.

Aunque no veía mi móvil por ninguna parte y aunque estaba bastante seguro de que no iba a volver a funcionar jamás, se me ocurrió que quizá debería llamar a mis padres. Sin embargo, luego pensé que no era buena idea, no sólo por la diferencia horaria (en Japón había ocho horas de adelanto con respecto a Europa) sino porque no había necesidad de preocuparles cuando, además, hacía tanto tiempo que no hablábamos. Tampoco tenía demasiada relación con mi hermano Johannes como para contarle que estaba ingresado en un hospital en Japón, ya que ni siquiera sabía que estaba fuera de Ámsterdam.

Yo procedía de una humilde familia de agricultores de un pequeño pueblo llamado Nuenen, cerca de Eindhoven, y había sido el primero de mi familia en ir a la universidad y también el primero en abandonar Nuenen. Mi hermano se encargaba ahora de los trabajos del campo que mi padre ya no podía hacer y para él yo era un completo extraño. Ni mis padres ni mi hermano habían visitado nunca mi galería de arte porque no lo consideraban necesario. Tampoco lo entendían demasiado, así que ¿para qué molestarse? Annelien no les había gustado nunca. La encontraban pretenciosa y estúpida pero les disgustó mucho que me divorciara de ella. Al final, tras años de sufrir como un imbécil esforzándome para que me escucharan y me comprendieran, me di cuenta de que todo ese dolor no servía para nada. Mi familia era como era y yo, sencillamente, no encajaba. Quizá fue eso lo que me hizo ser introvertido.

Tampoco tenía amigos a los que llamar. Tras mi divorcio de Annelien, tres años atrás, descubrí que, en realidad, nuestros amigos eran sólo sus amigos, que ya estaban con ella cuando la conocí. Yo no tenía amigos propios, y no porque fuera completamente antisocial, sino porque era eso, introvertido, y a los introvertidos, que no tímidos, nos cuesta un enorme esfuerzo la relación con los demás. Nos volvemos solitarios a la fuerza. Pero para mí la soledad no era un problema, nunca lo había sido, porque me gustaba mi propia vida interior.

Así que no llamé a nadie ni hablé con nadie durante los dos días que pasé en el hospital. Al cabo de esas cuarenta y ocho horas, sin tener ni un pobre diagnóstico de mi estado físico, me sacaron en camilla de la habitación y me subieron a otra ambulancia. No vi a Ichiro ni a mis compañeros, pero me tranquilizó mucho que las casi dos horas de lento trayecto transcurrieran en completo silencio, sin sirenas, sin prisas y sin personal sanitario. Y la bolsa con todas mis cosas (mis gafas, mi ropa, la cartera con mi documentación, las tarjetas…) viajaba a mi lado.

Cuando la ambulancia se detuvo y el conductor abrió las puertas, no tenía ni idea de dónde estaba, pero podía imaginarlo. El calor húmedo de Tokio había desaparecido y corría una agradable brisa fresca de aire limpio que producía un gran bienestar. El conductor me ayudó a bajar de la camilla (aunque me encontraba lo bastante fuerte y recuperado como para bajar yo solo), me sentó en una silla de ruedas como si fuera un inválido y me empujó hasta la puerta de una casa que, por el exterior, parecía bastante lujosa. Llamó al timbre del telefonillo, dijo algo en japonés, alguien le contestó también en japonés y, a continuación, se despidió de mí con una reverencia.

Antes de que le diera tiempo a poner en marcha el motor del vehículo y a desaparecer, las grandes puertas de lo que yo en Occidente hubiera considerado un maravilloso chalet se abrieron de par en par y un hombre mayor, también en silla de ruedas, con gafas y pelo blanco, me recibió como un padre recibiría a su hijo: con una enorme sonrisa de felicidad. Me sentí un poco cohibido porque aún vestía los pantalones y la camisa color azul del hospital.

—¡*Ohayō gozaimasu*, Hubert-san! —exclamó feliz el anciano japonés, viniendo hacia mí. Entonces le reconocí, tenía la misma mirada brillante y decidida que su hijo—. Soy Kentaro Koga, el padre de Ichiro.

Es decir que, como había supuesto, estaba en Shizuoka, la ciudad de Ichiro y de Ryoei Saito.

Dos musculosos japoneses vestidos con traje negro aparecieron por detrás de Kentaro, sujetaron los mangos de nuestras sillas y, con pericia, quitaron los frenos y nos empujaron a ambos por un hermoso jardín hasta una mansión moderna y occidental de varios pisos que bien hubiera podido estar ubicada en los Alpes suizos. En el *engawa*, el porche de la casa, nos esperaban dos mujeres japonesas muy sonrientes delante de una gran puerta. La mayor era, sin duda, la madre de Ichiro, y la otra, de unos cuarenta años, debía de ser su mujer.

—Te presento a Fumiko, mi esposa y la madre de Ichiro —dijo Kentaro, confirmando mis sospechas y extendiendo la mano hacia la mujer más mayor, que también me hizo una reverencia—. Ella no habla inglés, así que te comunicarás mejor con mi nuera, Midori, la mujer de Ichiro.

Midori me hizo también una reverencia pero enseguida se transformó en una mujer moderna de cultura occidental y tomó las riendas de la situación dejando de lado a sus suegros.

—*Irasshaimase*,* Hubert-san —me dijo Midori, acercándose a mí y realizando, ella sola, una nueva reverencia—. Los demás ya han llegado y te están esperando.

---

* «Bienvenido».

Le dijo algo a mi porteador y éste, rápidamente, empujó mi silla hacia el interior de la vivienda subiéndola por una pequeña rampa que había en un lado de la escalera del *engawa*. Claramente, aquella primera habitación era el *genkan*, el lugar en el que los japoneses se descalzaban antes de entrar en las casas, porque había un mueble con algunos pares de zapatos. De hecho, mi porteador se inclinó ante mí y, con todo respeto, me descalzó, poniéndome en los pies una especie de zapatillas de ducha (eran de tela de toalla).

Al igual que en la maldita casa ninja, después del *genkan* estaba el *kyakuma*, el gran salón para recibir a los invitados, donde se encontraba mi patrocinador y mis compañeros. Tuve un subidón de alegría al volver a verlos y ellos ya estaban montando su fiesta particular que alcanzó cotas de alboroto público cuando el hombre de negro me introdujo en la sala. Todos mis compañeros, tan cubiertos de apósitos como yo y con la misma ropa de hospital y las mismas zapatillas de ducha, estaban de pie, sin sillas, y no me lo pensé dos veces antes de dar un salto y salir de aquella cosa con ruedas que, en realidad, no me hacía ninguna falta.

Morris, Oliver, Ichiro, Gabriella y Odette me dieron grandes abrazos que devolví con el corazón lleno de alegría. Midori tomó asiento junto a Ichiro, y Kentaro hizo que le pusieran la silla cerca de la mesa baja de madera que ocupaba el centro del *kyakuma*. Fumiko, la madre de Ichiro, desapareció por una puerta sin dejar de sonreírnos.

¡Quién hubiera dicho que no hacía ni una semana que nos conocíamos! Y es que la trinchera une mucho.

—Entonces, ¿hemos estado todos ingresados en la misma planta del hospital? —preguntó Odette, continuando al parecer con la conversación que mi llegada había interrumpido.

—Puerta con puerta —le aseguró Ichiro.

—Pues nos lo podríais haber dicho —protestó Oliver.

—La última vez que os vi —añadió Morris con una carcajada— todos estabais mojados, heridos y llenos de barro de los pies a la cabeza.

—¡Tú también! —le acusé yo, señalando el vendaje que le cubría parte de su pelirrojo cabello—. De hecho, cuando apareciste en la caverna del túnel tenías una pinta monstruosa. ¡Me diste un susto de muerte!

—Bueno, dejadme que os cuente nuestro común diagnóstico hospitalario —dijo Ichiro levantando la voz para conseguir nuestra atención—. Os vais a sorprender.

—¿De un diagnóstico tan evidente? —se asombró Odette.

—No es tan evidente —objetó Ichiro.

—Pues explícate porque no le veo el misterio por ninguna parte —afirmó muy segura de sí misma—. Abrasiones, heridas punzantes, heridas por arma blanca…

—Todas superficiales —precisó Ichiro.

—¿Cómo que superficiales? —se enfadó ella—. ¿Ya no recuerdas la cantidad de dardos que os saqué de las piernas?

—Según me explicaron los médicos que os atendieron en urgencias —intervino Kentaro, echando hacia delante la parte superior del cuerpo—, no sólo no había ni una sola herida mortal sino que, como ellos no sabían ni sospechaban cómo os habíais podido hacer tantos pequeños cortes…

—¡Pequeños cortes! —se indignó Odette.

—Si quieres te enseño el parte médico —la desafió Ichiro—, pero no lo ibas a entender.

—Muy pocos atravesaban la epidermis —siguió explicando Kentaro—. Estabais asustados, doloridos, con sobredosis de adrenalina en sangre, angustiados… Y, sí, con pequeños *fukibari* clavados en las piernas.

—¡Medían cinco centímetros! —exclamó Oliver, indignado—. ¡Sangrábamos un montón!

—Mirad —intentó calmarnos Kentaro—, la conclusión que saqué de vuestros partes médicos, y os lo voy a demostrar ahora mismo, es que Ryoei no pretendía matar a nadie en la casa ninja, como tampoco en las catacumbas de París. Quería, eso sí, darles un susto de muerte a los funcionarios que intentaran buscar su Van Gogh. Pero conociéndole un poco como yo le conocía, no tengo ninguna duda de que organizar todas estas peripecias le divirtió de lo lindo y alegró los últimos años de su vida. Están pensadas para poner en aprietos a inspectores de Hacienda, a aburridos burócratas, a abogados de la Oficina de Fiscales… A esa gente no la puedes llevar al límite porque se mueren de verdad y Ryoei era muy consciente de eso.

Odette se acercó a Kentaro y, delante de él, a la altura de su cara, se remangó la camisa y se despegó y levantó cuidadosamente uno de los apósitos de su brazo izquierdo.

—Espero que se dé cuenta de lo equivocado que está cuando vea esto —le dijo enseñándole un corte en el brazo de, al menos, seis centímetros de largo, perfectamente limpio, sin inflamación y casi cicatrizado.

—No estoy diciendo que no sufrierais, Odette —repuso Kentaro apesadumbrado—. Sé que sufristeis, que las heridas fueron muchas y muy dolorosas. Lo que digo es que ninguna de ellas era realmente peligrosa, que, con toda seguridad, los artefactos que lanzaban las armas ninja estaban programados expresamente para disparar con menos fuerza de la normal.

—Volaban muchos *fukibari* por los aires —nos recordó Ichiro—, muchos *shuriken*. Había tal cantidad de objetos afilados que salían disparados hacia nosotros que por eso no nos dimos cuenta. Pero la verdad es que no tenían el impulso suficiente como para provocarnos lesiones de verdad, sólo pequeñas heridas.

—Hombre, yo le agradezco mucho al señor Saito que no quisiera matarnos —comenté—. Pero no dejo de pensar que hay que estar muy mal de la cabeza para organizar semejante venganza contra unos pobres funcionarios.

—Mira, Hubert —me dijo Kentaro, sonriendo—, Ryoei era un verdadero excéntrico, lo que llamaríamos un tipo realmente extravagante. Nunca dejaba indiferente a nadie y, desde luego, nunca perdonaba lo que consideraba una falta contra su honor. Él solo, sin ayuda de nadie, levantó la pequeña empresa de su padre hasta hacer de Daishowa la multinacional papelera que era cuando murió, con filiales en Canadá, Estados Unidos, Australia... Pero los que somos de aquí, de Shizuoka, los que le conocimos, sabemos que no era capaz de matar. Era un tiburón de las finanzas y, además, de los más corruptos. Pero no era un asesino. Y encajan muy bien con su carácter excéntrico las ganas de divertirse a costa de aquellos de los que se quería vengar.

—Si tú me humillas públicamente ante el mundo entero —declaró Midori, la mujer de Ichiro, con una sonrisa irónica—, yo te clavo unos dolorosos *tetsubishi* en los pies, unos punzantes *fukibari* en las piernas, unos afilados *kyoketsu*

102

shoge en los brazos, el torso y la cabeza, y unos brillantes y voladores *shuriken* donde te pillen.

Nos echamos a reír. Era la lógica retorcida de un anciano vengativo pero Midori había hecho una buena imitación. Algunos empezamos a despegarnos los apósitos porque, en realidad, no eran necesarios. Además, Odette comentó que a las heridas les vendría bien estar al aire, ya que no se habían infectado.

Fumiko, la madre de Ichiro, apareció al cabo de poco para llamarnos a comer. Un par de camareras obedecían sus órdenes sin rechistar. En la casa había un comedor tradicional para la familia pero también un comedor occidental para invitados, con sillas normales y una gran mesa normal, o sea, que no era necesario estar sentado en el suelo con las piernas cruzadas delante de una camilla enana. Tampoco era necesario para aquel banquete cambiarse de ropa. Nadie nos insinuó la necesidad de ducharnos y vestirnos antes de comer.

La mesa occidental reventaba de comida y Fumiko nos hizo señales para que nos sentáramos en las sillas y comiéramos todo lo que quisiéramos. Había seis clases distintas de sopa de miso, platos con encurtidos, tortilla enrollada, arroz con té verde y buey guisado, judías de soja fermentadas, fideos con pato, salmón a la sal, tofu fresco con dos salsas, una de pepino y la otra no lo sé porque no llegué a averiguarlo nunca. Y, así, hasta el infinito y más allá. Los más espabilados comieron con palillos y los más valientes también. Morris y yo usamos cubiertos occidentales.

Después de una última tanda de dulces en los postres (pasteles de arroz rellenos de judías negras, helados de sésamo negro, de té verde, de jengibre…), algunos tomamos café y, tras dar las gracias a Fumiko por la comida, regresamos al *kyakuma*. La madre de Ichiro se sumó a la reunión, a pesar de que no entendía nada de lo que decíamos. De vez en cuando, Midori se inclinaba hacia ella y le contaba lo que iba pasando. La buena mujer, aunque simpática, parecía bastante reservada.

Kentaro, a quien se le notaba la frustración que le suponía la silla de ruedas —pues, como Ichiro, era incapaz de estarse quieto—, le entregó a su transportista (que, por el traje negro, debía de ser uno de los empleados de la funeraria) una carpeta para que repartiera entre todos nosotros unas copias de la lámina que habíamos encontrado en la cueva del túnel de la casa ninja. Como todas las pinturas de *ukiyo-e* que había podido contemplar hasta ese momento, ésta también me subyugó. Era increíblemente hermosa. No me extrañaba nada que los impresionistas hubieran bebido del *ukiyo-e* hasta la saciedad. Podías no cansarte nunca de mirar aquellos grabados. Por supuesto, la imagen que tenía en mis manos era infinitamente mejor que la copia hecha por mi paisano Van Gogh en el *Retrato de Père Tanguy*, aunque en ningún caso eran obras comparables. El cerezo en flor era tan bello que había que ser un gran artista para captarlo de aquella manera, con aquellos colores y desde aquella perspectiva.

—Mientras estabais en el hospital —empezó a decir Kentaro— he investigado los objetos que habéis encontrado tanto en París como en Japón. En París descubristeis la obra de Hiroshige, *El río Sagami*, que os condujo hasta la casa ninja de Atsugi donde habéis encontrado la que resulta ser, en el sentido de las agujas del reloj, la siguiente lámina copiada por Van Gogh en el *Retrato de Père Tanguy*. Creo que ya no pueden quedar dudas de que Ryoei utilizó el *Retrato de Père Tanguy* como inspiración para su juego. Estoy bastante seguro de que las seis láminas de *ukiyo-e* copiadas por Van Gogh responden a seis lugares por los que tendréis que pasar para encontrar el cuadro desaparecido, el *Retrato del doctor Gachet.*

Sí, yo también había pensado algo parecido cuando reconocí el cerezo en la cueva. Algunos de mis compañeros asintieron como yo.

—Este grabado también es de Hiroshige —continuó Kentaro—. Es la estampa número 45 de otra de sus famosas series, *Gojûsan tsugi meisho zue,* o lo que es lo mismo —tradujo—, «Vistas famosas de las cincuenta y tres estaciones del Tōkaidō», pintada en 1855. Esta obra en concreto, la número 45 de la serie, se llama *Ishiyakushi: El cerezo de Yoshitsune cerca del santuario de Noriyori.*

Pude ver la cara de desconcierto de mis compañeros antes de darme cuenta de que yo también estaba visiblemente confuso. Apenas había entendido algunas (pocas) palabras de lo que había dicho Kentaro.

Él se rio con ganas, arrugando toda la cara, cuando nos vio callados y apabullados.

—Si os apetece, podemos ir mañana por la mañana al museo de Arte Hiroshige que tenemos aquí, en Shizuoka. Lamentablemente, sólo tiene los grabados de Hiroshige relacionados con Shizuoka y el Tōkaidō, pero vale la pena. Además, como este año se cumple el 160 aniversario de su muerte, que tuvo lugar durante la epidemia de cólera de 1858, se están organizando algunos eventos espectaculares que no deberíais perderos si os gusta Hiroshige.

—A ver, *otōsan** —le interrumpió Ichiro, impaciente—, deja que yo se lo explique. No estás hablando con japoneses. Para empezar no saben qué es el Tōkaidō, así que no han entendido la mitad de lo que has dicho.

—Tienes razón —admitió a regañadientes Kentaro—. *Suminasen,*** Ichiro.

—Es muy sencillo —empezó a decir Ichiro—. Veréis, Tōkaidō significa «La ruta del Mar del Este». Era la ruta fija, el único camino posible, para ir desde Tokio, que entonces se llamaba Edo y era la capital del Shogun, el gobernador militar, hasta Kioto, que era la capital imperial, donde vivía el emperador, que sólo tenía un poder simbólico y religioso. Esto empieza en el año 1603, el año en que el Shogun ordena levantar la ciudad de Edo. En esta ruta del Mar del Este había cincuenta y tres estaciones o, para que lo entendáis mejor, cincuenta y tres aduanas o controles a lo largo de los casi quinientos kilómetros que hay entre Tokio y Kioto. En cada una de las estaciones te registraban el equipaje, tenías que enseñar la mercancía que llevabas y debías presentar la documentación que justificaba tu viaje ya que, si no la tenías, no podías pasar o regresabas detenido a tu ciudad de origen. Los shogunes tenían mucho miedo a que una revolución les quitara el poder y, para impedir que los ejércitos pudieran moverse libremente, establecieron cinco o seis rutas oficiales por todo Japón que estaban totalmente controladas. Pero la ruta del Tōkaidō, al unir las dos capitales, la militar y la imperial, era la más importante.

---

* «Papá».
** «Disculpa».

—Y los pintores de *ukiyo-e* —atajó Kentaro, que se moría por hablar— realizaron numerosas series de grabados de las cincuenta y tres estaciones. En realidad dibujaban cincuenta y cinco láminas por serie porque también incluían Edo y Kioto. Hiroshige fue uno más entre los muchos pintores de *ukiyo-e* que produjeron varias series de las estaciones del Tōkaidō. Y, como os explicaba antes, la estampa que encontrasteis en la casa ninja, y que fue copiada por Vincent Van Gogh, es una de las que forman la serie «Vistas famosas de las cincuenta y tres estaciones del Tōkaidō».

—En concreto —le cortó Ichiro por lo sano mientras Kentaro cogía aire para seguir hablando y se quedaba con la palabra en la boca—, es la estampa llamada *Ishiyakushi: El cerezo de Yoshitsune cerca del santuario de Noriyori*, lo que quiere decir que es la estación de Ishiyakushi y que en esta localidad, que por supuesto aún existe, había un tal Yoshitsune que tenía este magnífico *sakura*, cerezo en flor.

—Y que el precioso *sakura* —terció Kentaro— se encontraba cerca del santuario de Noriyori.

Si Ichiro podía ser una bomba atómica por sí mismo, cuando se juntaba con su padre el resultado era una reacción termonuclear cósmica que podía derretir cualquier cerebro y cualquier voluntad humana. Se me escapaba completamente cómo la pobre Fumiko había sobrevivido a la experiencia de estar casada con Kentaro mientras criaba a Ichiro, pero ahora podía comprender mucho mejor aquel momento que nos contó Ichiro en París, cuando su padre saltó por encima de los asientos del coche fúnebre, abrió el ataúd de Ryoei Saito y cogió lo que creía que era el cuadro de Van Gogh. También podía comprender que el padre y el hijo hubieran hecho de aquella búsqueda la obsesión de su vida. Eran iguales.

—Ishiyakushi forma parte hoy de la ciudad de Suzuka —dijo Midori para frenar la escalada intervencionista de su suegro y su marido—, bastante conocida porque es donde se encuentra el famoso circuito de Fórmula 1. Está en la prefectura de Mie, a unos cuatrocientos kilómetros al oeste de Tokio.

—Por supuesto, el santuario de Noriyori ya no existe —añadió Kentaro—. Se lo tragó la ciudad. Ni tampoco el cerezo de Yoshitsune. Pero en la nota escrita a mano por Ryoei hay una pista bastante clara.

Le dio la vuelta a la copia de la lámina que tenía entre las manos y leyó:

—«El Buda de la Sanación».

—Y resulta que en Ishiyakushi —añadió Ichiro— hay un templo budista llamado Ishiyakushi-ji que conserva en su interior una valiosa imagen de Yakushi, el Buda de la Sanación —añadió Ichiro—, que data del siglo IX.

—Como podéis ver, Yakushi, el Buda de la Sanación —concluyó Kentaro—, dio nombre al templo y el templo dio nombre al pueblo. De modo que la estampa de Hiroshige y el mensaje de Ryoei remiten al templo del Buda de la Sanación en Ishiyakushi.

Se hizo un silencio pesado en el *kyakuma*. Lo sé porque me di cuenta de golpe, ya que estaba mirando, distraído, cómo le caía a Gabriella un mechón de pelo sobre la mejilla. Al cabo de unos segundos, Ichiro saltó:

—¿Qué? —preguntó desafiante—. ¿También queréis abandonar ahora como en París?

Nadie contestó pero las miradas perdidas giraron en todas direcciones. Lo de la casa ninja había sido una experiencia terrible y, aunque los Koga le habían restado importancia (seguramente con razón, pero también, en mi opinión, para evitar las deserciones), la pesadilla estaba aún demasiado cercana en el tiempo. Tan cercana que resultaba imposible que nos mostráramos alegremente dispuestos a emprender el siguiente desafío. Midori, la mujer de Ichiro, pareció comprenderlo:

—Creo que sería bueno que dejarais pasar unos días antes de ir a Ishiyakushi —dijo—. Necesitáis descansar. De todas formas, si alguien quiere abandonar y marcharse ahora es libre de hacerlo, por supuesto.

Los ojos de Kentaro y de Ichiro la fulminaron con rayos y truenos.

—¡Pero nos quedaríamos sólo con el adelanto! —se quejó Morris, airado—. Lo hemos pasado fatal, ha sido un infierno y, si nos vamos ahora, perdemos el medio millón de dólares que tenéis que pagarnos al final. ¡No me parece justo!

Todos bajamos la cabeza, un tanto avergonzados. Sí, ésa era la cantidad por la que estábamos allí.

—Lo firmaste así en el contrato, John —le recordó Ichiro, molesto—. No teníamos por qué haber ofrecido ningún adelanto, pero lo hicimos.

La situación se había vuelto incómoda. De pronto, una reunión amistosa y divertida se había convertido en una discusión sobre dinero. En ese momento, Midori se giró discretamente hacia su suegra, Fumiko, ésta le hizo un ligerísimo gesto afirmativo del que nadie se dio cuenta menos yo y, entonces, preguntó:

—¿Por qué cantidad te quedarías, John?

Él no había dicho que pensara marcharse, de modo que esa pregunta innecesaria podía salirles muy cara a los Koga. Pero yo estaba mucho más sorprendido por el hecho de que fueran las dos mujeres las que llevaran los asuntos de dinero en aquella familia japonesa y no sólo los asuntos de dinero sino también los asuntos del dinero de nuestros contratos. Algo se me estaba escapando.

—¡Por el doble! —soltó Morris desafiante—. Si me pagáis el doble, me quedo. ¡Pero lo quiero por escrito, ¿eh?!

—¿Los demás estáis de acuerdo con él? —nos preguntó la mujer de Ichiro, echando una mirada de lado a lado de la sala. Yo no sabía qué decir. Por supuesto que quería un millón de euros (a mí me habían ofrecido euros, no dólares como a Morris), ¿quién no lo querría? Había que estar loco para rechazar una suma así. Pero, en realidad, yo hubiera seguido cumpliendo mi contrato por la mitad pactada y firmada porque en ningún momento había tenido intención de abandonar. ¿Era jugar sucio por mi parte hacer del silencio un apoyo a la exigencia de Morris? Seguramente sí, pero todos estábamos en la misma situación.

—Muy bien —exclamó Kentaro, adelantándose a Midori—. Pues que sea el doble y por escrito. Mañana por la mañana llegarán los nuevos contratos. Pero, inmediatamente después, saldréis para Ishiyakushi.

6

La oreja de Van Gogh

En el hotel de Tokio todos habíamos tomado el desayuno occidental; en el hospital, supongo que viendo que éramos extranjeros, también nos dieron cada día desayunos occidentales; pero en el hogar japonés de los Koga hubiera sido una falta de respeto no ofrecernos su mejor desayuno tradicional. Menos mal que añadieron café y té a granel porque empezar el día con arroz hervido, sopa de miso, encurtidos, tofu, pescados fritos en tempura y huevos con algas podía haber sido muy duro. Y, mientras desayunábamos, fuimos firmando, en silencio, los nuevos contratos por la nueva cantidad de dinero. Admito que me sentí un poco avergonzado aunque por dentro daba saltos de alegría. Las dos cosas al mismo tiempo.

Un microbús apareció en la puerta de la casa para recogernos a las seis en punto de la mañana. Aunque el día había amanecido lluvioso, hacía ya calor, y vi el monte Fuji envuelto en bruma mientras subía al microbús. Esa imagen me hizo recordar los cielos de las estampas *ukiyo-e* y comprendí por qué los pintores los coloreaban de esa forma.

Por aquellas casualidades de la vida, terminé sentado junto a Gabriella y, aunque sabía que Oliver y ella estaban empezando algún tipo de relación, las tres horas de viaje hasta Ishiyakushi se convirtieron, de pronto, en un inmenso placer. Sabía que no tenía nada que ganar más allá de establecer una buena relación o, quizá (aunque improbable), una pequeña amistad. Yo sólo quería que mis ojos no traslucieran el incontenible deseo que aquella mujer me producía.

Empezamos hablando de arte, por supuesto. Yo le hablé de los artistas que vendía en mi galería y le ofrecí exponer algunas de sus obras si es que no tenía firmada exclusividad con algún marchante de arte en Milán. Ella me dijo que sentía aversión (me parece que lo que dijo exactamente fue *asco*) por los antiguos galeristas de toda la vida que pedían siempre exclusividad a los pintores antes de empezar a vender sus obras.

—Exigir la exclusividad —comentó con verdadero desprecio—, apoderarse de todo el trabajo de un artista es ridículo en el mundo de hoy. Los galeristas lo hacéis para evitar la competencia, para esforzaros menos a la hora de vendernos porque sabéis que nos tenéis atrapados y que, de esa forma, nadie puede hacernos una oferta mejor porque ya os pertenecemos. Me niego a entrar en vuestro juego y por eso no tengo galería en Milán ni en ninguna otra parte.

—¿Y cómo vendes? —le pregunté, aunque me lo imaginaba.

—Por internet —repuso orgullosa—. Tengo mi propia página web y, además, vendo en las grandes plataformas de subastas online. Mi obra vale lo que la gente esté dispuesta a pagar por ella, pujando contra otros si es que les interesa, que es lo justo. Lo hablaba con Oliver el otro día. Aunque él es un artista urbano, le gustaría vender en galerías porque es la única manera de llegar a las ferias de arte. Su marido le anima a que pase del muro callejero al lienzo de tela y a que entre en el circuito de los galeristas, pero yo le dije que era mucho mejor ser independiente y libre, que no se complicara la vida con gente como vosotros, que sois dinosaurios en el mundo de hoy.

Un momento, un momento..., me dije. Era demasiada información para asimilarla de golpe. O sea, que Oliver estaba casado y, además, con otro hombre, lo que eliminaba a Gabriella de su radar sexual y, por lo tanto, ¡sólo eran amigos! Y, por otra parte, Gabriella me consideraba uno de ésos a los que ella despreciaba visceralmente, los galeristas de arte tradicionales, los «dinosaurios» que explotábamos a los pintores y exigíamos la infame exclusividad.

—Puedo entenderte —comenté, desviando la mirada hacia la ventanilla—, pero la exclusividad tiene su sentido aunque tú no te lo creas. Como galerista puedes comprometerte a fondo con la obra de un pintor, hacer por él todo lo que esté en tu mano para que venda, llevar su obra a las ferias, etc. Si no tienes exclusividad inviertes un montón de horas de trabajo y de dinero para que, luego, el beneficio se lo lleve otro galerista que también disponga de parte de su obra.

La mirada de Gabriella no pudo contener más desprecio.

—No os enteráis, ¿verdad? Si otro galerista vende la obra de un pintor que tú también expones en tu galería, ese pintor se revaloriza y las pinturas que tú tienes suben de precio. Los galeristas no competís, sumáis. Pero jamás os lo meteréis en la cabeza. Sois cortoplacistas y estáis endiosados. Por suerte, no os queda mucho. Las casas de subastas online y las galerías modernas, abiertas a los cambios, os van a dejar en la miseria. Ya lo verás.

En la miseria ya estaba, me sentí tentado de confesarle, pero me callé. Quizá ella tuviera razón. De hecho, hacía ya algunos años que oía sonar las trompetas que anunciaban el fin de mi negocio y el cambio de época en el mercado del arte. Sin embargo, los que formábamos parte de las industrias de la cultura estábamos tan acostumbrados a nuestro funcionamiento tradicional (yo empecé a trabajar en una galería mientras estudiaba Bellas Artes en Ámsterdam y, cuando terminé la carrera, monté la mía propia siguiendo el modelo que había aprendido como becario) que éramos incapaces de darnos cuenta de que esas notas musicales que oíamos también anunciaban nuestra desaparición. ¿Cuánta gente había entrado en mi galería en el último año? Y, de los que habían entrado, ¿cuántos habían comprado? Mejor no pensarlo.

—Pero sin galería no podrás exponer en las ferias internacionales… —era mi último cartucho.

—Hay muchas clases de ferias de arte —replicó con un gesto de compasión en su precioso rostro—. No vale la pena estar en las que son los antiguos galeristas como tú quienes deciden a qué artistas llevar y a cuáles promocionar por encima de otros. Yo expongo en las independientes y en las ferias online, que cada vez son más significativas dentro del sector.

Definitivamente, tenía razón. Si, al final, encontrábamos el Van Gogh desaparecido, con el dinero que ganara empezaría la transición hacia el nuevo mundo digital… aunque no pensaba cerrar mi galería. Era una cuestión sentimental.

—¿Me ayudarías a cambiar mi modelo de negocio y a conocer ese mundo artístico en el que tú te mueves? —le pregunté un poco cohibido.

Se quedó callada, mirándome intensamente, y luego sonrió.

—¿Me estás contratando? —me preguntó soltando una carcajada.

—Ya sé que no te hará falta el dinero y que tendrás otros proyectos de trabajo esperándote —le dije, empujándome las gafas hacia arriba—, pero te ofrezco una galería tradicional en el centro de Ámsterdam para que la transformes en lo que consideres mejor para el futuro. A lo mejor te interesa. No sufro de aversión al cambio.

—¡Vaya, Hubert, me has dejado de piedra! —repuso ella sin parar de reír—. Lo pensaré y ya te daré una respuesta, ¿vale? En el fondo, me gusta bastante tu idea. ¡Eres valiente!

Lo que a mí me hubiera gustado habría sido cogerla por los hombros y darle un beso en los labios, pero algo en mi cerebro me advirtió de que no sería una buena idea. ¿Y si había alguien en Italia esperándola? Ahora que Oliver ya no era una amenaza, el fantasma de ese alguien de Milán empezó a tomar cuerpo y a hacerse muy grande.

Lo que sí había muy grande en el microbús era un idiota: Morris, cómo no, que aprovechó justo ese momento para proponer un cambio de asientos. A él le había tocado sentarse junto a Odette y, obviamente, ambos eran como el agua y el aceite. La madre de familia francesa y el brusco contratista de obras yanqui no tenían mucho en común. No veía yo a Morris diciéndole a Odette lo monos que eran sus niños ni tampoco veía a Odette interesándose por las motos cañeras de Morris.

El resto del viaje en compañía del grueso pelirrojo, que corrió a ocupar el lugar de Gabriella, fue de un creciente cabreo y de un lento desgaste de nervios que controlé a duras penas. Afortunadamente llegamos, por fin, a Ishiyakushi, un pequeño barrio de la gran ciudad de Suzuka que aun conservaba pinta de pueblo de casitas bajas. El microbús se detuvo en mitad de una estrecha carretera, exactamente delante de la puerta de un templo que, por la cara de alegría de Ichiro y los gestos que hizo, no cabía duda de que se trataba de Ishiyakushi-ji, el templo del Buda de la Sanación. Antes de bajar del microbús, todos nos preparamos a conciencia con nuestros productos japoneses contra el calor estival monstruoso de aquel país.

Hubiera preferido mucho más ver el *sakura* de Yoshitsune, el precioso cerezo en flor, que visitar el templo, ya que estaba seguro de que me hubiera emocionado con su belleza pero, como no estábamos en primavera y, además, Yoshitsune llevaba muerto más de un siglo y su cerezo no había sobrevivido al crecimiento de Suzuka, me dije que iba a tener que conformarme con Ishiyakushi-ji y su Buda. Lo primero que me sorprendió al bajar del microbús cargado con mi pequeña mochila fue el enorme y escandaloso orfeón de cigarras que se escuchaba. Parecía que había millones a nuestro alrededor aunque no se viera ni una.

Un poco más arriba de la puerta del templo había un cartel con una estampa que reproducía la antigua entrada del pueblo de Ishiyakushi por la ruta del Tōkaidō pintada también por Hiroshige en otra de sus series, pero a mí me seguía gustando mucho más la lámina del cerezo de Yoshitsune.

—¡Eh! —nos llamó Ichiro agitando el brazo, impaciente.

Subimos una rampa de piedra, pasamos bajo un tejadillo con dragones y entramos en un enorme jardín lleno de árboles y plantas de un verde exuberante. En primavera, aquellos cerezos debían de ser impresionantes y el jardín, un lugar mágico. Sin embargo, ahora escaseaban hasta las flores. No es que en aquel momento no fuera bonito, pero tampoco el día nublado y lluvioso acompañaba. Siempre hay algo triste y melancólico en un jardín bajo la lluvia.

También había por allí algunos japoneses mayores con finos impermeables de plástico paseando por los caminos de baldosas del jardín, que estaban flanqueados por finos pilares de piedra, como de un metro de altura, con textos grabados en vertical y, encima, una especie de farolas apagadas con tejadillos a dos aguas.

—Los japoneses no sólo venimos a los templos a orar —nos explicó Ichiro—. El templo, budista o sintoísta, es un lugar de reunión para encontrarse con los amigos, los vecinos o los conocidos, charlar y tomar el té o sólo para pasear. Nuestros templos son como clubes sociales con funciones religiosas, por eso es raro ver a los sacerdotes o a los monjes durante los días normales. El templo está abierto y suelen ser los jubilados, de manera voluntaria, quienes cuidan de los jardines y de la limpieza en general. Es una tradición muy extendida.

—Y ahora que ya estamos aquí, ¿qué hacemos? —le cortó Morris.

—Sé lo mismo que tú —repuso Ichiro, distraído, mirando a un lado y a otro.

—Supongo que habrá que buscar alguna señal —añadió Gabriella—. Algo que nos diga adónde tenemos que ir y qué tenemos que hacer.

—¿Por qué no nos dividimos? —propuso Oliver—. Si buscamos por separado iremos más rápidos. Este jardín es muy grande y tiene muchos recovecos.

Nos fuimos alejando poco a poco unos de otros mientras avanzábamos hacia el templo principal. En algunas intersecciones de la calzada se veían pequeños santuarios cerrados a cal y canto con la cuerda de un cascabel gigante colgado del alero hasta casi rozar el suelo. En otra, me encontré con un hermoso jardín seco japonés, uno de esos que hacen con gravilla y piedras enormes artísticamente colocadas por aquí y por allá.

Al final, me quedé solo y caminé entre los árboles repasando mi conversación con Gabriella en el microbús. En realidad, no recordaba la conversación; recordaba sus gestos, sus miradas, su actitud rebelde, su lucha por volar libre… Podría enamorarme de aquella mujer. Sí, podría. Pero no sería nunca correspondido. Ella ni siquiera notaba mi presencia y era demasiado hermosa y lista como para, de un vistazo, no saber a esas alturas de su vida qué tipo de hombre le gustaba.

Mis pensamientos se iban oscureciendo como el cielo de aquel día cuando, desde la distancia, escuché una suave y discreta llamada de Odette. Había encontrado algo. Giré sobre mis talones y, sujetando bien la mochila, eché a correr hacia la dirección de la que procedía la voz. Un par de jubilados japoneses me sonrieron al verme pasar a toda velocidad. Hay que reconocer que los japoneses son educados y amables hasta no poder más.

Estaba a punto de desviarme del camino correcto cuando una segunda llamada de Odette me orientó en la dirección opuesta a la que acababa de tomar. Vi a los demás acercarse al mismo tiempo que yo. Todos corríamos hacia el templo principal que tenía las puertas abiertas. Odette nos esperaba en el *engawa*, en la parte alta de las escaleras y, junto a ella, un joven monje budista nos miraba bastante atónito.

—Hay un cuadro de Vincent Van Gogh dentro del templo —nos explicó Odette—, pero este sacerdote no reconoce el nombre del artista y no deja que me acerque.

—¿Un cuadro de Vincent Van Gogh en el templo de Ishiyakushi-ji…? —se sorprendió Ichiro mientras saludaba con una reverencia al monje.

El joven monje, que no vestía con los colores azafranados o rojos como se hubiera podido esperar de un budista sino con una camisola gris bajo un hábito negro, inclinó la cabeza rasurada a modo de saludo y se dirigió a Ichiro. Estuvieron hablando un rato y, luego, nos invitó a pasar.

—El monje dice —nos explicó Ichiro mientras entrábamos en el templo— que no es un cuadro de Vincent Van Gogh sino una obra de Ogata Kōrin, de principios del siglo XVIII.

Me quedé sin aliento cuando descubrí, en la pared del fondo de la pequeña habitación del templo a la que nos había llevado el monje, el cuadro de *Los lirios* de Van Gogh. Si era el cuadro de Van Gogh, y lo era sin ninguna duda, ¿cómo podía ser de un japonés del siglo XVIII?

—Es una obra del famoso artista Ogata Kōrin, pintada en 1705 —murmuró Ichiro traduciendo al monje—. En 1701 pintó su célebre *Biombo del lirio* en Edo y el éxito fue tan grande que se le pidió que pintara sus famosos lirios aquí, en el templo de Ishiyakushi-ji, y en otros muchos lugares de la ruta del Tōkaidō.

—¡Pero es el cuadro de Van Gogh! —exclamó Oliver, perplejo.

Yo, que me había fijado más y que, desde joven, tenía memorizadas las pinturas de mi paisano, descubrí que había algunas importantes diferencias entre ambas obras. Lo que nos pasaba era que, así, al primer vistazo, parecían iguales. Pero no, no lo eran.

—No, Oliver —le dije, sintiéndome más favorable hacia él ahora que sabía que no era competencia—. Fíjate en el fondo. En esta pintura de Ogata Kōrin el fondo es amarillo. En el cuadro de Van Gogh se ven pequeños girasoles al fondo y un suelo de tierra roja en primer plano. Además, los propios lirios son de un azul más claro en Van Gogh que en Kōrin.

—Te equivocas, Hubert —me corrigió Ichiro—. Los lirios no tienen un color diferente. O no lo tenían… El azul claro que ves en Van Gogh es resultado de la degradación producida por el tiempo y la luz. En realidad, Van Gogh los pintó del mismo azul cobalto que Ogata Kōrin.

—¡Madre mía! —exclamó Odette—. ¡Pues ya sabemos dónde se inspiró para pintar *Los lirios*! ¡Son idénticos, hasta en los colores!

—Como os dije en París —terció Ichiro—, todos los impresionistas y los postimpresionistas admiraban enormemente la pintura japonesa y Van Gogh más que nadie.

—Puedes llamarlo admiración, Ichiro —masculló Gabriella con el ceño fruncido—, pero hoy en día se consideraría una copia pura y dura.

—Suerte que el fondo es diferente —insistí un poco molesto por el insulto a mi compatriota, aunque no podía estar más de acuerdo con Gabriella.

—Bueno, la cuestión es que ésta es la pista de Ryoei Saito —exclamó Morris, harto de oír hablar de lo que no conocía ni le interesaba—. Deberíamos buscar por aquí.

—Estate quieto, John —le ordenó Ichiro con una sonrisa—. No hagas nada hasta que nos hayamos librado del monje.

Empezó a hablar en su lengua con el joven budista sin pelo y, tras intercambiar algunas frases y realizar ambos varias reverencias mutuas, el sacerdote se marchó.

—¿Por qué viste de negro? —quiso saber Gabriella cuando nos quedamos solos—. Creía que los budistas vestían túnicas de color azafrán.

—Sí, la mayoría visten túnicas de color azafrán —admitió Ichiro—. Pero este monje pertenece a la secta Zen. En el budismo Zen los monjes visten de blanco, negro y gris, según su categoría. En cualquier caso, sea de la secta que sea, nuestro budismo presenta bastantes diferencias respecto al budismo del resto del mundo. Digamos que se adaptó al carácter japonés cuando llegó desde China. Asimiló muchas tradiciones del sintoísmo, que es nuestra religión ancestral, y ahora las dos coexisten amistosamente.

—Me parece muy interesante —comenté. Y era verdad, ya que la filosofía Zen siempre me había resultado sumamente atractiva, por esa manera de vivir con infinita serenidad y paz interior.

—Bien, pero no estamos aquí para hablar de religión —se quejó Morris, dejando salir de nuevo su mal carácter. Se fue directo hacia una de las paredes de la habitación y empezó a darle palmadas, a empujar, a palpar cuidadosamente… La pared, como todo el templo, estaba hecha de madera, de modo que los golpes de sus expertas manos de contratista resonaban por todo el edificio vacío.

—¡Rápido! —nos urgió Ichiro—. ¡El monje volverá si nos oye!

Los seis dejamos caer de golpe las mochilas en el suelo y nos abalanzamos sobre todo lo que podía ser la superficie de una puerta o una trampilla. De hecho, Oliver subió a Odette sobre sus hombros para que ella estudiara el techo de la habitación. Y todo con el susto de que el monje o alguno de los ociosos y amables jubilados que merodeaban por allí aparecieran por la puerta en cualquier momento.

Ichiro soltó una exclamación de júbilo.

—¡Aquí! —nos llamó, inclinado sobre la tarima del suelo justo debajo de la pintura de Ogata Kōrin. Era tan evidente que debía de estar allí, que me dio rabia no haberlo previsto.

Un trozo de la tarima, formado por tres tablas de un metro cada una, oscilaba un poco, sólo un poco, bajo la presión. Resultaba apenas perceptible porque bien podía deberse a la propia madera o al desgaste del tiempo, pero la unión de aquel trozo de suelo con el resto era tan precisa y perfecta que sólo Morris fue capaz de separarla con un pequeño destornillador que llevaba en un estuche de bolsillo. Era el mismo tipo de destornillador que usaban en las ópticas para ajustar los tornillos de las gafas, sólo que éste tenía un pequeño mango de plástico verde como los destornilladores profesionales.

Una vez desencajada, la pieza salió completa de su cavidad dejando ver unos estrechos escalones que se hundían en la tierra.

—Encended las linternas —nos dijo Ichiro recuperando su mochila y metiéndose en el agujero—. ¡Deprisa, deprisa, que nos van a pillar!

¡Ya íbamos deprisa!, pensé. ¡Pero si parecía que nos había dado una descarga eléctrica! Todos sacamos las linternas Led de nuestras mochilas. Esta vez, gracias a los Koga, íbamos mejor preparados que en las catacumbas de París o en la casa ninja. De todas formas, aquella mañana, mientras firmábamos los nuevos contratos, nuestros anfitriones nos habían obsequiado con nuevos móviles para todos, los últimos modelos de la marca que cada uno usaba antes (ya con la tarjeta dentro y totalmente operativos), puesto que, por desgracia, los anteriores se nos habían muerto por inmersión en el río Sagami. Los móviles nuevos, según nos dijo Ichiro muy satisfecho, eran sumergibles en cualquier líquido durante bastante tiempo. A mí aquello me produjo una cierta inquietud pero se me pasó pronto porque el flamante teléfono que tenía entre mis manos era una verdadera pasada.

Bajamos los escalones a toda velocidad, uno detrás de otro, y Morris se quedó el último para volver a encajar desde abajo el trozo de suelo en su hueco. Si el monje volvía y pensaba que nos habíamos marchado o que nos habíamos evaporado en el aire, ya no era cosa nuestra. Ahora descendíamos apresuradamente hacia el subsuelo del templo y ya no había marcha atrás.

La escalera, excavada en la tierra, era angosta y muy larga. El olor a humedad indicaba que por allí no había pasado nadie desde hacía mucho tiempo. Seguramente, desde mediados de los años noventa del siglo pasado. A duras penas cabíamos bajando de uno en uno y los más altos teníamos serias dificultades para no golpearnos la frente contra el techo inclinado.

Al cabo de unos diez minutos la escalera terminó y llegamos a una cámara con la amplitud y la altura apenas suficientes para que cupiéramos los seis un poco apretados. Pero, al menos, allí no hacía calor. Las paredes y el techo estaban recubiertos de cemento, para reforzar las superficies de tierra húmeda y evitar que pudieran venirse abajo durante alguno de los frecuentes terremotos de Japón. Frente a la escalera había una puerta acorazada metálica bien visible bajo la luz de nuestras linternas.

—Antes de que me lo preguntéis —refunfuñó Morris—, creo que estamos a unos quince metros bajo tierra. Debajo del jardín posterior del templo.

Con una rápida mirada consultó la fantástica pantalla de su nuevo móvil.

—Y, además, estamos a cero de cobertura, es decir, aislados —rezongó, cabreándose.

—Yo creo que la puerta se abre simplemente empujando —comentó Oliver sin hacerle caso—, porque no tiene pomo ni asas.

—Pues a empujar —dijo Ichiro pletórico de entusiasmo poniendo sus manos sobre el panel.

Con toda suavidad, la hoja se desplazó sin esfuerzo y fuimos entrando muy despacio de uno en uno. Era una habitación grande, quizá aún más grande que la cámara de las catacumbas de París y no nos sorprendió descubrir, en el mismo centro, una especie de altar gigante de piedra con varias cavidades cuadradas, algunas superficiales y otras profundas. De las profundas, tres estaban llenas de viejos y gruesos tubos de pinturas al óleo. Quizá aquellos grandes tubos —de más de veinte centímetros de largo— no eran tan antiguos como para haber sido fabricados por Julien Tanguy pero tampoco parecían mucho más modernos. En otra cavidad había pinceles de distintos tamaños, desde los que tenían unos finos pelos hasta brochas enormes. En una quinta, sellada por un cristal, había un montón grande de paños de algodón, supusimos que para limpiar. Y en el último agujero profundo, también cerrado con un vidrio, había varias botellas de aguarrás y trementina, los disolventes habituales de los pintores. Para evitar su deterioro o evaporación, las botellas estaban lacradas con aluminio y cera.

—¿Para qué será tanta pintura? —preguntó Odette, sorprendida.

—Creo que es evidente —le respondió Gabriella—. Vamos a tener que pintar algo.

—Pero, esta vez, no con luces —comenté cogiendo uno de los pinceles.

—No —replicó ella—. Esta vez no vamos a pintar con luces, vamos a pintar con auténticos pigmentos. ¿Os habéis fijado en los nombres de los colores?

Evidentemente no, así que metí la mano, cogí el primero que pillé y lo iluminé con mi linterna. «Amarillo de plomo», leí. Solté el tubo como si quemara.

—¡Estas pinturas son venenosas! —dejé escapar, alarmado.

—No más venenosas que cuando las usaban los impresionistas —repuso Gabriella—. Lo importante es no tocarse ni la boca ni los ojos con las manos manchadas, ¿de acuerdo? De otro modo sí que os podríais envenenar.

—No veo por ninguna parte qué es lo que debemos pintar —declaró Oliver mirando en todas direcciones—. ¿Acaso tiene que bajar otra pantalla del techo?

Morris, malhumorado, murmuró algo que nadie entendió.

—¿Qué has dicho? —le pregunté.

—¡Que hay que cerrar la puerta! —mugió enfurecido—. ¡Como en París! ¡Para que todo comience, hay que cerrar la maldita puerta y quedarnos encerrados e incomunicados!

—Pero esta vez no te vas a marchar, John —le dijo Ichiro—. Lo firmaste en el contrato esta mañana.

Morris dio un puñetazo de rabia contra la pared y debió de hacerse daño en la mano, pero lo disimuló.

La puerta acorazada sí tenía un asa por dentro. Antes de cerrarla, me di cuenta de que en el larguero y el cabezal de la moldura había agujeros así que me fijé en el borde de la hoja y me di cuenta de que tenía pasadores de acero que entrarían en los agujeros cuando la cerrara, bloqueándola irremediablemente. Si no la cerraba, la prueba de Saito no empezaría y, si la cerraba, quedábamos atrapados. Suspiré con resignación. No había que darle más vueltas o sería mucho peor. Sin pensarlo demasiado, empujé la hoja y cerré. Tal y como había sospechado, se oyó el ruido metálico de los pasadores bloqueando la salida.

En ese momento, se encendieron unas potentes luces eléctricas y se escuchó otro ruido extraño.

—¡La pared del fondo se está abriendo por la mitad! —exclamó Odette.

Dos grandes losas de piedra se retiraban desde el centro, desapareciendo dentro de los muros y, al separarse, dejaban a la vista lo que parecía un espacio tan blanco como un lienzo, pero no vacío, ya que era una pequeña habitación. Más exactamente, un pequeño dormitorio, con una cama estrecha pegada a la pared de la derecha, unos cuadros colgados encima, una falsa ventana al fondo, dos falsas puertas, dos sillas de madera y enea y, en la esquina izquierda, una pequeña mesita de madera con algunos objetos de aseo personal y un paño para secarse las manos y la cara colgado de un clavo.

Lo fuerte de esta habitación es que, como dije, era completamente blanca. Es decir, no había color. Ningún color. Y, sin embargo, mi cerebro, acostumbrado a contemplar esa imagen tantas veces a lo largo de mi vida, me hacía ver aquellos muebles con sus colores originales. Era la recreación física de *La habitación de Arlés*, obra pintada por Van Gogh a mediados de octubre de 1888, hecha con objetos reales y en un espacio físico real, pero todo blanco como la nieve, inmaculado. Ni siquiera el tiempo parecía haber dejado allí una fina capa de polvo.

Gabriella fue la primera en subir el escalón que separaba la habitación de Van Gogh de la cámara en la que nos encontrábamos nosotros, mudos de asombro (o de ignorancia, como era el caso de Morris). Se movió muy despacio entre la cama y las sillas, perpleja, fascinada, transportada… Estaba dentro de la habitación que había ocupado Van Gogh en la conocida como Casa Amarilla, la casa de Arlés que alquiló para crear una hermandad de pintores.

Por mucho que admirara a mi paisano y por mucho que me gustaran sus cuadros, yo, como tantos otros, no había caído en la idealización de su persona fraguada por la propia familia Van Gogh prácticamente desde el día de su muerte. El tupido velo que sus descendientes habían corrido sobre la verdadera personalidad de Vincent era, para muchos admiradores como yo, una ofensa a nuestra inteligencia y al propio pintor. Van Gogh era un arrogante intratable, un mezquino egoísta al que nadie soportaba, un tipo violento e inmaduro a quien los oportunos recortes en la correspondencia que sostuvo con su hermano Theo y que realizó su cuñada, Jo Bonger, y el perfil lacrimógeno de artista desgraciado, pobre y loco creado por él y alimentado durante un siglo por su familia, habían convertido en un santo bondadoso y dulce. Nada más opuesto a quien era él en realidad, pero él no necesitaba para nada ese disfraz. Vincent Van Gogh era uno de los más grandes pintores de todos los tiempos.

Cuando abandonó París para instalarse en Arlés, lo hizo para llevar a cabo un sueño: crear una hermandad de pintores en la que todos se ayudaran a sobrellevar la pesada carga de la creatividad, la melancolía y la locura, enfermedad inevitable para todo aquél que fuera un verdadero artista, según creía él. Las hermandades de pintores eran comunes en la época aunque, para tener una, primero debías ser famoso y admirado, de manera que otros pintores quisieran trabajar cerca de ti. Pero Vincent no sólo no era ni famoso ni admirado, sino que, en realidad, los pintores que le habían conocido en París no le tragaban (Anquetin, Toulouse-Lautrec, Russell, Angrand, Signac, Bernard...). Le soportaban, y no demasiado, porque su hermano Theo era el marchante de arte más importante de su época y todos querían que Theo se fijara en sus obras y se las comprara.

La supuesta hermandad de pintores que iba a montar en Arlés y para la cual alquiló la famosa Casa Amarilla, no despertó el menor interés en ningún pintor. Nadie estaba tan loco como para irse a vivir con él. Sólo Paul Gauguin se mostró dispuesto a pasar algunas semanas en Arlés presionado por Theo, el hermano de Vincent, que le prometió pagar todas sus deudas y darle adelantos sobre su obra. El final de aquel triste experimento fue la famosa escena de la pelea entre ambos genios por motivos desconocidos aunque imaginables (Vincent tenía que ganar todas las discusiones y tener razón siempre o entraba en un estado de cólera y violencia que le llevó en una ocasión a amenazar con un cuchillo de trinchar a su anciano padre). Van Gogh persiguió a Gauguin con una navaja de afeitar por los campos de Arlés durante todo el día y terminó cortándose la oreja derecha cuando Gauguin se le escapó, huyendo de él (y de Arlés) aterrorizado.

—Todo esta cubierto de lienzo —comentó en ese momento Gabriella, pasando una mano sobre la colcha de la cama—. Es lienzo de algodón blanco imprimado. Listo para pintar encima.

—¿Y cómo sabemos qué colores hay que usar? —preguntó Morris desconcertado—. ¿Es esa la prueba?

Nos quedamos todos de piedra. Me resultaba totalmente inconcebible que no hubiera visto nunca el cuadro de *La habitación de Arlés*. Era uno de los más famosos de Van Gogh, junto con los consabidos girasoles y las noches estrelladas. Yo podía recordar el color de cada uno de los objetos de aquel pequeño dormitorio y, además, estaba bastante seguro de que Gabriella, Oliver e Ichiro —que, encima, llevaba más de veinte años estudiando a Vincent— también los recordaban. De Odette no lo tenía tan claro pero suponía que, como *Los lirios*, habría visto el cuadro de la habitación varias veces a lo largo de su vida. Lo de Morris, simplemente, no tenía nombre.

La recreación de la habitación era impresionante. Frente a aquel supuesto espejo —ahora cubierto de lienzo blanco—, el 23 de diciembre de 1888, Van Gogh había cogido la afilada cuchilla de afeitar con la que había estado amenazando a Gauguin durante todo el día y, sujetándose la oreja derecha con una mano, la había seccionado dejando sólo una pequeña parte del lóbulo. Sufrió tal hemorragia que todo el cuarto quedó cubierto de sangre. Y en una cama como la que tenía delante lo encontraron medio muerto a la mañana siguiente. Por supuesto, lo ingresaron de urgencia en un hospital, iniciando así el que sería el breve camino de menos de dos años plagado de hospitales y psiquiátricos que le llevaría directo a la muerte en 1890, por un misterioso disparo que se calificó de suicidio pero que, por el ángulo con el que entró la bala, muchos expertos afirmaban hoy día que no pudo haber sido disparada por el propio Van Gogh.

Lo terrible de esa famosa escena de la oreja de Van Gogh era que siempre se había justificado por su supuesta locura. En realidad, esa locura seguía siendo un misterio en pleno siglo XXI porque ningún psiquiatra o neurólogo había podido diagnosticarla, ya que no respondía a ninguna enfermedad mental conocida que tuviera un nombre clínico. Nadie sabía a ciencia cierta cuál había sido exactamente el problema de Van Gogh.

—¿Comemos antes de empezar? —preguntó de repente Morris abriendo su diminuta mochila y sacando el *bentō*, la caja de comida para llevar típica de Japón que nos habían preparado en casa de Ichiro aquella mañana—. Tengo hambre.

7

Un breve zumbido eléctrico

—Me preocupan los disolventes —comentó Oliver entre bocado y bocado.

Nos habíamos sentado en el suelo para abrir nuestros *bentōs* y comer antes de ponernos manos a la obra porque, efectivamente, como había dicho Morris, todos teníamos ya hambre y nos esperaba un arduo trabajo si queríamos dejar pintado y acabado aquel lienzo en tres dimensiones.

—¿Por qué te preocupan? —le preguntó Odette.

—Porque son tóxicos —replicó él—. En función del tiempo que lleven ahí, es probable que se evaporen en cuanto abramos las botellas y que empecemos a respirarlos en el aire viciado de esta cámara. Yo, cuando pinto con spray, utilizo máscara. La pintura en spray también es peligrosa.

Gabriella, que tenía la boca llena, denegó enérgicamente con la cabeza sin poder hablar.

—A lo mejor el aire no está viciado —comentó Morris con indiferencia—. He notado pequeñas corrientes en varios sitios. Además, en mi trabajo utilizamos muchos materiales y productos que también son tóxicos pero que, si sabes manejarlos bien, no suponen ningún problema. Yo no me pongo nunca la máscara aunque sea obligatorio. Me da calor.

—¿Y las pinturas? —preguntó Odette—. Parecen muy antiguas y están hechas con zinc, cobalto, plomo… Todos materiales muy venenosos.

—¡Pero bueno! —se indignó Gabriella, que por fin se había tragado lo que tenía en la boca—. ¿Qué os pasa? ¡Menuda panda de cobardes! A ver, decidme el nombre de un solo pintor que haya muerto envenenado por pigmentos o disolventes.

—Ahora mismo no se me ocurre ninguno… —repuso Oliver, frunciendo el ceño—. Pero incluso del propio Van Gogh se ha dicho que quizá sufría saturnismo por la toxicidad de las pinturas.

—Sí, pero no hay pruebas concluyentes de eso —le corrigió Ichiro— y, además, los estudios más recientes apuntan a que su locura no era tal, sino sólo un estado emocional bastante alterado. Sin embargo, él sabía que ciertos pigmentos podían ser venenosos porque en un par de ocasiones intentó suicidarse comiendo blanco de plomo.

Gabriella le miró alucinada.

—¿Se comía el blanco de plomo?

—Directamente del tubo —asintió Ichiro.

—¿Y acaso eso le mató? —preguntó ella.

—Gabriella —la reprendió Oliver—, todo el mundo sabe que Van Gogh se suicidó con un disparo de revólver.

—Eso no está tan claro… —empezamos a decir Ichiro y yo al mismo tiempo, pero nadie nos hizo caso.

—¡Ya sé cómo murió Van Gogh! —exclamó ella, sulfurada—. ¡Lo que intento explicar es que, aunque se comió el blanco de plomo directamente del tubo no fue eso lo que le mató! Si hubiera sido tan tóxico como vosotros creéis, tendría que haber muerto envenenado antes de poder dispararse un tiro, ¿no?

—Bueno, sí… —admitió Oliver.

—Lo que yo decía —concluyó Morris con la boca llena—, no hay que preocuparse por las tonterías.

—¡Y quiero que quede claro —siguió diciendo Gabriella— que no estoy a favor de usar ese tipo de pinturas! En la actualidad tenemos alternativas mejores, como las pinturas acrílicas miscibles en agua o el óleo al agua, que son las que yo utilizo. ¡Pero por pintar hoy con pigmentos antiguos y disolventes antiguos no nos va a pasar nada, caramba! Aunque, si tanto miedo tenéis, tapaos la boca y la nariz con un pañuelo.

—¿Miscibles…? —preguntó Morris, pero nadie le contestó.

Gabriella, aún indignada, se incorporó y, limpiándose las manos en los pantalones, se dirigió al gran altar de piedra con los enormes huecos cuadrados. De uno de los agujeros sacó un tubo de pintura.

—Todos los tubos son tubos gruesos —comentó mirando la etiqueta—, de doscientos setenta gramos. Y hay muchísimos, así que tenemos pintura de sobra.

—Y si nos equivocáramos de color y pusiéramos uno que no fuera el exacto —se preocupó Odette, poniendo cara de enfermera frente a un enfermo difícil—, ¿cómo lo va a saber la máquina que controla esta prueba?

—Por eso no te preocupes —la tranquilizó Ichiro—. Van Gogh, como hizo con muchas de sus pinturas en su inútil afán por vender, pintó varias versiones de esta obra, *La ha-*

bitación de Arlés. En este caso hizo tres. La primera es la que se encuentra en el museo Van Gogh de Ámsterdam, la segunda está en el instituto de Arte de Chicago y la tercera en el museo d'Orsay de París. Las tres presentan diferencias de color pero no por decisión de Van Gogh sino porque, como ya os comenté antes sobre los azules de *Los lirios*, los colores se han deteriorado por el paso del tiempo y, sobre todo, por los dañinos efectos de la luz. Él pintó las tres versiones iguales. Pero, por ejemplo, actualmente sabemos que las paredes no eran azules, como las vemos ahora en las tres versiones, sino de color violeta pálido, y tampoco las puertas eran azules sino lilas. El rojo de todas sus obras está desapareciendo y sus múltiples cuadros de girasoles, algunos de los cuales ahora se ven marrones...

—El marrón no existe —le recordó Oliver apresuradamente.

—Era sólo para entendernos —repuso Ichiro un tanto molesto—. Ya sabemos que el marrón no existe. Llamémoslo naranja oscuro, ¿te parece bien?

Oliver y Gabriella asintieron, conformes.

—Bueno, pues como iba diciendo —siguió Ichiro, soltando un suspiro de resignación—, algunos de los girasoles pintados por Van Gogh hoy en día se ven de color naranja oscuro y, sin embargo, él los pintó de amarillo brillante.

—¿Y cómo podemos saber qué versión eligió Ryoei Saito para esta prueba? —insistió Odette.

—Debemos tomar como referencia la versión de Ámsterdam —afirmé—, porque es la más conocida y aceptada. De hecho, pocos saben que existen otras dos versiones y que ya no son completamente iguales. Digamos que, cuando se habla de *La habitación de Arlés*, se habla de la versión del museo Van Gogh.

Ichiro se mostró conforme y nuestros dos artistas, después de pensar un poco, admitieron que sí, que era verdad. Así que me convertí en el director de la prueba ya que la versión consensuada era la que yo conocía un poco mejor que el resto. Además, en los años noventa del siglo pasado todavía se ignoraba el brutal deterioro de los colores en los cuadros de Van Gogh, de modo que Ryoei Saito, a la fuerza, habría tomado como muestra no sólo la versión de Ámsterdam sino también el estado en el que se encontraba la pintura en aquel momento, que era prácticamente el mismo que en la actualidad gracias a las modernas técnicas de conservación.

—Vamos a ver… —empecé a decir apretando los ojos con fuerza para reproducir en mi mente una imagen lo más exacta posible de la obra—. La colcha de la cama es roja, de un rojo sangre muy vivo.

—Van Gogh usaba, sin mezclar, el color laca carmín —puntualizó Ichiro.

Gabriella rebuscó en los huecos de la mesa de piedra y separó tres tubos de laca carmín.

—No hay más —afirmó—. Deberían bastarnos para pintar la colcha. Pero encuentro que pintar sin paleta nos va a resultar bastante incómodo. Tendremos que llevar el pincel mojado desde la mesa hasta la habitación.

—Los huecos superficiales de la mesa serán para hacer las mezclas —dedujo Oliver estudiando la situación cuidadosamente—, y dado que no se trata de un lienzo sino de una habitación completa, tendremos que usar las brochas grandes para las grandes superficies y los pinceles para los detalles. Las brochas aguantarán cargadas de pintura desde la mesa hasta la habitación según la consistencia que demos a las mezclas. Cuando lleguemos a los pinceles, pues lo mismo: espesamos un poco más la pintura poniendo menos disolvente.

—Empecemos con la laca carmín —dijo Gabriella abriendo uno de los tubos y apretándolo para dejar caer, en espiral, la gruesa pasta de color rojo brillante—. Esta pintura no es del siglo XIX —comentó tocándola con la punta del dedo—. Puede que lleve un nombre antiguo y que vaya en un tubo que aparenta ser viejo pero está demasiado fresca y cremosa. No tendrá más de veinte o veinticinco años, por decir algo. Aunque, desde luego, tampoco es pintura moderna. La textura es completamente diferente y nada homogénea.

—Saito la mandó fabricar así para esta prueba, es evidente —comentó Ichiro.

Gabriella asintió y luego levantó el cristal del contenedor de disolventes y destapó una de las botellas. Rápidamente, todo el lugar empezó a oler con fuerza a trementina pero ella, sin dejarse amilanar, echó el equivalente a un pequeño vaso de licor y, con un pincel grueso, empezó a unir la mezcla con destreza.

Una vez más, comprendí por qué Ichiro y su padre, Kentaro, nos habían elegido para aquella aventura. ¿Hubiera sido posible imaginar a unos fiscales de Tokio o a unos inspectores de la Hacienda japonesa con los conocimientos necesarios para llevar a cabo todo aquello? Los cinco elegidos nos complementábamos como las piezas de un puzle. Cada uno dominaba perfectamente una parte esencial del proceso.

Y mientras pensaba felizmente en todo esto, el olor a trementina se me iba metiendo por la nariz y se me quedaba atascado entre las cejas, dentro de la frente, empezando a provocarme un ligero dolor de cabeza. Aun así, me acerqué hasta la mesa de piedra para comprobar que el color que estaba haciendo Gabriella era, efectivamente, el color original de la colcha del cuadro. Con gran satisfacción comprobé que sí, que el magnífico conocimiento de Ichiro sobre los pigmentos usados por Van Gogh era totalmente acertado.

—He preparado la pintura con el espesor suficiente como para que no gotee —nos dijo Gabriella—. Coged brochas y untadlas bien. Vamos hacia la cama.

—Por favor —supliqué antes de empezar—, no manchéis de laca carmín las sábanas ni los almohadones. Tampoco la madera de la cama ni el suelo. Y llevad cuidado con los bordes.

Morris gruñó pero supe que había tomado buena nota y que haría lo que se le había dicho. Era un tipo desagradable pero bueno para las tareas manuales.

Ni Odette ni yo cogimos brochas para pintar. Éramos los menos capacitados para ello. De modo que nos limitamos a observar cómo los demás cubrían poco a poco de rojo carmín la colcha de la habitación blanca yendo desde la mesa hasta la cama en repetidas ocasiones.

—Han sobrado dos tubos enteros de laca carmín —anunció Gabriella cuando acabaron.

—¿Y ahora qué pintamos? —preguntó Morris.

—Las paredes y el techo —propuse— y después las puertas y la falsa ventana.

—Las paredes y el techo son de color azul claro, ¿verdad, Hubert? —me preguntó Gabriella, mirándome. Qué ojos tan preciosos tenía, qué mirada tan hermosa, podías quedarte así, mirando esos ojos, durante toda la eternidad—. ¿Hubert…?

Pillado in fraganti, cerré los míos apresuradamente, tanto para esconderme como para volver a mi fotografía mental del cuadro.

—Sí, azul claro —repuse rápidamente—. Yo diría que, como el violeta original de las paredes se degradó perdiendo el rojo y dejando sólo este inesperado azul claro, podríamos definirlo, aproximadamente, como un azul cerúleo rebajado con blanco de zinc, el blanco para mezclas.

—Pero Van Gogh no usaba nunca el azul cerúleo —protestó Ichiro—, no le gustaba. Prefería mezclar azul cobalto o ultramarino con amarillo de cadmio.

—Ya, pero el azul actual del cuadro —repliqué armándome de paciencia— no es resultado de un deseo de Van Gogh. Tú mismo lo has dicho. Así que debemos improvisar un color que él no utilizó y creo que ésa es la composición correcta de ese color.

Ichiro asintió pesaroso y Gabriella se lanzó de nuevo hacia los tubos de pintura. Y resultó que había cinco de azul cerúleo y diez de blanco de zinc, de modo que, ni corta ni perezosa, utilizando un poco de disolvente cada vez que añadía pintura, empezó a preparar la mezcla. Ichiro y yo estábamos a su lado, pidiendo más azul cerúleo o más blanco según nos pareciera necesario. Finalmente, ambos estuvimos de acuerdo con el tono que había conseguido y, por suerte, con tanto pedir, se había formado una enorme y generosa montaña de pintura, perfecta para cubrir las tres paredes y el techo de la habitación. De nuevo Gabriella había conseguido la consistencia adecuada para no gotear el suelo entre la mesa de piedra y la habitación. Se notaba que sabía lo que hacía.

Finalizado otra vez mi papel de asesor, me retiré discretamente mientras los demás, con Odette incluida en esta ocasión, se pusieron a pintar paredes y techo con gruesas brochas. Pero sospechando lo que iba a pasar, decidí convertirme en ayudante y entré yo también en la habitación blanca (que ya no era tan blanca) para descolgar el paño de aseo del clavo y para quitar el espejo del lavabo y los cinco cuadros de adorno que colgaban de las paredes. También aparté las dos sillas, el mueble y los objetos aunque no pude mover la cama porque estaba anclada al suelo. Había que dejar espacio libre a los pintores para que hicieran su trabajo. Unos pintores que, por cierto, se veían cada vez más sucios y más cubiertos de manchas por todas partes. Cuando saliéramos de allí —y si no terminábamos de nuevo en un hospital—, iban a necesitar una buena ducha con mucho jabón. Claro que quitando los muebles yo también me había manchado bastante, sobre todo del rojo carmín de la cama.

Para las puertas, más oscuras, utilizamos el azul que había sobrado de la segunda montaña de pintura que tuvo que mezclar Gabriella para las paredes y el techo (la habitación no era muy alta, así que Morris y Oliver no tuvieron ningún problema para pintar la superficie plana de arriba) aunque añadiéndole un poco de azul ultramarino y, luego, otro poco más para los marcos, los bordes de las paredes, las chaquetas que colgaban del perchero detrás del cabezal de la cama y los objetos de aseo (la jarra, el lavamanos, la botella, los pequeños frascos...). Y todo marchaba sobre ruedas porque aún no había ocurrido ninguna desgracia. O sea, que íbamos bien.

Después llegamos al turno de los verdes y sus diferentes tonos. Empezamos por el verde esmeralda del marco y los travesaños de la ventana y también de las rayas de los tablones del suelo. Luego, pasamos al limón verde muy claro de las sábanas, las almohadas y parte de los cristales de las ventanas que conseguimos mezclando amarillo limón con blanco de zinc y un poco de verde viridián y usamos el mismo color con un poco más de verde esmeralda para el paño de aseo, la enea de las sillas y parte de los cristales de la ventana. Lo que sobró, lo mezclamos con más blanco de zinc para pintar el fondo de los dos cuadros inferiores que colgaban en la pared derecha y tuvimos que regresar al verde esmeralda para pintar las rayas verticales sin sentido del interior de estos cuadros y la gran copa del árbol del cuadro que colgaba sobre la cabecera de la cama.

En total, gastamos medio tubo de verde viridián, un tubo completo de blanco de zinc, medio tubo de amarillo limón y medio tubo de verde esmeralda. La mesa de piedra estaba ya hecha un completo desastre, con trapos sucios, botellas vacías de disolvente, tubos de pinturas por todas partes (gastados, no gastados y a medio gastar), brochas sucias, pinceles… Pero no cabía ninguna duda de que nos lo estábamos pasando bien. Todos teníamos ese buen humor que se siente en un divertido parque de atracciones. Éramos como niños grandes jugando con colores, a pesar del dolor de cabeza que algunos padecíamos por culpa de los disolventes. Y eso que Odette nos había dado un gramo de paracetamol que tragamos con el agua de la botella que cada uno llevaba en su mochila. A ella misma también le hizo falta el analgésico poco después.

—Nos quedan las maderas —anuncié a los cansados (aunque felices) trabajadores.

—Yo me encargo de las mezclas esta vez —se ofreció Oliver para que Gabriella descansara. Pero eso era exactamente lo que ella no estaba dispuesta a consentir de ninguna manera.

—¿Tú? —dijo con desprecio—. ¿Qué sabes tú de mezclar pigmentos y disolventes?

—Conozco cómo mezclar los colores para obtener los tonos deseados —se defendió él.

—¡Pero si los grafiteros no mezcláis! —se escandalizó Gabriella—. Tenéis botes de pintura de todos los colores imaginables y los usáis tal cual, sin mezclar.

—A Van Gogh tampoco le gustaba mezclar —intervino Ichiro. Gabriella le lanzó una mirada asesina—. Decía que mezclar pigmentos quitaba brillo y luz al color.

—Pero mezclaba —afirmó rotunda—. Cuando no le quedaba más remedio, mezclaba. Oliver no ha mezclado en su vida.

—¡Claro que he mezclado! —se ofendió él—. ¡He mezclado millones de veces con los aerosoles!

—Te dejo que ayudes como hacen Hubert e Ichiro —le ofreció ella generosamente, dirigiéndose hacia la mesa de piedra para empezar con el siguiente trabajo. ¿Había dicho mi nombre antes que el de Ichiro…?—. Pero de mezclar pintura, nada.

Lo cierto fue que el pobre Oliver, acostumbrado a colores chillones, iridiscentes y con nombres estrambóticos, no pudo ayudar demasiado con los pigmentos de arcaica denominación. Pero le puso buena voluntad. Los grafiteros tenían muchos enemigos que los consideraban vándalos que ensuciaban las ciudades y, hasta cierto punto, era verdad. Pero ese debate nunca se resolvería a satisfacción de todos. A mí me gustaba lo que pintaba Oliver en las calles de Liverpool. Tendrían que ser sus conciudadanos los que protestaran contra su trabajo. Y, como para gustos los colores, el problema de los grafiteros seguiría encima de la mesa durante mucho tiempo.

Para conseguir el amarillo anaranjado claro de las maderas de la cama, las sillas y el marco del cuadro con el árbol sobre la cabecera, Gabriella, después de limpiar cuidadosamente uno de los huecos sucios para mezclas (no quedaban más), se puso a explorar en los agujeros de pinturas, ahora ya no tan llenos, y encontró cinco tubos de amarillo de cromo y otros cinco de amarillo ocre (que podría haber pasado por un tono marrón claro, aunque nadie lo mencionó). A continuación, removió los montones de tubos usados que había encima de la mesa hasta que encontró uno casi totalmente gastado de laca carmín. Sólo entonces, y tras soltar un suspiro de satisfacción, empezó a esparcir la pintura necesaria para empezar a mezclar el color.

—No le añadas mucho rojo —le indiqué—. Mezclando el amarillo cromo y el amarillo ocre casi habrás conseguido el tono exacto.

—Yo le añadiría un poco de blanco de zinc —apuntó Ichiro.

Estuve de acuerdo y Gabriella dejó la laca carmín para el final. Usó dos tubos de amarillo de cromo y un tubo de amarillo ocre. La pintura rebosaba del hueco con su textura pastosa. Vimos claramente que le faltaba blanco, así que añadió medio tubo, un poco de disolvente y empezó de nuevo a mezclar. La falta de una pizca de rojo saltaba a la vista, de modo que apretó con fuerza el tubo gastado de laca carmín —plegándolo como si fuera un tubo de pasta de dientes— hasta que consiguió extraer un par de centímetros de pintura. Y, aun así, le sobró un centímetro. El rojo carmín manchó la mezcla de forma escandalosa pero produjo el color correcto. Ahí estaba.

—¡A pintar! —exclamó Ichiro exultante.

Tuvieron que apartar las almohadas para pintar la madera y, cuando las volvieron a colocar, obviamente, se quedaron pegadas y manchadas del amarillo anaranjado claro, pero desde lejos no se notaba. Al final, decidieron bajar las sillas de la tarima para pintarlas con mayor comodidad.

Pero aún quedaban objetos blancos, sin color, y como no me atrevía a decir que había que darles una capa de marrón, aventuré:

—Para el resto de los muebles quizá deberíamos añadir a la mezcla más amarillo ocre y lo que queda de laca carmín.

—Es que no tenemos más mezcla, Hubert —me indicó Gabriella, girando su cara hacia mí con sorpresa—. Pero prepararé más.

Dicho y hecho. Aunque en menor cantidad, repitió exactamente el mismo color amarillo anaranjado claro que coloreaba la cama y, luego, usó los restos de laca carmín para aumentar el tono marrón. Aunque también tuvo que terminar el segundo tubo de amarillo ocre para conseguir el efecto deseado.

Cuando empezaron a pintar el mueble con los objetos azules de aseo, que obviamente retiraron, se notaba ya el cansancio general. Habíamos hecho un trabajo ímprobo en menos de cinco horas y los cerebros, los brazos y las piernas empezaban a resentirse. Yo volví a cerrar los ojos con fuerza para descubrir las diferencias entre lo que veía delante de mí y la imagen mental del cuadro de Van Gogh que conservaba en la cabeza. Morris ya estaba pintando de marrón el perchero de detrás de la cama. En ese momento, zonas distintas de mi imagen mental empezaron a destellar como semáforos:

—¡Los marcos de los dos cuadros de arriba —exclamé de pronto—, en la pared derecha, también son marrones!

Esperaba una reprimenda pero no la hubo. Estábamos demasiado cansados.

—¡Las manchas claras de los cristales de la hoja izquierda de la ventana son del color de la madera de la cama y de las sillas! —seguí exclamando como un loco—. ¡Hay que pintar los bordes de las tablas de la cama con laca carmín! ¡En el espejo falta un trozo de blanco sobre el azul! ¡Detrás del árbol verde del cuadro, el fondo también es blanco! ¡Y aún no hemos pintado el suelo!

Ichiro bajó de la tarima y vino a paso ligero hasta mí.

—¿Qué te pasa, Hubert? —me preguntó sujetándome por los brazos—. ¿Te encuentras bien?

La verdad era que no, no me encontraba demasiado bien. Me sentía un poco mareado, veía destellos de luces de colores flotando en el aire y la cabeza me explotaba. Ya no notaba en el aire el olor a trementina y aguarrás pero, definitivamente, se habían instalado en el interior de mi frente. No respondí a sus preguntas, sólo le miré y él lo comprendió.

—¡Paramos! —les dijo a todos—. Necesitamos descansar.

—¿Por qué? —protestó Morris—. En una hora habremos acabado.

Pero todos hicieron oídos sordos a sus protestas. Aunque yo no había estado pintando, llevaba cinco horas pensando en colores, recordando colores, mezclando colores… Ellos, además, habían pasado el mismo tiempo cargando pintura en sus brochas desde la mesa de piedra a la habitación, agachándose, estirándose y ejercitando a base de bien el brazo derecho (menos Odette, que era zurda, y pintaba con el izquierdo). Era una barbaridad. Si no descansábamos, mi pinacoteca mental se derretiría como chocolate caliente.

Nos dejamos caer en el suelo, alrededor de la sucia mesa de piedra, y nos pusimos las mochilas a modo de duras almohadas. Se oían suspiros de cansancio por todas partes. Al cabo de unos minutos de silencio, Gabriella dijo:

—Me preocupa que estemos parados.

—¿Por qué? —le pregunté yo, notando el segundo *bentō* de comida clavándose en mi oreja izquierda.

—¿Es que ya no te acuerdas de las catacumbas de París? —objetó ella—. Aquella trampa tenía un cronómetro y, si dejábamos pasar mucho tiempo sin mover los dímers de las luces, las púas del suelo se disparaban contra nuestros pies.

—*Tetsubishi* —nos recordó Ichiro con un suspiro de cansancio.

—Lo que sea —replicó Gabriella—. Pero me preocupa que aquí pueda ocurrir algo parecido.

—De momento no ha pasado nada —comentó Odette con voz relajada.

—Nada de nada —convino Oliver—. Y llevamos cinco horas pintando. Incluso podríamos habernos equivocado con los colores y no han salido dardos ni cuchillos de las paredes.

—Pues eso aún me preocupa más —declaró ella, apurada—. Es como si una parte de mí se hubiera sincronizado con la forma de Saito de planear su venganza y algo me dice que no deberíamos parar, que tendríamos que seguir moviéndonos, que…

Un breve zumbido eléctrico, una especie de «bzzzz» bastante desagradable que se escuchó en toda la habitación cortó en seco nuestra charla. La adrenalina se disparó por mis venas y, de un brinco, me incorporé y quedé sentado en el suelo. Mis compañeros saltaron como yo y todos nos miramos unos a otros con el susto reflejado en los rostros. Gabriella había tenido razón al sospechar que no debíamos parar. Pero ya era demasiado tarde…

8

Menudo caos

Nubes de humo blanco salieron desde la parte alta de las paredes, desde el ángulo en que éstas se unían con el techo. En menos de un segundo todo el aire se había llenado de una densa humareda y empecé a sentir un ardor terrible en los ojos, como si tuvieran fuego dentro. Me arranqué las gafas, lanzándolas al aire, y me llevé las manos a la cara para poder cubrirme los ojos. Entonces, un acceso de tos que me dejó los pulmones como un cuero seco me dobló por la mitad. Aquello era un infierno, *el* infierno, y no había forma alguna de escapar. En mitad de mi agonía escuché toser a mis compañeros, escuché ahogos, gritos, quejidos de dolor... No íbamos a salir de allí con vida, lo supe en aquel mismo momento.

Una mano tiró bruscamente de mí hacia abajo y me tendió en el suelo, como para mantenerme inmóvil. Luego, desapareció. No vi a quien lo hizo porque no podía abrir los ojos de ninguna manera ya que, si lo intentaba, el fuego y la quemazón se multiplicaban por mil y me volvía loco de desesperación.

—¡Es *metsubushi*! —escuché decir a Ichiro, ahogándo-se—. ¡No os toquéis los ojos! ¡No os toquéis los ojos!

¿Que no nos tocáramos los ojos? ¿Y cómo íbamos a qui-tarnos aquel escozor, con oraciones?

—¡Poneos un pañuelo mojado en la nariz y en la boca! —siguió gorgoteando Ichiro—. ¡No os toquéis los ojos!

¿Pañuelo…? ¡Nadie usaba ya pañuelos como no fueran de papel desechable! Sí, por supuesto, ésos eran los que había que usar. Ahogándome y boqueando como un pez fuera del agua, busqué a tientas mi mochila, la abrí, encontré el paque-te de pañuelos de papel, desgarré el envoltorio y dejé caer so-bre ellos un chorro de agua de mi botella. Diría que con mi último estertor conseguí poner varios de aquellos pañuelos mojados sobre mi boca y mi nariz.

—¡Poneos otro pañuelo mojado sobre los ojos! —nos aconsejó Ichiro con voz apagada por el papel húmedo que le cubría la boca—. ¡No los frotéis, no los toquéis!

El alivio no fue inmediato pero, al cabo de unos segun-dos, antes de perder el conocimiento por falta de oxígeno, no-té que podía respirar un poco mejor. Eso calmó la insoporta-ble sensación de agonía, de muerte inminente. Dejé de toser y, de manera instintiva, cogí más pañuelos mojados y me los puse sobre el bigote y la perilla, para poder respirar por la bo-ca, y también sobre los párpados cerrados como había dicho Ichiro. Y menos mal que lo hice. La desesperante irritación también disminuyó aunque no se fue del todo. Los ojos se-guían segregando litros de lágrimas y rabiando como si les hubieran echado picante.

Quizá pasaron sólo cinco minutos pero mi sensación fue que el ardor, el dolor y la hinchazón de la garganta duraban una eternidad. Sólo quería hundirme dentro de mí mismo y poder ignorar desde el silencio los horribles síntomas de mi pobre cuerpo.

Las toses desaparecieron poco a poco. También los carraspeos, los lamentos y las respiraciones ahogadas. Un silencio mortal se desplomó sobre nosotros.

—Coged la botella de agua y echaos directamente en los ojos. Sólo un poco por ahora, ¿vale? —nos indicó Ichiro, que parecía conocer muy bien lo que nos estaba pasando. Su voz sonaba normal, muy cansada, pero normal, sin ahogos.

—Tengo suero salino en el botiquín —añadió Odette, carraspeando—. ¿Sirve?

—¡Magnífico! —exclamó Ichiro—. Eso nos limpiará los ojos de *metsubushi*. Tú la primera Odette. Límpiate bien los ojos con el suero y, cuando puedas abrirlos y ver, ayúdanos a los demás. Mientras tanto intentad parpadear mucho. Eso ayudará a eliminar el *metsubushi*.

—¿Qué es el *metsubushi*? —pregunté, echando un poco más de agua sobre los pañuelos de papel de mi cara. Los ojos aún me ardían y me lloraban pero ya respiraba con normalidad. Y, desde luego, no me dediqué a parpadear. ¡Si no podía ni separar un poco las pestañas sin hundirme en el dolor más insoportable!

—No preguntes… —murmuró Ichiro—. Luego te lo explicaré, cuando estemos mejor.

—¿Sigue habiendo polvo blanco en el aire? —quiso saber Gabriella.

—No, ya no —respondió Odette avanzando muy despacio entre nosotros—. Ahora está en el suelo.

—¡No lo remuevas! —le pidió Ichiro desesperadamente.

—No lo hago —declaró ella muy tranquila—. Camino tan lentamente como me es posible.

Noté que se arrodillaba junto a mí y escuché pequeños ruidos de succión y de tapones (o eso me pareció). De repente, me quitó los pañuelos mojados de los ojos y, con dos dedos, me abrió primero el derecho y me disparó sin piedad un chorro de suero salino con una jeringuilla sin aguja. El suero me produjo un alivio inmediato y enorme. Creo que incluso sonreí de alegría. Luego, repitió la operación de apertura y enjuague con el ojo izquierdo.

—Ya tienes los ojos limpios, Hubert —me susurró Odette con dulzura—, pero puedes mantenerlos cerrados un momento más, si quieres.

—Sí que quiero —afirmé, terco. Me daba pánico volver a abrirlos.

Ella se rio y se alejó. ¿Qué hubiéramos hecho sin Odette? Y, sobre todo, ¿por qué sabían los Koga de antemano que necesitaríamos una enfermera? Todo aquello me pasó por la mente mientras seguía tumbado en el suelo, boca arriba, disfrutando de la maravillosa sensación de paz que me proporcionaban mis ojos limpios y frescos.

—Vamos a movernos —escuché decir a Gabriella—. No podemos continuar parados o nos rociarán de nuevo con el polvo blanco.

Aquellas palabras surtieron un efecto mágico. De golpe, me descubrí sentado con los párpados abiertos de par en par. La amenaza de Gabriella había desatado mi terror más irracional. Al quedar sentado, los pañuelos mojados de mi boca y mi nariz cayeron sobre mis pantalones y mi primera reacción fue dejar de respirar. Pero, como había dicho Odette, el polvo blanco ya no estaba en el aire. Lo que fuera que lo formaba pesaba demasiado y ahora se veía una capa blanca pintando el suelo alrededor de nosotros (y, por desgracia, también sobre nosotros).

—¿Habéis oído lo que he dicho? —preguntó Gabriella angustiada—. ¡Tenemos que movernos!

Dejando aparte el hecho de que había perdido mis gafas (y de que tenía *metsubushi* en el bigote), supe que no veía con claridad cuando me pareció distinguir que la angustiada Gabriella se había puesto un antifaz de color rojo en la cara. Parpadeé repetidamente, para enfocar la visión, y entonces descubrí que no llevaba ningún antifaz sino que la irritación de nuestros ojos era tan grande que nos dibujaba (a todos, incluso a mí) unos enormes círculos rojos que subían por la frente y llegaban hasta la mitad de las mejillas, como si nos hubieran quemado con ácido.

Nos fuimos poniendo en pie lentamente, usando los pañuelos húmedos para quitar el polvo blanco del pelo y de la ropa sin que nos entrara de nuevo en los ojos o en la boca y sin esparcirlo otra vez por el aire.

—¿Qué demonios es esto? —le preguntó Morris agresivamente a Ichiro poniéndole delante de la cara sus pañuelos llenos de barro de polvo blanco. El color pelirrojo de su cabeza y de su barba se veía ahora como un amarillo blanquinoso.

—Ya os lo dije —susurró Ichiro—. Es *metsubushi*.

—¿Otro invento ninja? —se enfadó Morris aún más. Le faltó un pelo para frotar la cara de Ichiro con el barro blanco.

—Sí, otro invento ninja —admitió éste pesaroso—. Es una mezcla de harina, ceniza y madera molida con polvo de pimienta y sal.

—¡Pimienta! —exclamó Oliver, horrorizado.

—Los ninjas rellenaban huevos vacíos con esta mezcla y los arrojaban contra los enemigos para cegarlos y escapar.

—¡Es como si nos hubieran rociado con gas pimienta! —insistió Oliver que no podía dar crédito a lo que oía.

—Es verdad. De hecho, el gas pimienta moderno está inspirado en el *metsubushi* —nos explicó Ichiro, aplicándose nuevos pañuelos mojados sobre uno de sus ojos, tan inyectado en sangre que parecía que le iba a explotar—. Y hay que actuar de la misma manera. Por eso os dije que no os frotarais los ojos, porque si lo hubierais hecho os habríais provocado heridas muy graves en las corneas con la pimienta y con los restos de madera y los granos de sal.

—¡Malditos ninjas! —explotó Morris dando puñetazos en el aire—. ¡Malditos ninjas! ¡Y maldito *metsubushi*! ¡Y maldito Van Gogh! ¡Estoy harto! ¡Harto!

Parecía que se había vuelto loco y que no podía controlar su ira ni su frustración. Pero mi sorpresa fue mayúscula cuando pillé a Ichiro mirándole fijamente con su único ojo bueno y con una sonrisa en los labios. Parecía estar viendo algo más allá de la supina estupidez de Morris, algo que le provocaba una alegre sonrisa. Quizá fuera porque sabía que, por mucho que despotricara como un bestia, estaba atrapado por un contrato leonino y clarísimo y que no se marcharía porque le gustaba demasiado el dinero. Sí, pensé, en realidad era divertido ver a Morris descontrolado sabiendo que no podía pasar del puro postureo. Yo también sonreí.

Un codazo en las costillas me cortó la diversión de golpe. Al girarme vi a Gabriella con una mirada recriminadora y con mis gafas en una de sus manos.

—Me cayeron encima —dijo desdeñosamente, entregándomelas. A continuación se volvió hacia Morris—. ¡Deja de hacer el idiota, John! —le gritó—. ¡Pareces un niño pequeño! ¡Compórtate!

Morris se quedó tan sorprendido por la reprimenda de Gabriella que puso más cara de tonto de la que tenía siempre. Pero, increíblemente, respondió como lo habría hecho un niño pequeño ante una reprimenda de su madre: se detuvo en seco, hizo un par de pucheros infantiles y se calmó. Aquello fue ya el colmo del despropósito. Si hubiera sido Oliver, o Ichiro o yo quien le hubiera llamado la atención, se habría abalanzado contra nosotros como un Panzer y nos hubiera machacado.

—¡Volvamos a la pintura, por favor! —nos urgió Gabriella con su irritado antifaz rojo lanzando rayos y truenos—. Si no nos movemos y seguimos pintando, recibiremos otra dosis de *metsubushi* en unos pocos minutos, creedme.

La creía, la creía a pies juntillas, la creíamos todos, así que retomamos rápidamente las brochas, los pinceles y los tubos de pintura y nos pusimos manos a la obra. Claro que lo de rápidamente es sólo una forma de hablar porque había polvo blanco de *metsubushi* por todas partes menos en la habitación de Van Gogh, hasta donde, al parecer a propósito, no había llegado por una falta calculada de presión en la emisión del gas. Sin embargo el suelo de la sala de trabajo y la mesa de piedra estaban llenos de *metsubushi*, de modo que caminábamos intentando no removerlo y Gabriella decidió integrar en la pintura el que había caído encima de las mezclas que estaban en las cavidades. No alteraba el color, así que se limitó a limpiar con los paños las empuñaduras de las brochas y los pinceles.

Odette y yo, con pañuelos de papel sobre la nariz y la boca, fuimos los últimos héroes de la jornada, arrodillándonos y abriendo, con los trapos sucios ya desechados por Gabriella, un pasillo desde la mesa hasta la habitación para que los pintores pudieran moverse con mayor libertad sin causar un nuevo desastre.

Lo cierto era que no quedaba mucho por pintar en el cuadro de tres dimensiones. Tal y como yo había enumerado antes de que nos detuviésemos a descansar, faltaban los marcos de los dos cuadros superiores de la pared derecha, las franjas claras de los cristales de la hoja izquierda de la ventana, los bordes de las tablas de la cama, un trozo blanco en el espejo y el fondo blanco del cuadro sobre el cabezal de la cama. Lo que sí podía resultar pesado era pintar el suelo de la habitación que, por razones evidentes, habíamos dejado en último lugar.

Para los detalles utilizamos los restos de pintura que quedaban dentro de los tubos que cualquier persona normal hubiera considerado gastados pero que para Gabriella aún contenían cantidades suficientes de material. Deduje que comprar pinturas era para ella un esfuerzo económico tan grande que aprovechaba hasta la última gota de color, ya que había que ver cómo dejaba de comprimidos, aplastados y retorcidos los tubos cuando, por fin, los daba por acabados.

Pintar el suelo de la habitación de Arlés ya fue otro cantar. En el cuadro se veía de un rojo lavado, apagado y mortecino que evidentemente no había sido la idea original de Van Gogh, a quien le gustaban los colores fuertes, brillantes y saturados. Aquel rojo era el resultado de la descomposición que había sufrido la pintura a lo largo del tiempo y la razón por la cual las paredes violetas, al perder también el rojo, se veían de color azul claro (el azul y el rojo producen el violeta). Y, de hecho, la versión de *La habitación de Arlés* de Chicago apenas conservaba rojo en el suelo, dejando a la vista un extraño verde incomprensible para mí. Como no había ocurrido lo mismo con el rojo laca carmín de la colcha de la cama, dedujimos que no podía haber utilizado el mismo rojo para las dos cosas porque, si no, se habrían deteriorado igual y no había sido así.

—El segundo color rojo más utilizado por Van Gogh —señaló Ichiro— fue el bermellón puro, que se obtenía del cinabrio, un compuesto de mercurio y azufre.

—¡Qué encanto! —bromeó Gabriella.

—¿Hay tubos de bermellón? —preguntó Oliver inclinándose sobre los agujeros antaño llenos de tubos de colores.

—Sí —le contesté yo, que había estado curioseando—, hay cinco tubos de bermellón. Pero el suelo del cuadro no es de color bermellón y, si alguna vez lo fue, ya no conserva ni el recuerdo.

—No, pero podemos usarlo para construir el color actual —repuso Gabriella—. ¿Qué colores mezclarías tú para conseguirlo, Hubert?

¡Vaya, ahora resultaba que mi habilidad para elegir los colores de las mezclas la había impresionado! Era a mí y no a Ichiro ni a Oliver a quien había pedido consejo. Como si ella y yo fuéramos el equipo principal y los demás sólo ayudantes.

Volví a cerrar los ojos para recuperar mi imagen mental (aunque ahora sin apretarlos porque aún me dolían un montón) y visualicé aquel feo rojo del suelo de la habitación. Sólo entonces me di cuenta de que Gabriella no se había equivocado al hacerme a mí la pregunta porque, en realidad, sin saber cómo, había desarrollado una extraña facilidad para descomponer los colores y adivinar, aunque fuera por aproximación y con un cierto margen de error, cuáles serían necesarios para reconstruirlos. Nunca había sido consciente de tener esa habilidad, ni siquiera durante la carrera ni tampoco durante mis años como galerista. Casi de inmediato vi que, además del bermellón (y para apagarlo hasta su estado actual), necesitaríamos bastante blanco, un poco de gris y bastante ocre. No tenía ni idea de cómo había llegado a esa conclusión. Simplemente lo sabía y ya estaba.

Gabriella vació un tubo de bermellón en una de las cavidades y, siguiendo mis consejos, añadió dos tubos completos de amarillo ocre y otros dos tubos de blanco de zinc. El color negro para fabricar el gris que faltaba en la mezcla, sencillamente no estaba. No había color negro, e Ichiro nos recordó que a Van Gogh no le gustaba, que pasada su primera época oscura de los Países Bajos, a partir del momento en que llegó a París en 1886, apenas había usado el negro salvo para marcar los contornos y los perfiles de las imágenes de sus cuadros, copiando de nuevo el estilo de las estampas de *ukiyo-e*.

Así que no había negro y, por lo tanto, no había gris. Bueno, tendríamos que ver el resultado de la mezcla que preparaba Gabriella antes de poder opinar. Cuando acabó, me miró arqueando las cejas con gesto inquieto y a mí se me cortó la respiración durante unos segundos por lo guapa que estaba. Debió de adivinar algo de lo que pasaba por mi mente en aquel momento porque hizo una mueca divertida y desvió la mirada.

—Exprime todos los tubos de pintura que quedan por ahí —le dije con el corazón acelerado—, menos los de color blanco, y mézclalo todo.

Oliver sonrió.

—Quieres fabricar el negro, ¿eh? —dijo, felicitándome por mi iniciativa con unas fuertes palmadas en la espalda.

Cuando estábamos pintando con luz en las catacumbas de París, sabíamos que añadir más y más color a la mezcla, cualquier color, produciría blanco, porque mezclar luces de colores es sumar color. Sin embargo, mezclar pigmentos reales siempre da como resultado el negro porque se trata en realidad de una resta de color. Cada color que se añade va quitando brillo y luminosidad a la pintura hasta apagarla y convertirla en pintura negra.

De los tubos ya ultra exprimidos, Gabriella consiguió rescatar pequeñas cantidades que formaron un dedal de negro. Esa cantidad de negro añadida a la mezcla que ya contenía dos tubos de blanco de zinc era más que suficiente para formar el gris que yo había visto en mi cabeza. Resultado: el parecido con el rojo del cuadro era bastante aceptable y podíamos darlo por bueno.

En menos de media hora el suelo de la habitación de Arlés estuvo terminado y con él nuestra imitación en el mundo real de la obra maestra de Van Gogh. Por supuesto la pintura seguía húmeda, pero continuaría así aún varios días más y, aunque la falta de luz solar haría amarillear los colores pasado el tiempo, por nuestra parte podíamos dar el trabajo por concluido.

Nos quedamos quietos y en silencio. A la espera del veredicto. Como no pasaba nada, nos fuimos acercando a recoger nuestras mochilas y a meter dentro las cosas que habíamos sacado. Y seguía sin pasar nada. Algunos se apoyaron contra la mesa, a la espera; otros lo hicimos contra las paredes.

Todos mirábamos a Ichiro, esperando una respuesta que no llegaba. Gabriella empezó a ponerse nerviosa.

—Deberíamos meternos en la habitación —nos propuso con un gesto preocupado y contraído.

—¿Para que pisemos el suelo recién pintado? —se alarmó Odette.

—No —objetó Gabriella mirando a todos lados con ojos inquietos—. Para librarnos del próximo…

No le dio tiempo a decir más. De nuevo se escuchó con toda claridad aquel espantoso zumbido eléctrico, el estridente «bzzzz» de rana afónica que presagiaba catástrofes y, en ese mismo momento, densas nubes de humo blanco volvieron a brotar desde el techo, sobre nuestras cabezas.

Con los ojos entreabiertos y aguantando la respiración me lancé hacia la habitación recién pintada confiando en que el maldito *metsubushi* no me quemara vivo de nuevo. Todos reaccionamos bajo el mismo instinto de supervivencia, sin pensar, huyendo del polvo blanco. Sin embargo, aunque logramos salvar los ojos de las previas quemaduras, nadie nos libró de esa parte invisible del *metsubushi* que flotó suavemente en el aire hasta alcanzarnos en nuestro reducto. Por suerte, Ichiro ya nos había advertido de que preparáramos otra vez pañuelos mojados para taparnos la boca y la nariz y, salvo algunas pequeñas toses y algún ahogo menor, logramos evadir el infierno ninja. ¿Qué demonios habíamos hecho mal?

—Debemos averiguar por qué no hemos pasado la prueba —comentó Ichiro desde debajo del papel húmedo, mientras esperábamos que la espesa nube blanca se posara en el suelo.

—¡Venga, Hubert! —me desafió Morris—. ¿No eres el listillo del grupo? ¡Pues piensa, hombre, piensa! ¿Qué nos falta por hacer?

¿Qué yo era el listillo del grupo? Morris se estaba volviendo cada vez más y más idiota. Probablemente serían celos de mi papel un poco protagonista en aquella prueba.

—¿Qué podemos haber hecho mal, Ichiro? —le pregunté.

—No lo sé, Hubert. No tengo ni idea. No paro de darle vueltas porque estoy convencido de que hemos actuado conforme a los estándares de Saito. No tiene sentido que haya sido exageradamente estricto con las semejanzas de color. Ningún funcionario público, salvo que fuera pintor aficionado, habría podido hacer la prueba mejor que nosotros. No lo sé, no sé qué nos puede faltar.

¿Qué faltaba? ¿Qué demonios faltaba? Como estaba dentro del cuadro de *La habitación de Arlés*, eché una larga mirada a la sala que tenía enfrente, a las paredes, al suelo blanquinoso lleno de huellas de zapatos, a la mesa de piedra, cubierta ya por el *metsubushi*, a los restos de nuestro trabajo como pintores: tubos vacíos, brochas y pinceles sucios, trapos asquerosos, botellas de disolventes sin tapar… Menudo caos.

Caos. ¡Claro, eso era, había demasiado caos! ¿Cómo podía saber la trampa de Saito que habíamos hecho el trabajo y que lo habíamos hecho medianamente bien?

—¡Debemos ordenar la mesa! —exclamé.

—¿Ordenar la mesa? —se sorprendió Gabriella.

—¡Debemos volver a meter en las cavidades todo lo que hemos utilizado! Los tubos vacíos, los trapos sucios, los disolventes… ¡Todo debe volver a su lugar!

—¿Para qué? —quiso saber Oliver.

—¡Para que la mesa pueda saber cuánta pintura falta, cuánto disolvente hemos utilizado, cuánto…!

Pude contemplar en los ojos de mis compañeros la transición desde la incomprensión absoluta hasta la absoluta comprensión. La única forma que tenía Saito de verificar si habíamos pintado la habitación de Van Gogh era con el peso de los materiales. Mientras pintábamos habíamos vaciado las cavidades y dejado los restos por todas partes. Creíamos que lo importante era pintar la habitación cuando lo verdaderamente importante era que el viejo ordenador o el mecanismo que manejaba todo aquello calculara si habíamos gastado lo necesario para pintarla adecuadamente. En la época de Saito no había posibilidad de comparar imágenes digitales, así que la cosa no iba por ahí. Lo más lógico era que, sencillamente, supiera cuánto pesaban los tubos llenos de cada cavidad, los trapos nuevos, las brochas y pinceles limpios y las botellas llenas de disolventes y que, para finalizar la prueba, a esa cantidad le restara el peso de los tubos vacíos o medio gastados, los trapos sucios y todo lo demás. Si las cavidades estaban huecas seguiría castigándonos hasta que pudiera llevar a cabo la resta.

—¡Pero ya no recuerdo en qué agujero estaba cada color! —se angustió Gabriella—. ¡No podrá saber cuánta pintura hemos gastado!

—No creo que separe el peso de los tubos de pintura por color —afirmó Ichiro—. Da igual dónde echemos los tubos vacíos.

—Yo creo que la mesa es un único peso —comentó Morris.

—Los restos ya están encima de la mesa y no sirve de nada —le aclaró Gabriella—. Hay que usar las cavidades porque los pesos están debajo de las cavidades.

—Estoy de acuerdo con Gabriella —asintió Ichiro—. Los pesos están bajo las cavidades así que son las cavidades lo que tenemos que llenar pero, si te das cuenta, las tres cavidades de tubos de pintura están juntas y la distancia con las otras es mayor. No te esfuerces en recordar dónde iba cada color porque no creo que sea necesario.

Y si lo era, pensé, nos enteraríamos seguro a base de duchas de gas *metsubushi*. Gabriella levantó orgullosamente la cabeza y asintió.

Dejamos pasar un par de minutos más para que el aire terminara de limpiarse y regresamos a la mesa pisando el suelo como si tuviera púas de *tetsubishi*. Mientras Odette y Morris recogían los trapos sucios y los metían en su agujero a presión (habían aumentado considerablemente de volumen y peso), Oliver e Ichiro recuperaban las botellas de disolventes, las tapaban con los restos de los sellos de aluminio y cera (por si acaso), las ponían en su sitio y colocaban la cubierta de cristal. Entretanto, Gabriella y yo repartíamos entre las tres profundas cavidades de tubos de pintura los totalmente vacíos (con sus tapones), los medio gastados (también) y los que no habíamos utilizado que, sorprendentemente, eran muchos: dos enteros de laca carmín, tres de azul cerúleo, uno de blanco de zinc (había diez cuando empezamos), cuatro de bermellón...

Cuando la última brocha sucia y el último pincel manchado estuvieron en su lugar, iniciamos el camino de regreso hacia la habitación de Van Gogh, cuyo feo suelo rojo sólo conservaba ya el color debajo de los muebles; el resto estaba en las suelas de nuestros zapatos. Como no sabíamos si tendríamos que esperar y recibir otra dosis de pimienta molida decidimos ser precavidos. Pero no hizo falta. Aún no habíamos subido a la tarima de la habitación cuando escuchamos un chasquido seco: se nos puso cara de bobos al descubrir que la puerta que estaba a la derecha en el cuadro de tres dimensiones, la de los pies de la cama, y que nosotros habíamos pintado de azul considerándola simplemente falsa, acababa de abrirse sola hacia el exterior del recinto.

—¡La salida! —exclamó Ichiro, pisando otra vez el pobre suelo rojo mortecino y lanzándose hacia la abertura.

El resto le seguimos en desorden y con prisas. Queríamos salir de allí desesperadamente, como habíamos querido salir de todos los lugares donde habíamos sido maltratados por las dichosas pruebas de Saito.

Al otro lado de la puerta del cuadro había un largo corredor de paredes y techo reforzados con cemento pero, allí mismo, frente a nosotros, había también una pequeña mesa de piedra y, sobre ella, los objetos habituales dentro de una bolsa de plástico rígido con cierre hermético: una lámina de *ukiyo-e* y una ficha de madera.

La ficha, como en las ocasiones anteriores, tenía algo grabado, una especie de rayo o de línea llena de ángulos que empezaba en un lado y terminaba en el otro (o que empezaba arriba y terminaba abajo, daba igual porque no sabíamos lo que era ni para qué servía). La lámina de *ukiyo-e* venía a confirmar nuestras ya firmes sospechas. Se trataba de una de las imágenes japonesas pintadas por Van Gogh en el *Retrato de Père Tanguy*. Y, efectivamente, continuando en el sentido de las agujas del reloj, debajo de *Ishiyakushi: El cerezo de Yoshitsune cerca del santuario de Noriyori*, se encontraba la extraña mujer sin cara, vestida con un impresionante kimono de brillantes colores. Sin embargo, la lámina de *ukiyo-e* que teníamos delante, aunque representaba a la misma mujer y obviamente había servido de inspiración a Van Gogh, era de una belleza tan extraordinaria que paraba el corazón. El cabello negro recogido y adornado con largos pasadores de madera, el rostro elegante y alargado, vuelto hacia atrás, hacia el espectador, y sobre todo, el increíble kimono de color verde, negro y ocre con un dragón en la espalda, no tenían nada que ver con la pintura de Van Gogh. Pero nada en absoluto.

Si no conociera la técnica de pintura rápida de mi compatriota me habría atrevido a decir que su feo dibujo estaba hecho así a propósito. Pero conociéndole de toda mi vida y habiendo leído mucho sobre él, sólo podía decir que, aunque sin duda había tratado de esquematizar y simplificar, lo más probable era que no hubiera sabido copiar aquel hermoso kimono ni a aquella hermosa mujer.

Ichiro volvió a meter los objetos en la bolsa y, luego, la guardó en su mochila. Sin decir ni media palabra se encaminó hacia el fondo del corredor dejándonos sorprendidos con su silencio.

Echamos a andar detrás de él y pronto encontramos unas escaleras idénticas a las que habíamos usado para bajar hasta allí desde el templo, aunque teníamos claro que no eran las mismas. Por eso Morris subió el primero, para investigar si había algún obstáculo antes de regresar al mundo real.

—Hay un trozo de suelo idéntico al del otro lado —nos dijo—. Será fácil quitarlo y, a estas horas, no habrá mucha gente en el templo. Creo que estamos en alguna parte del jardín trasero.

Pero Ichiro parecía ajeno a todo, absorto en negros pensamientos. ¿Esperaba alguna desgracia más antes de que saliéramos de allí? Su ensimismamiento era tan obvio que, finalmente, mientras Morris quitaba el trozo de suelo con su pequeño destornillador, Oliver no pudo evitar preguntarle:

—¿Estás bien, Ichiro? ¿Te encuentras mal?

Él levantó la vista y, como regresando desde muy lejos, nos miró a todos y dijo:

—A la luz de lo que ya sé de la venganza de Saito —masculló preocupado— y a la luz de lo que adivino que puede ocurrir en la próxima prueba, creo que todo esto no ha hecho más que empezar, que lo que hemos vivido hasta ahora nos parecerá, dentro de poco, una nadería en comparación con lo que aún está por venir. Y que lo que está por venir va a ser malo… muy, muy malo —concluyó, hundiendo la cabeza entre los hombros.

9

La prostituta vestida de novia

Era noche cerrada cuando regresamos a Shizuoka, a la casa de Ichiro. Durante el viaje en el microbús nos comimos el segundo *bentō* y arrasamos con las pocas reservas de agua que nos quedaban. Estábamos agotados y silenciosos. Yo sólo quería pillar la cama y entrar felizmente en coma pero, como todo lo que ocurría desde que había llegado a la galería Père Tanguy de París, la realidad se empeñaba en contrariar mis deseos.

La familia Koga, los funerarios forzudos de Kentaro, dos oftalmólogos y un par de enfermeras nos esperaban en el *genkan* cuando bajamos del microbús. Hacía una noche preciosa, de aire limpio, fresco y húmedo tras las lluvias de aquel día y de cielo maravillosamente estrellado en aquella zona de suntuosas urbanizaciones en mitad del campo. Tan suntuosas que todos nos quedamos a dormir en la casa y todos tuvimos habitaciones separadas y servicio para atender nuestras necesidades después de que los médicos nos examinaran y nos echaran en los ojos cascadas de una sustancia viscosa que resultó ser lágrima artificial. Luego, nos suministraron unas innecesarias gotas calmantes y nos mandaron a dormir con un diagnóstico bastante tranquilizador: el *metsubushi* que nos habían aplicado no había causado heridas en las corneas y todos habíamos recuperado al cien por cien la visión. Sólo quedaban restos de una leve irritación ocular sin importancia.

Para irritación, la que sufrimos nosotros al escuchar aquello. Resulta que pasábamos por momentos angustiosos, peligrosos y terribles y, luego, nada de lo ocurrido era importante o significativo. En el fondo, tranquilizaba bastante de cara a las próximas agonías que aún tendríamos que sufrir pero no dejaba de indignar, y de herir como las armas ninja, que, a la hora de la verdad, Saito nos hiciera quedar como unos pobres histéricos. Y, a ver, no es que hubiéramos preferido quedarnos ciegos, por supuesto, pero aquello resultaba humillante.

—Quizá también sea un efecto buscado —insinuó Kentaro, llevándose una ristra de gruñidos, bostezos e indiferencia.

Como no teníamos hambre, nos fuimos directamente a dormir. Ichiro se quedó con su familia pero el resto de nosotros arrastraba el alma por los suelos y sólo anhelaba caer en la inconsciencia. Yo, que soy búho de toda la vida, tardé un poco en coger el sueño, de modo que decidí estrenar mi nuevo móvil escuchando algo interesante de mi colección de podcasts, que se había copiado entera desde el viejo teléfono al instalar la tarjeta con la misma configuración. Decidí que un audio de *Artelligence Podcast* sobre asesoramiento en el mercado del arte sería una buena compañía. Y lo fue. No conservo en la memoria ni media palabra de lo que se dijo. Sólo recuerdo que soñé con Gabriella y con Ichiro, y que éste no paraba de repetirnos: «Lo que está por venir va a ser malo… muy, muy malo» y, luego, los tres, muertos de miedo, nos reíamos a carcajadas.

A la mañana siguiente, durante el desayuno, volvimos a encontrarnos. Probé el té matcha por aquello de estar en Japón y, aparte de saberme muy amargo, noté que olía como a césped recién cortado o como a espinacas. Sin embargo, con algo de leche y azúcar (herejía teística que sorprendió mucho a la familia Koga, aunque ninguno de ellos abrió la boca para reprocharme mi ignorancia) mejoró tanto que tomé varias tazas seguidas.

Me di cuenta de que Kentaro y Midori, además de vestir la misma ropa que el día anterior, tenían cara de no haber pegado ojo en toda la noche. Ichiro tampoco parecía haber descansado mucho pero, al menos, estaba afeitado, duchado y con ropa limpia. La única que estaba fresca como una rosa era Fumiko, la mujer de Kentaro, que se preocupaba de que todos tuviéramos los platos llenos del extraño desayuno japonés.

—Esta noche he soñado con la maldita frase que nos dijiste ayer —pregonó Morris a voces para hacerse oír por Ichiro, que estaba en la otra punta de la mesa—. Ésa de «Lo que está por venir va a ser muy malo». He tenido pesadillas por tu culpa.

Vaya. No había sido yo el único.

—*Gomen'nasai*, John-san —se disculpó Ichiro inclinando la cabeza.

—Cuando terminemos de desayunar —anunció Kentaro, dejando de comer y apoyando los codos en los reposabrazos de su silla de ruedas—, os informaremos sobre lo que descubrimos anoche respecto a la siguiente prueba.

—A mí me gustaría saberlo ahora —pidió amablemente Oliver—. Salvo que haya algún impedimento por… Bueno, por las costumbres japonesas.

Kentaro, Ichiro y Midori se echaron a reír y esta última se inclinó hacia su suegra para traducirle lo que había dicho Oliver. La anciana Fumiko sonrió dejando ver sus perfectos dientes blancos.

—No, no hay ningún impedimento —le aclaró Kentaro alegremente—. Pero estaremos más cómodos en el *kyakuma*. En esta ocasión hay mucho que preparar.

Y así, nos quedamos con la curiosidad y la inquietud hasta que hubimos terminado. Una vez sentados en los sofás y sillones del gran *kyakuma* de la casa, el padre de Ichiro volvió a tomar la batuta del asunto como ocurría cada vez que estábamos en su hogar. La familia japonesa está muy jerarquizada incluso en la actualidad, por lo menos para los asuntos importantes.

Kentaro le entregó a uno de sus porteadores una primera carpeta (tenía varias en el regazo) y el buen hombre empezó a repartir entre nosotros una copia de la estampa japonesa de *ukiyo-e* que habíamos encontrado en el templo de Ishiyakushi-ji. De nuevo me maravilló la belleza de aquella lámina, la belleza de aquella mujer mostrando con orgullo aquel increíble y refinado kimono.

—Este grabado es obra de otro famoso artista de *ukiyo-e* del siglo XIX —empezó a explicarnos Kentaro—, Keisai Eisen, uno de los más grandes representantes del género conocido como *Bijin-ga*, o «Imágenes de mujeres bonitas». En Japón esta obra recibe el nombre de *Unryū uchikake no oiran*, que significa, aproximadamente, «Una *oiran* vistiendo un *uchikake* con un diseño de *unryū*». Fuera de Japón, en otros idiomas, comenten el error de añadir delante del título la palabra «cortesana», para aclarar el oficio de la mujer. Pero cortesana significa lo mismo que *oiran*.

—A ver, para que lo entendáis —intervino rápidamente Ichiro, cortando a su padre—. Keisai Eisen pintó a una cortesana de alto nivel, a una prostituta de una categoría equiparable a la de una princesa, que eran las que recibían el nombre de *oiran* que, literalmente, significa «Primera flor». Eran las más bellas, las de mayor estatus, las más destacadas en el oficio del placer y las que tenían los clientes de más alto rango social o económico. Los servicios sexuales de las *oiran* no estaban al alcance de cualquiera, ni siquiera de los ricos. Sólo los extremadamente ricos o los nobles de la corte del Shogun o de la familia del Shogun podían acceder a las *oiran*. Y la mujer de esta lámina es una *oiran*, una de esas princesas del barrio de Yoshiwara, el barrio del placer del antiguo Edo, donde se concentraba toda la prostitución de la capital.

—¡Pues estaría siempre abarrotado! —exclamó Morris soltado una carcajada lasciva.

—Así es —asintió Kentaro—. Yoshiwara era un barrio fuertemente amurallado al norte de Edo, con unas enormes puertas protegidas por samuráis del ejército del Shogun que se cerraban a media noche. Había comida, bebida, juego, música, teatro, tiendas de todas clases y, por supuesto, la atracción principal, los incontables burdeles que exponían a sus mujeres en balcones con barrotes a los ojos de los ansiosos clientes. Fuera de Yoshiwara la prostitución estaba prohibida, de manera que, como ha dicho John, el barrio, pese a encontrarse a más de dos horas a caballo de Edo, estaba siempre abarrotado de clientes. Y allí las *oiran* eran las mujeres más exquisitas y con más privilegios.

—Aunque tan esclavas como todas las demás —apuntó Midori obviamente molesta—. Ésta es la parte que los hombres siempre se olvidan de mencionar cuando recuerdan la famosa historia de Yoshiwara, que aún les deslumbra. Todas las prostitutas de Yoshiwara eran esclavas, literalmente —recalcó—. O bien habían sido vendidas por sus padres pobres a los proxenetas cuando eran pequeñas o bien estaban allí obligadas a ejercer la prostitución como castigo por algún delito que nada tenía que ver con el sexo. Pero hacía falta un suministro constante de mujeres para Yoshiwara porque el número de suicidios entre las prostitutas era muy alto. ¿Para qué creéis que estaban las altas murallas y las gruesas puertas protegidas por samuráis? Pues para impedir que las pobres mujeres escaparan. Tampoco se podía entrar con armas ya que las exquisitas princesas de Yoshiwara utilizaban las armas de sus clientes para suicidarse y escapar con la muerte de aquella vida de placer que tan dichosas las hacía.

—Lo que ha dicho Midori es cierto —señaló Ichiro— pero como Japón es un país históricamente machista, el recuerdo que ha quedado de Yoshiwara es un recuerdo romántico y atractivo, el de un mundo pintado por multitud de artistas de *ukiyo-e* lleno de luz, vida, fiestas y alegría.

—No para aquellas pobres mujeres obligadas a prostituirse y sin ninguna posibilidad de escapar de esa vida —recalcó Midori aún más molesta.

—Resumiendo —terció Kentaro para acallar a su nuera—, que la *oiran* del grabado de Keisai Eisen era una cortesana de alto nivel y que, como dice el nombre de la obra, vestía un *uchikake* con un diseño de *unryū*.

—El *uchikake* es un tipo especial de kimono —volvió a intervenir Midori, más tranquila—. De hecho, yo vestí uno el día de mi boda con Ichiro. Digamos que sería el equivalente a un traje de novia occidental. Es uno de los kimonos japoneses más elaborados: se confecciona con sedas de la mejor calidad y está ricamente bordado con motivos de flores, árboles, grullas… Siempre con colores muy brillantes. Y no lleva *obi*, el cinturón ancho típico de los kimonos. Va suelto. Es como una gran túnica muy larga.

—¿Y por qué Keisai Eisen pintó a una prostituta con un vestido de novia? —se sorprendió Gabriella—. ¿No es un poco incongruente? ¿O es que se estaba burlando de ella?

—No, en absoluto —rechazó Kentaro—. Eisen se limitó a unir dos cosas hermosas: una preciosa *oiran* con un maravilloso *uchikake*. El resultado puedes comprobarlo tú misma. La belleza de la estampa es tan intensa que salta directamente hasta tus ojos, ¿o no?

—Sí —admitió Gabriella—, pero en Occidente siempre se pinta a las prostitutas como mujeres deshumanizadas por su trabajo, deshechas, rotas. A ningún artista se le hubiera ocurrido pintar a una prostituta vestida de novia. De hecho, no creo que haya ninguna obra así.

—Pero en Japón —insistió Kentaro— la imagen de las prostitutas no es la misma que en Occidente.

—No —convino Midori con retintín—. Aquí son objetos. Cosas. A veces objetos decorativos o cosas hermosas, pero nunca seres humanos. En la actualidad la prostitución está prohibida en Japón pero, como todo lo que se prohíbe, sigue existiendo exactamente igual aunque la sociedad cierra los ojos para no verla.

—Y, por último —intervino rápidamente Ichiro, incómodo con la actitud de su mujer hacia su padre—, tenemos el diseño del *uchikake*, del vestido de novia, que es un *unryū*, un animal perteneciente a la mitología japonesa. *Unryū* significa «Dragón que sobrevuela las nubes». Como podéis ver en la lámina, el kimono luce un extraordinario bordado de un dragón con la cabeza en la manga de la *oiran* y el cuerpo bajando por la espalda entre volutas de nubes hasta la amplia cola del vestido. Ya os digo yo que hoy en día no se hacen *uchikakes* como éste y que, desde luego, en aquella época debía de costar una fortuna o, incluso, dos.

—Bueno, vosotros podríais compraros varios como éste, ¿no? —soltó el estúpido de Morris sin darse cuenta de lo inadecuado de su comentario—. Yo ya estoy pensando en montar una funeraria cuando vuelva a Michigan porque veo que es un negocio buenísimo. Aprovecharé el dinero que gane con esto de Van Gogh.

Se hizo un silencio incómodo en el *kyakuma*. Era un tipo tan sumamente grosero, ignorante y maleducado que cada día me costaba más soportarlo.

—Es una idea excelente, John —respondió Kentaro con una sonrisa amable—. Pero ten en cuenta que nuestra familia no sólo tiene una funeraria. Actualmente ya tenemos una cadena de funerarias por todo Japón, además de otros muchos negocios que sería muy largo enumerar. Pero me parece estupendo que quieras expandir tus horizontes.

Morris sonrió satisfecho como un niño que recibe un halago de su maestro. No era consciente de su falta de educación. Y los respetuosos Koga eran, como buenos japoneses, personas educadísimas.

—Ahora que hemos analizado la pintura de Keisai Eisen —continuó diciendo Kentaro, cambiando de tema—, vamos con la parte que se refiere a Van Gogh.

Le entregó el resto de carpetas a su hombre de negro y éste nos adjudicó una a cada uno. Dentro había tres reproducciones de la obra de Eisen, cada una tan diferente a la otra que no pude creer que se tratara de la misma mujer con el mismo kimono.

—Mirad la primera imagen —nos pidió Kentaro—. Es la portada de un número especial sobre Japón publicado en mayo de 1886 en la revista francesa *Paris Illustré*. Como podéis ver, se trata del grabado *Unryū uchikake no oiran* de Keisai Eisen que acabamos de ver.

—¡Pero está invertida! —exclamó Odette con sorpresa—. ¡La imagen está invertida! En el grabado original de Eisen la mujer mira hacia la derecha y en la portada del *Paris Illustré* está mirando hacia la izquierda.

—Así es —sonrió Kentaro, satisfecho—. Fue un error del impresor de la revista. Pero, si miráis por favor la siguiente lámina de la carpeta, encontraréis el famoso cuadro de Van Gogh *Cortesana al estilo de Eisen*, pintado en noviembre de 1887.

—También está invertido —comenté—. Vincent trabajó sobre la portada del *Paris Illustré* y no sobre el grabado original de Eisen.

—Para pintar este cuadro —siguió diciendo Kentaro—, y como el dibujo no se le daba muy bien, utilizó lo que se conoce como retícula. De hecho, cuando salía a pintar al campo, en Arlés o en cualquier otra parte, siempre cargaba con una retícula que se había hecho fabricar por un herrero y que, por supuesto, pagó su hermano Theo, que le mantuvo económicamente toda su vida.

—¿Qué es una retícula? —preguntó Oliver.

—Imagina un marco rectangular de hierro o de madera —le pidió Ichiro—. El de Van Gogh era de hierro. Luego, sujetas hilos o cordones finos a ese marco separados por la misma distancia, de izquierda a derecha y de arriba abajo. Finalmente, miras a través de esa rejilla de hilos y, ¿qué es lo que tienes? La imagen que quieres pintar dividida en pequeños cuadraditos que puedes copiar en el lienzo, uno detrás de otro, sin perder ni la perspectiva ni las proporciones.

—¿Y copió la imagen del *Paris Illustré* usando una retícula? —quiso saber Gabriella curiosa.

—En esta ocasión hizo una adaptación sencilla de la idea de la retícula —le explicó Ichiro poniendo cara de divertido conspirador—. Quería trasladar la pequeña imagen de la portada de la revista a un lienzo mucho más grande y necesitaba aumentar las proporciones, así que, con un lápiz, enmarcó la figura de la *oiran* en un rectángulo, que sería como el marco virtual de la retícula, y trazó en el interior dos rayas verticales y seis horizontales, dividiendo la imagen en veintiún cuadrados formados por tres columnas y siete filas. Luego, trasladó esa matriz de siete por tres al lienzo con un tamaño mucho mayor y fue copiando uno a uno el contenido de los veintiún cuadrados.

Kentaro carraspeó para llamar la atención.

—Volvamos al grabado de Keisai Eisen, por favor —dijo—. Como podéis ver en las otras dos láminas, Van Gogh pintó *Cortesana al estilo de Eisen* en noviembre de 1887 y volvió a reproducir la misma obra en el *Retrato de Père Tanguy*, que pintó muy poco después, en diciembre de ese mismo año. Es la imagen que está justo debajo del grabado del cerezo de Yoshitsune, de Hiroshige.

La imagen de la *oiran* se iba deteriorando con cada nueva representación: de la belleza casi perfecta del grabado de Eisen había pasado, en la portada de la revista, a un dibujo de contornos y líneas y, a continuación, en el cuadro de Van Gogh *Cortesana al estilo de Eisen*, a una sonriente mujer fea vestida con un kimono relleno de volutas verdes y manchas rojas, sin rastro del hermoso y plateado *unryū*, el dragón mitológico que vuela sobre las nubes. Se había convertido en algo tosco y vulgar, de colores chillones y, por desgracia, Vincent no había sabido mantener bien las proporciones, con retícula o sin ella, ya que, junto a la estilizada y elegante *oiran* de Eisen, la de Van Gogh parecía tener el cuerpo de una niña pequeña debajo del *uchikake* aunque con una extraña sonrisa de prostituta. Y ya en la última representación, la del *Retrato de Père Tanguy* (que casi me gustaba más que la del propio cuadro *Cortesana al estilo de Eisen*), había perdido el rostro y se había convertido en un esbozo de breves aunque, en este caso, magistrales pinceladas. Al César lo que es del César.

—Veo cosas un poco extrañas en el cuadro de Van Gogh —comentó Odette con la mirada fija en la lámina de la *Cortesana al estilo de Eisen*—. Al lado de la *oiran* ha pintado unas grullas. En mi lengua, en francés, antiguamente la palabra *grue*, grulla, se utilizaba como sinónimo de prostituta. Y veo también una enorme rana pintada debajo de la mujer. También antiguamente, *grenouille*, rana, era el nombre que se les daba a las mujeres de mala reputación y las *grenouillère* eran los burdeles. Está claro que si Van Gogh vivía en París cuando pintó este cuadro, quiso dejar muy claro que la mujer ahí representada era una prostituta. Cualquier francés entendería el significado de esos dibujos.

—Vincent era muy aficionado a los burdeles —le dije yo—. El dinero que le mandaba su hermano para su manutención hubiera sido suficiente para vivir y pintar con dignidad en cualquiera de los lugares en los que estuvo. Pero, como se gastaba una buena parte de ese dinero en prostitutas, que él decía que eran modelos para sus cuadros aunque ninguna quiso posar nunca para él, siempre andaba escaso de recursos y siempre pedía más y más al pobre Theo. De hecho, supongo que sabéis que contrajo numerosas enfermedades venéreas, la peor de las cuales fue la sífilis, que aún no tenía cura porque no se habían descubierto los antibióticos y que le hizo perder todos los dientes y usar una dentadura de madera. Por eso en sus muchísimos autorretratos siempre se pinta con la boca cerrada. Una sonrisa, por pequeña que fuera, hubiera dejado los dientes de madera al descubierto.

Morris empezaba a desesperarse y supongo que la amenaza de las enfermedades venéreas de Van Gogh terminó por ponerle completamente nervioso. De repente, golpeó con el puño la mesa del centro del *kyakuma* dándonos a todos un susto de muerte.

—¡Ya está bien de tanta tontería! —vociferó—. ¡No me interesa nada lo que estáis contando! Para vosotros será muy interesante pero para mí es un rollo. ¿Queréis presumir de cultos y sabelotodo? ¡Pues yo me aburro! ¡Al grano! Lo único que importa es dónde debemos ir para superar la siguiente prueba de Ryoei Saito. El resto es basura. Flipo con la sarta de estupideces inútiles que podéis llegar a decir. ¡Estoy harto!

Siempre estaba harto. Era su expresión favorita.

De nuevo, se hizo otro silencio incómodo en el *kyaku-ma*. Morris era especialista en hacer amigos. Gabriella, Oliver, Odette y yo cruzamos miradas de profundo desprecio hacia nuestro patético compañero mientras los Koga —Ichiro, Kentaro, Midori y la dulce y anciana Fumiko, que no había entendido las palabras de Morris pero sí el sentido de su tono de voz y de su comportamiento— mantenían en los labios una sonrisa educada tallada con cincel y martillo.

—Morris —le dije con voz helada—, la próxima vez que te comportes como lo has hecho ahora mismo, faltándonos al respeto a todos y actuando groseramente en una casa en la que estás de invitado, te partiré directamente la cara sin pensármelo dos veces. Te comportas como un pobre animal sin educación y me estoy cansando de ti.

Tras unos segundos de desconcierto por la sorpresa, ya que no era capaz de comprender qué era lo que había hecho mal para que yo le hablara de aquel modo, se levantó de un salto y, puños en ristre, se plantó ante mí desafiante.

—¿Quieres partirme la cara, eh? —me gritó—. ¿Quieres partirme la cara?

—No, ahora no me viene bien —respondí con voz helada—. Aún no he hecho la digestión del desayuno. Ya te avisaré cuando me apetezca. Siéntate, por favor.

—¡Levántate tú! —me gritó hecho un energúmeno enloquecido, con la cara roja por la congestión—. ¡Levántate, cobarde, o te levanto yo!

—Siéntate, John —le ordenó Gabriella, muy tranquila—. ¿Me has oído? Te he dicho que te sientes.

Como en el subsuelo del templo de Ishiyakushi, Morris se detuvo en seco al oír la voz de Gabriella y, tras soltar un par de bufidos de frustración, volvió a su asiento mirándome con odio. Qué clase de autoridad tenía Gabriella sobre aquel bruto era algo que se me escapaba. No se le veía encaprichado con ella ni nada por el estilo. Es más, podría decirse que la rehuía, que era la clase de mujer que le daba miedo por su enorme belleza y su gran inteligencia. Sin embargo, la voz femenina de Gabriella tenía el efecto de obligarle a someterse sin discutir.

Miré a Gabriella y ella me devolvió la mirada y así nos quedamos por unos instantes que se alargaron silenciosamente en un tiempo detenido. De algún modo, el idiota de Morris había creado un puente entre Gabriella y yo, un puente por el que empezaron a circular cosas de un lado al otro, cosas como, por ejemplo, un algo de sorpresa por lo que estábamos sintiendo y un suave reflejo de placer y felicidad.

—A lo largo de la noche —empezó a decir el viejo Kentaro, rompiendo el hechizo entre Gabriella y yo y continuando como si nada hubiera pasado con Morris—, Ichiro, Midori y yo hemos estado dándole vueltas tanto a la lámina de Keisai Eisen como a la tablilla de madera que venía con ella. La tablilla, como siempre, no nos dice nada. Seguimos sin encontrarle sentido aunque no me cabe ninguna duda de que lo tiene. La lámina, tras muchas discusiones, nos llevó hasta el barrio de Yoshiwara. Una *oiran* sólo podía vivir allí y no tenía permitido salir jamás del recinto para evitar que se fugara. Cuando Ryoei Saito se puso a pensar en algo para esa tercera lámina del *Retrato de Père Tanguy*, con seguridad le vino Yoshiwara a la cabeza. Es lo más lógico, lo único posible.

—Yoshiwara, efectivamente, ya no existe —nos recordó Midori—, pero como no se cerró hasta después de la II Guerra Mundial, el recuerdo de aquel delicioso e idílico lugar de placer sigue muy fresco en la memoria y, por desgracia, continúa siendo una zona de prostitución que conserva, en buenas condiciones, muchos de los viejos edificios que ocuparon sus burdeles más famosos. Por supuesto, ya no se encuentra a dos horas a caballo de Edo. Ahora es un barrio más del norte de Tokio, junto al distrito de Asakusa, y, si miráis un mapa de la ciudad, podréis distinguir perfectamente el trazado de las antiguas murallas de Yoshiwara y el de sus viejas calles, que se han mantenido igual durante más de cuatrocientos años.

—Pese a que tenemos casa en Tokio —añadió Ichiro—, Yoshiwara nunca nos había llamado especialmente la atención, de modo que hemos tenido que pasar toda la noche mirando en internet mapas, informes y fotografías.

—Y hemos descubierto algo… —empezó a decir Midori.

—Y hemos descubierto —se adelantó Kentaro casi explotando de emoción en su silla de ruedas— un antiguo edificio restaurado en los años noventa que, al parecer, sigue siendo un prostíbulo, y que se llama… ¡Uchikake unryū!

Me sorprendía el entusiasmo con el que se vivían las cosas en esa familia. Quizá fuera por el contraste con mi temperamento de europeo del norte pero no, no era por eso. Era porque los Koga tenían una forma especial de ser. Incluso Kentaro, atado a una silla de ruedas, era más activo, positivo y optimista que mucha gente que yo conocía y que había caído derrotada por el victimismo o el malhumor. Lo que veía en los Koga era más bien una actitud: no hay nada imposible y mejor ser feliz que no serlo.

—Estamos bastante seguros de que es allí adonde debemos dirigirnos —siguió diciendo Ichiro con una enorme sonrisa de satisfacción—. Es un burdel típico de Yoshiwara que fue reformado y modernizado en el año 1995, un dato que resulta bastante significativo porque se ajusta al marco temporal de Ryoei Saito. Está muy cerca de la antigua entrada del barrio, frente al parque Yoshiwara, en la calle Edomachi. Y, además —agregó intentando tranquilizarse—, mirad.

Rápidamente, nos hizo llegar a cada uno la copia de una fotografía, obviamente sacada de internet, en la que se veía un edificio de dos pisos, con la fachada pintada de color verde esmeralda y unos grandes rótulos verticales de un rojo escarlata brillante en los que aparecían letras japonesas y un largo dragón plateado que, si ponías la fotografía junto al dragón del kimono de la *oiran* de Keisai Eisen, resultaban ser iguales. No, no sólo iguales. Idénticos. Con los mismos cuernos, bigotes y escamas.

—Es decir —comentó tímidamente Odette—, que tenemos que entrar en un burdel.

Morris rezongó con desprecio.

—Tranquila, Odette —le dijo Ichiro—. Entraremos todos juntos y, además, llevaremos escoltas. Tenemos una empresa de seguridad y nuestros mejores empleados estarán cerca de nosotros para protegernos, no tanto de las prostitutas o de los proxenetas, que son gente pacífica, sino de la *yakuza*, la mafia japonesa que controla los barrios como el de Yoshiwara.

10

La katana *de papel*

En cuanto pusimos el pie en el barrio de Yoshiwara la peligrosa *yakuza* hizo acto de presencia. Claro que fue del género tonto meter a un grupo de turistas extranjeros con pinta de incautos y cargados, esta vez, con unas enormes mochilas de montaña en el barrio de prostitución más antiguo de Tokio y, encima, a primera hora de la mañana, cuando la mayoría de las trabajadoras del sexo estaban comprando el pan y la carne como cualquier ama de casa japonesa y, encima, con todos los burdeles, incluido el Uchikake unryū, cerrados a cal y canto.

Mientras una jovencita se acercaba a Oliver y entablaba con él una breve conversación, otra se colocó justo a mi lado.

—*Ma-sāji?* —me preguntó.

Ichiro ya nos había advertido de que esa palabra, «masaje», era la palabra clave para la oferta de servicios sexuales y que debíamos rechazarla educadamente diciendo «No, gracias», al tiempo que inclinábamos la cabeza sólo un poco, un par de centímetros, sin doblar el cuerpo. El nivel de inclinación estaba relacionado con el nivel de respeto por la posición social o familiar de la persona a quien saludabas y una prostituta no se encontraba en el lugar más alto precisamente.

—*Ie, arigatō* —rechacé amablemente.

Las chicas no se acercaron a Morris, que frunció el ceño y mostró su enfado encerrándose en un absurdo silencio. A Ichiro tampoco se le acercaron porque hablaba acaloradamente con uno de nuestros guardaespaldas quien, al parecer, había recibido un mensaje de un miembro de la *yakuza* preguntándonos qué hacíamos allí a esas horas y qué demonios queríamos.

No entendimos la conversación, pero Ichiro se mostraba realmente alterado (todo lo que un educado japonés se puede mostrar alterado en público, que es casi nada, por muy entusiasta que sea en privado).

—Quedaos un momento aquí, por favor —nos pidió—. No os preocupéis, estáis completamente seguros. Yo vuelvo enseguida.

Pero no volvió enseguida. Tardó al menos una hora durante la cual, Oliver y yo (que no Morris) recibimos ofertas de *ma-sājis* varias veces.

La tarde anterior habíamos salido de Shizuoka en el microbús con el tiempo justo para llegar al hotel de Tokio, registrarnos, cenar allí mismo y subir a nuestras habitaciones a dormir, todavía con el cansancio de lo ocurrido en el templo de Ishiyakushi. El grupo de WhatsApp estuvo activo durante un rato hasta que todos caímos en un sueño profundo.

—*Ma-sāji?* —me preguntó otra joven vestida como una escolar japonesa. No entendía bien si es que estaba de moda vestir con los uniformes de los colegios o si es que los japoneses preferían menores para estas cosas, lo cual me revolvió un poco el estómago. En cualquier caso, antes de poder rechazar amablemente la nueva oferta, un brazo se colgó con fuerza del mío y alguien respondió por mí, dejando claro que yo era de su exclusiva propiedad.

—*Ie, arigatō* —dijo Gabriella agresivamente a la joven prostituta.

Me quedé mirándola muy sorprendido.

—No te hagas ilusiones —repuso burlona—. Odette y yo hemos decidido protegeros.

Y me hizo un gesto con la cabeza para que mirara en dirección a Oliver y Odette, que también estaban cogidos del brazo como una pareja enamorada.

—¿Y Morris? —le pregunté, sintiendo la cálida presión de su brazo contra el mío. Se suponía que ella era muy amiga de Oliver y, sin embargo, había decidido protegerme a mí (porque estaba claro que a Odette le daba lo mismo protegernos a uno que a otro).

—No corre ningún peligro —me aseguró—. Aún está esperando que alguna chica se le acerque. El pobre tiene algo tan desagradable que repele incluso a las profesionales del sexo. Quizá en Michigan las cosas le vayan mejor que aquí.

—Lo dudo mucho —murmuré sin ninguna compasión por mi huraño compañero.

—Si quieres —me propuso Gabriella con sorna—, te dejo solo para que puedas aceptar alguna oferta de estas treintañeras disfrazadas de estudiantes de primaria.

—*Ie, arigatō* —le respondí—. Prefiero que te quedes conmigo y mantengas a salvo mi virtud.

—¿Y si fuera yo quien te propusiera un *ma-sāji*? —bromeó.

Me quedé helado. ¿Qué se suponía que debía contestar? Si ella se estaba riendo de mí yo podía hacer el ridículo más espantoso aceptando su propuesta. Pero si lo que estaba insinuando era que yo le gustaba, entonces podía meter la pata hasta el fondo si la rechazaba. Pero ¿cómo iba a gustarle yo? Mi mundo solitario no funcionaba así.

—¿Y si fuera yo quien te lo propusiera a ti? —respondí finalmente, bromeando y echando balones fuera.

—Aceptaría —dijo soltando una carcajada—. Siempre que tu precio no fuera muy alto.

Los dos nos reímos un rato y yo solté un largo y profundo suspiro interior por haber salido airoso de una broma tan peligrosa. Luego, noté que me había quedado un poso amargo por dentro, que algo se había iluminado e incendiado por un instante para apagarse luego bajo un chorro de agua fría. Nunca he sabido cómo tomarme estas cosas ni cómo actuar con naturalidad cuando alguien me gusta.

En ese momento, Ichiro y su guardaespaldas volvieron a paso rápido hasta la esquina en la que nos encontrábamos. La gente del barrio seguía haciendo su vida con toda tranquilidad aunque, de vez en cuando, algunas miradas furtivas de motoristas o de conductores de vehículos que pasaban muy despacio por delante de nosotros nos recordaban que estábamos siendo vigilados por mucha gente.

—Vamos —nos ordenó Ichiro, mostrándonos unas llaves—. Tenemos el Uchikake unryū para nosotros solos durante todo el día de hoy.

—¿Cómo lo has conseguido? —le preguntó Oliver que seguía fuertemente agarrado a Odette.

—¡Con dinero! —replicó Ichiro enfadado, empezando a caminar hacia la calle que quedaba a nuestra derecha.

Cuando llegamos hasta un parque de árboles mustios por el calor del verano, Ichiro se detuvo y, con una mano, nos señaló, un poco más adelante, en la acera de enfrente, un edificio de fachada de madera pintado de verde esmeralda con grandes y chillones letreros rojos colgando desde el tejado hasta el primer piso en los que se veían los dibujos de unos bonitos «dragones que sobrevuelan las nubes». Habíamos llegado al burdel Uchikake unryū y ahora debíamos entrar y buscar la próxima tortura, la cuarta, porque, aunque sólo habíamos recibido tres láminas de las seis que mostraba el *Retrato de Père Tanguy* de Van Gogh, para recoger la primera tuvimos que entrar en el reino de la muerte en París y salir con los pies sangrando. Al menos, la idea de que, tras finalizar ésta, sólo quedarían otras tres, resultaba refrescante en aquel caluroso y húmedo agosto japonés. Era como haber llegado, al menos, a la mitad del camino.

Y como la experiencia hace maestros, en esta ocasión nuestras mochilas de turistas habían mutado en unas mochilas enormes llenas de objetos y productos que podían venirnos bien ocurriera lo que ocurriera. Midori, Kentaro y Fumiko se habían ocupado de eso. Ya veríamos lo que íbamos a necesitar pero, en cualquier caso, nos acercamos hasta el Uchikake unryū con el paso firme de quien ya ha pasado por mucho en esta vida y no tiene miedo de lo que le pueda ocurrir.

El más rezagado era Morris, que seguía ofendido y cabreado porque las prostitutas le habían ignorado y se consideraba humillado ante nosotros. No era más tonto porque no podía.

Ichiro abrió la puerta del burdel y una vaharada de aire caliente cargado de olor a sudor humano, alcohol barato, humedad rancia, orina y alguna que otra cosa igualmente desagradable nos atacó por sorpresa. Gabriella soltó una pequeña exclamación de asco y escondió la cara en mi hombro. Sin darme cuenta, le puse la mano en el pelo y se lo acaricié mientras la apretaba contra mí para protegerla de la infecta emanación que salía por la puerta. También Odette había escondido la cara contra el abdomen de Oliver que era exactamente hasta donde llegaba por su baja estatura. Él se tapó la nariz con las manos reprimiendo una arcada.

—Entremos —dijo Ichiro introduciéndose en el oscuro y apestoso local.

Su guardaespaldas hizo un gesto y un coche enorme, una especie de tanque de cuatro ruedas gigantescas se acercó a toda velocidad y se detuvo con una frenada maestra justo delante de la puerta del burdel.

—Tranquilos —nos dijo Ichiro desde la oscuridad interior—. Está todo pactado con la *yakuza*. Mis hombres están aquí sólo por seguridad. No van a entrar con nosotros.

—Pues yo preferiría que entraran —murmuró Oliver, preocupado—. ¡Y pensar que mi marido cree que estoy haciendo un curso de pintura en París!

—No te preocupes —le respondió Odette dándole unas palmaditas tranquilizadoras en la espalda—, el mío cree que estoy en un congreso de enfermería.

Morris se volvió para mirar a Oliver con los ojos desencajados por la sorpresa pero no dijo nada. A partir de ese momento, el muy imbécil se mantuvo alejado de Oliver como si el pobre tuviera la lepra, provocándome unas ganas enormes de preguntarle en más de una ocasión qué tipo de miedo podía tenerle a Oliver cuando ni siquiera unas prostitutas profesionales habían querido acercarse a él.

Ichiro dio con el panel eléctrico y el local se iluminó con unas tenues luces rojas y verdes que le daban, no sabría decir exactamente por qué, un cierto aire a burdel, a prostíbulo de carretera. No parecía el lugar más apropiado para una elegante *oiran* del antiguo barrio de Yoshiwara. La razón por la cual Saito había elegido un sitio tan triste, sucio y deprimente como reflejo del grabado de Keisai Eisen se me escapaba por completo.

—¿Y ahora qué? —preguntó hoscamente Morris pasando su mano grasienta por encima de la barra y dejando una marca recta y brillante.

—Ahora debemos encontrar la señal —indicó Ichiro mirando en todas direcciones—. En alguna parte hay algo que nos conducirá a la trampa de Saito. Separémonos.

—¡Pero si este lugar es muy pequeño! —objeté—. Lo podemos recorrer entero en dos minutos.

No habría más de cinco o seis mesas bajas entre la barra de madera rojiza y un minúsculo escenario de karaoke de color aguacate.

—Las habitaciones de las mujeres están en la parte de arriba —me dijo Ichiro quien, al parecer, había sido informado por la *yakuza* o por el mismo propietario del local, el cual, seguramente, también pertenecería o trabajaría para la *yakuza*— y la oficina y la vivienda del dueño están al otro lado del patio.

Al final resultó que el edificio no era tan pequeño como me pareció a primera vista, ya que la entrada, la que ocupaba la zona del bar, sólo era una parte diminuta del auténtico negocio: las habitaciones de las mujeres. Había, al menos, veinte, separadas por las típicas puertas correderas hechas de papel (lo que implicaba unos mil puntos por debajo de la mínima intimidad que los occidentales consideramos necesaria para nuestra actividad sexual); veinte habitaciones en las que se trabajaba a destajo todas las noches. La prostitución no sólo era el oficio más antiguo del mundo sino el único oficio eterno en la historia de la humanidad.

Al parecer, muchas de las prostitutas que trabajaban allí también vivían allí. La decoración era muy austera y los *futones* que servían de camas estaban recogidos dentro de unos armarios en los que vimos ropa, zapatos y otros objetos personales. Además, en todas las habitaciones había pequeños baúles pegados a las endebles paredes llenos con ropa de cama, vestidos de fiesta y ridículos disfraces. Me quedó claro que las habían obligado a marcharse rápidamente cuando Ichiro llegó a un acuerdo con la *yakuza*.

En el patio, más fresco que la casa a esas horas del día y desde luego mucho menos apestoso, había macizos de flores bien cuidados y un par de cerezos de tronco retorcido y largas ramas que, además de sombra, daban también la sensación de estar allí desde que Yoshiwara era el famoso barrio de prostitución de la antigua Edo. Desde el patio se veía con claridad la parte interior del piso de abajo, de robusta madera de ciprés, y de los dos pisos superiores, que sólo tenían de madera el armazón y las galerías, ya que el resto eran espacios divididos por frágiles paneles de papel que no debían proteger mucho ni del frío del invierno ni del calor del verano.

—¡Aquí, venid! —voceó Oliver desde el interior del edificio.

Nos dirigimos hacia la oficina del propietario, que era de donde procedía la voz, y en unos instantes ya estábamos todos reunidos en torno a una mesa desordenada y sucia. Evidentemente, el propietario, igual que las mujeres, había salido por piernas dejando sobre la mesa un montón de papeles desordenados y un ordenador encendido con el protector de pantalla funcionando (fotos de mujeres desnudas en posturas supuestamente provocativas; se diría que el tío no tenía bastante con trabajar de proxeneta). Pero no había nada a la vista que indicara que Oliver hubiera encontrado algo.

—No os lo vais a creer… —nos dijo con una sonrisa de oreja a oreja.

Se acercó hasta una de las paredes junto a la puerta y dio un golpe con el tacón de la bota sobre la madera del suelo. Una pieza, larga como de un metro y de un palmo de anchura se alzó por el lado contrario dejando a la vista un agujero. Obviamente, todos nos acercamos a mirar.

—¿Qué es eso? —preguntó Gabriella señalando la empuñadura de una espada.

Ichiro hizo el movimiento de querer agacharse para cogerla pero se contuvo y dejó que lo hiciera Oliver.

Sin dejar de sonreír, Oliver apoyó la madera del falso suelo contra la pared y se inclinó para sacar del agujero una antigua espada japonesa, de hoja curva y como de un metro de largo, y otra que parecía un sable corto. La larga tenía una impresionante hoja de acero con un filo muy peligroso que terminaba en una larga empuñadura cubierta por tiras de cuero trenzadas y desgastadas de color verde. El sable corto, también curvo y como de medio metro, tenía el guardamano negro y la empuñadura de madera intensamente carmesí.

—¡Una *katana* y una *wakizashi*! —murmuró Ichiro sorprendido—. ¿Por qué el dueño tendrá estas armas tan caras y valiosas escondidas en un agujero en el suelo? Son armas de samurái, llamadas «la larga y la corta». Se usaban siempre en combate y, en manos de un buen guerrero, resultaban letales. Juntas, recibían el nombre de *daishō*.

—Lo que sea —dijo Oliver sin darle importancia a la parte histórica del asunto—. Todo empieza porque anoche estuve viendo una película de ninjas.

Hubo una ahogada exclamación general de horror.

—Pensáis que estoy loco, ¿verdad? —nos dijo sin poder borrar la sonrisa de felicidad de su boca—. Pues no lo estoy. Quería encontrar temas para mis pinturas y pensé que una peli de ninjas, después de todo lo que habíamos vivido, podía servirme de inspiración. Pillé la primera que encontré en YouTube y me quedé dormido con el móvil en la mano, viéndola.

—¿Y la película de ninjas te ha ayudado a encontrar las espadas? —le pregunté escéptico. Odiaba a los ninjas y los odiaría durante el resto de mi vida.

—No —respondió misteriosamente—. Las espadas las he encontrado por casualidad, al pisar la madera, pero después encontré otra cosa que *sí* vi en la película de ninjas y que está relacionado con las espadas.

Sujetó con fuerza «la larga y la corta» por las empuñaduras y se dirigió con aspecto peligroso hacia la esquina izquierda del fondo de la oficina. Parecía que quería incrustarse entre ambas paredes. Lo único que se veía de él detrás de su mochila era la coronilla del pelo y las piernas de rodillas para abajo. Y, bueno, también los brazos abiertos con las espadas en las manos.

—Cuando pasé por aquí la primera vez noté una sutil corriente de aire —empezó a explicarnos—. Al no encontrar nada en el resto del despacho volví a examinar esta esquina y entonces me encontré con esto —y señaló con la punta de «la larga» un pequeño grabado en la madera de la pared que, con los años y la mugre, se había vuelto casi invisible—. Un *unryū* como el del kimono de la *oiran* y como el de los letreros exteriores de este elegante negocio —se burló.

El largo dragón con cuernos y bigotes parecía querer ascender desde el suelo hasta el techo cruzando delicadamente de una pared de madera a la otra.

—Pues aquí hay otro dragón idéntico —soltó Morris con sarcasmo, señalando la esquina derecha.

—Cierto —admitió Oliver—, pero no hay corriente de aire y, al darme cuenta de esta diferencia, recordé una escena de la película que, por desgracia, no pude terminar de ver anoche porque me dormí.

Mientras Oliver hablaba, y aunque me daba un poco de asco, me pegué a la esquina como le había visto hacer a él creyendo que así notaría la corriente de aire. Pero no la noté. Al menos, no al principio. Sólo luego, poco a poco, empecé a darme cuenta de que el aire que respiraba con la nariz metida entre las dos paredes era mucho más fresco que el de la habitación. Yo no lo hubiera llamado corriente de aire ni por casualidad, ni siquiera lo hubiera calificado exactamente de aire, pero sí era cierto que aquel leve soplo frío que respiraba tenía que llegar desde alguna parte y que, por lo tanto, donde las dos paredes se unían para formar la esquina debía de haber alguna clase de abertura.

—Y ahora —anunció Oliver como un animador en una pista de circo, levantando en el aire «la larga y la corta»—, veamos si puedo abrir esta puerta secreta como la abrían los ninjas de la película de anoche.

Con decisión se acercó hasta la esquina de la supuesta corriente de aire e intentó clavar allí las puntas de las dos espadas. Nos quedamos todos de una pieza. Parecía querer matar a las paredes, aunque las paredes, por supuesto, no se dejaban. Su cara de confusión nos dijo que no se esperaba esa resistencia. Con más cuidado, volvió a clavar la punta de las espadas en el mismo vértice de la esquina y, ante su estéril resultado, lo intentó una vez más y, luego, otra y otra hasta que empezaron a saltar astillas de la hermosa madera de ciprés.

—¿Qué estás haciendo, Oliver? —le preguntó Ichiro acercándose hasta él y sujetándole los brazos.

—¡Intento abrir la entrada! —exclamó él furioso.

—¿A machetazos? —bromeó Gabriella.

—¡Pero si lo estoy haciendo con cuidado! —protestó él.

—A lo mejor las espadas y la puerta no están relacionadas —reflexionó Odette.

—¡El ninja de la película lo hacía así y la puerta se abría de golpe! —afirmó soltándose de las manos de Ichiro y girándose de nuevo hacia la esquina, dispuesto a seguir acuchillando las paredes.

—¡Espera! —voceó Ichiro interponiéndose en el camino de las afiladas puntas de la *katana* y la *wakizashi*. Todos contuvimos el aliento, viendo ya a Ichiro atravesado por las peligrosas armas samurái—. Creo que ya sé a lo que te refieres y tienes razón.

Oliver, que se había asustado aún más que nosotros, bajó lentamente las espadas, temblando un poco.

—Sí —murmuró Ichiro, ajeno al peligro que había corrido—, sí. Tiene sentido.

Se dirigió a la mesa del propietario del burdel y cogió dos de los muchos papeles desordenados que había encima. Con los dos folios en las manos se acercó hasta la esquina y, con un cuidado exquisito, intentó introducir uno de ellos entre las dos paredes. No lo consiguió a la primera pero, removiendo el papel con muchísimo cuidado, finalmente logró insertarlo en la estría dejando sólo medio folio fuera.

—¡Increíble! —declaró atónita Gabriella.

Ichiro sonrió y empezó a trabajar con el segundo papel, que ofreció un poco más de resistencia porque era más blando y se doblaba más fácilmente. Fue cambiando de lugar y maniobrando con precaución hasta que, por fin, la hoja se introdujo entre ambas paredes.

—Cruzad los dedos —nos pidió, secándose las palmas sudorosas de las manos contra los pantalones—. ¿No es eso lo que decís los occidentales para desear buena suerte?

Todos menos Morris le sonreímos y le mostramos los dedos cruzados de nuestras manos con un gesto solidario y animoso. Todavía no sabíamos qué estaba haciendo exactamente con aquellos papeles pero, fuera lo que fuera, le apoyábamos sin discusión. Bueno, como he dicho, todos menos Morris, que seguía enfurruñado y miraba hacia el patio como si no estuviera allí. O eso pretendía hacernos creer.

Ichiro empezó a subir y a bajar muy despacio las hojas de papel como si quisiera comprobar que la invisible separación entre los gruesos paneles de madera que formaban la esquina estaba despejada. Pero no lo estaba: la hoja de arriba tropezó con algo cerca ya del techo, algo que hizo un ligero ruido metálico cuando volvió a bajarla, y la hoja de papel de abajo tropezó también con algo que hizo el mismo ruido metálico cuando volvió a subirla.

Exultante de felicidad se giró para mirar a Oliver, que también sonreía, y se apartó para dejarle sitio.

—Tendrás que hacerlo tú —le dijo—. Yo no llego. Mis brazos no son tan largos.

Oliver ocupó el espacio abandonado por Ichiro y tanteó los dos folios con una enorme concentración sin sacarlos de la rendija. Estaba comprobando la fuerza del papel y, una vez que lo tuvo claro, subió uno hacia arriba y bajó el otro hacia abajo al mismo tiempo, justo hasta los lugares en los que Ichiro había detectado los topes que hacían ruido metálico. Queriendo darle un aire ninja al asunto, estiró los brazos de golpe para soltar los pestillos.

Con un giro rápido, una vez liberado de sus ganchos metálicos, un rectángulo de madera que formaba parte de la pared del fondo se abrió de golpe dejando a la vista una oscura abertura.

—¡Esto es lo que vi en la película! —exclamó Oliver con regocijo—. Pero usaban dos espadas como las que tiene el dueño de este negocio, no dos hojas de papel.

—En serio, Oliver —se rio Ichiro—, no debes creer todo lo que veas en las películas. Y mucho menos si son de ninjas.

Guardamos las espadas en el hueco del suelo y volvimos a poner encima el tablón que las ocultaba mientras Ichiro dejaba los dos folios sobre la mesa, más o menos en la misma posición en la que estaban antes de cogerlos. Luego, fuimos entrando uno a uno por el hueco al tiempo que encendíamos nuestras potentes linternas led para avanzar por un corto y muy estrecho pasillo entre paredes de cemento llenas de telarañas que terminaba en una escalera realmente empinada. Morris, que iba en último lugar, cerró el panel de la pared y lo sujetó de nuevo con los ganchos, de modo que la entrada volvió a quedar clausurada aunque desde dentro era muy fácil volver a abrirla.

—Pisad con cuidado, por favor —nos pidió Ichiro—. Estos peldaños están muy resbaladizos por la humedad.

Una espantosa idea pasó por mi cabeza en ese momento.

—¿Cuándo ocurrió el último terremoto en Tokio?

—Tranquilo, Hubert —me respondió Ichiro—. Japón entero está lleno de sismógrafos y se dan los avisos con tiempo suficiente para evacuar a toda la población. Además, nuestras casas modernas están preparadas para resistir los terremotos y las casas antiguas como ésta son de madera y papel.

—¡Eso ya lo sé! —protesté—. Lo que quiero saber es si desde que Saito hizo construir este lugar que nos está metiendo de nuevo bajo tierra se ha producido algún terremoto en Tokio, porque podría ser que nos encontráramos con el camino cerrado.

Se hizo el silencio en la estrecha y agobiante escalera.

—No creo —repuso Ichiro poniendo el pie con precaución en el siguiente peldaño—. Hace muchísimo tiempo que no ha habido un terremoto importante en la capital. Es verdad que aquí se sintió con fuerza el gran seísmo de Tōhoku del año 2011, al que en el extranjero llamáis el terremoto de Fukushima por el lugar donde se encuentra la central nuclear, pero en Tokio no hubo daños de ninguna clase.

—¿Y no podría haber provocado daños que no viera nadie? —insistí—. Si ocurrieron aquí abajo, por ejemplo…

195

—Que no, Hubert, que no fue para tanto, en serio —me tranquilizó—. Si algo inquieta de verdad a los tokiotas no son los terremotos sino las inundaciones. En su mayor parte, Tokio se encuentra bajo el nivel del mar así que el gran problema de la capital son sus muchos ríos y los grandes tifones que llegan hasta la costa. Pero los terremotos no preocupan demasiado a nadie.

La escalera siguió descendiendo hasta lo que me pareció la zona de cimientos de los edificios modernos, con sus alcantarillados y todo eso. No estábamos a demasiada profundidad porque, de hecho, se podían escuchar lejanamente algunos ruidos de la calle así que, si se producía un inesperado terremoto y el techo se derrumbaba sobre nuestras cabezas, quizá tuviéramos alguna posibilidad de sobrevivir. Por eso, y porque no tenía ni idea de lo que nos esperaba, consulté de reojo la cobertura que tenía el móvil. Me tranquilizó ver iluminada la más pequeña de las tres rayitas. Suficiente para pedir socorro.

En cuanto Morris terminó de bajar y quitó el pie del último escalón se escuchó un golpe seco y descomunal en la parte alta de la escalera. Los seis focos de luz de las linternas se dirigieron rápidamente hacia allí y vimos un muro de cemento cerrándonos la salida. De nuevo estábamos atrapados bajo tierra.

—¿Y las luces? —gruñó Morris.

—¿Qué luces? —le pregunté.

—¡Las luces que siempre se encienden cuando nos quedamos encerrados! —rezongó él—. ¡Esta vez no hay luces!

—¡Cielo santo! —exclamó Gabriella en ese momento, echándose hacia atrás de golpe y estampando su mochila contra Odette—. ¿Qué demonios es eso?

Los seis focos de nuestras linternas, todos a una, alumbraron, pasillo adelante, las fauces abiertas de unas monstruosas cabezas de piedra que sobresalían desde la parte alta de las paredes, a la altura del techo, con una cierta inclinación hacia abajo. De repente, noté un nudo en el estómago provocado por el miedo, aunque sabía que sólo eran una especie de gárgolas decorativas.

—Son dos cabezas de *unryū* —dijo Ichiro.

—¡Pues me han dado un susto de muerte! —farfulló Gabriella, agarrándose a Odette como un náufrago a un flotador.

—Es que son feas de narices —dije yo, iluminando alternativamente a los dos dragones que parecían amenazar con devorar a quien osara pasar por allí.

—Si os fijáis —comentó Ichiro, acercándose un poco—, veréis que representan la misma cabeza que el *unryū* del kimono de la *oiran* de Eisen, con los mismos cuernos y los mismos bigotes.

—Y la misma cabeza que el *unryū* de los letreros de este local —añadió Oliver— y la misma que los *unryū* de las esquinas de la oficina del dueño. La única diferencia es que éstas tienen las bocas abiertas y se les ven unos dientes muy afilados.

—¿Eso debería preocuparnos? —inquirió Odette alarmada.

—Sólo hay una manera de saberlo —declaró Ichiro avanzando con decisión.

Todo ocurrió en menos de un segundo. Antes de que nadie pudiera detener al imprudente Ichiro, se escuchó un «clic» metálico que venía del suelo en el que había puesto el pie y, a continuación, aunque casi podría decirse que al mismo tiempo, las bocas de los dragones escupieron unas furiosas llamaradas creando una enorme bola de fuego y luz que, comprimida entre las paredes, avanzó hacia nosotros a una velocidad superior a la de nuestra capacidad de reacción.

11

La moneda virtual

El impacto fue brutal. La bola de fuego y luz, por alguna razón, desplazó todo el aire con la fuerza de un ciclón y, tras golpearnos de lleno como el puño de un boxeador, nos estrelló contra las escaleras a la velocidad de un meteorito para terminar disolviéndose en la nada. Recuerdo que no podía respirar, que no había aire, y no sabía si era porque el golpe me había vaciado los pulmones o porque el fuego había consumido todo el oxígeno de aquel maldito lugar. Sólo sé que boqueaba como un pez intentando aspirar un aire que no entraba y que sobre mí tenía un montón de cuerpos y de mochilas que me aplastaban.

Cuando los cuerpos empezaron a moverse y a levantarse, conseguí respirar por fin. Pero, entonces, unas manos grasientas y sudorosas me cogieron por un brazo y me lanzaron de nuevo contra los cuerpos como si fuera un pelele de trapo.

—¿Qué...? —balbuceó Odette, mirándonos con ojos aturdidos—. ¿Qué... ha...?

De nuestras seis linternas, cuatro se habían apagado con el golpe y dos continuaban encendidas en el suelo permitiéndonos ver un poco en aquellos momentos.

—Que los dragones han disparado fuego al acercarse Ichiro —le respondió un Oliver más espabilado que ella, al que sólo le habían caído encima dos mujeres (una de ellas muy menuda) y un hombre (bajito y flaco como buen japonés). A mí, el que me había estado asfixiando era él, con sus dos metros de estatura y sus tropecientos kilos de peso (más las dos mujeres, el japonés y las cuatro mochilas). Pero quien de verdad se había llevado el golpe directamente contra la escalera y quien, a su vez, había recibido encima el peso de todos, era Morris, cuyo físico robusto y grueso le había permitido sobrevivir bastante bien a ambos accidentes. No hay nada más mullido que la grasa corporal abundante.

—No lo hubiera imaginado ni en un millón de años —murmuró Ichiro, que tenía la camisa y los pantalones chamuscados—. Creí que eran adornos.

—¡Pues no eran adornos! —le gritó Morris, sentado en la escalera con la cabeza entre las manos. El golpe no le había mejorado en absoluto el carácter—. ¿Para qué demonios iba a poner Saito adornos en un trampa?

Ichiro se agachó y recogió una de las linternas que habían quedado esparcidas por el suelo. Pulsó el botón para encenderla pero no funcionó. La golpeó con fuerza contra la palma de su mano y la linterna se recuperó.

—Es que este lugar es mucho más antiguo que Ryoei Saito —nos reveló Ichiro en ese momento, recogiendo el resto de linternas—, por eso creí que se trataba de viejos adornos.

—Explica eso —le pedí, recuperando mis gafas del suelo. Ambos cristales estaban tiznados, así que los limpié con el faldón de la camisa, dejándola hecha un asco. Y, además, uno de los cristales se había rayado un poco.

—Pues que bajo Yoshiwara discurría un antiguo pasadizo secreto por el que las prostitutas más afortunadas escapaban sin ser descubiertas —nos aclaró—. Nos enteramos cuando estábamos investigando la historia del barrio, pero no le dimos importancia. Al parecer, siempre fue una leyenda, un rumor nunca confirmado. Pero, cuando bajamos hasta aquí desde el burdel supuse que nos encontrábamos en ese túnel subterráneo del que hablan las crónicas y los historiadores, y cuando vi los dragones creí que tendrían doscientos o trescientos años de antigüedad. No se me pasó por la cabeza que pudieran formar parte de la trampa de Saito.

—¡Las prostitutas escapaban por un pasadizo secreto! —se emocionó Gabriella.

—No todas —le explicó Ichiro, repartiendo otra vez las linternas encendidas—. Parece que tenían que pagar una cantidad exorbitante de dinero y que el pasadizo no estaba libre de peligros. Pero algunas consiguieron salvarse y, seguramente, pasado algún tiempo, lo contaron en secreto a sus conocidos. Por eso se convirtió en un rumor, en una fábula en la que poca gente creía.

—No sé si este lugar será el pasadizo de las prostitutas —comenté, colgándome la mochila a la espalda y cogiendo la linterna que me daba Ichiro—, pero sí sé que es el pasadizo de Saito, como demuestran los dragones, así que hay que llevar cuidado.

Los seis nos giramos para mirar otra vez las feas gárgolas, que seguían exactamente igual que antes de la explosión de fuego.

—¿Volverán a escupir llamas si pasamos? —preguntó Odette.

—Sólo hay una forma de saberlo.

—¡Ichiro! —gritamos los cinco a la vez, deteniéndole.

Él soltó una carcajada.

—¡No pensaba volver a pisar el suelo! —nos aclaró—. Iba a usar el palo selfi, que es extensible.

—¿Llevas un palo selfi? —se sorprendió Oliver—. ¿Para qué?

—¿A ti qué te parece? —le replicó él, muy digno—. Pues por si acaso. Nunca se sabe cuándo puede hacer falta un palo selfi. Y si no me crees, mira con atención. Odette, déjame el botiquín, por favor.

Se quitó la mochila, la dejó apoyada contra el último peldaño, sacó el palo y lo extendió al máximo, lo que significaba que medía poco más de un metro (longitud totalmente inadecuada para garantizar su seguridad) y, en el extremo en el que se engancha el teléfono, sujetó fuertemente el pesado botiquín de Odette con una cuerda.

Mientras nosotros nos retirábamos en desbandada escaleras arriba, Ichiro, con todo el cuidado del mundo, se acercó a la posición en la que se encontraba antes de detonar con el pie a los dragones y, extendiéndose también como el propio palo selfi, apoyó el botiquín con fuerza contra el suelo.

Se oyó de nuevo el «clic» metálico y, al mismo tiempo, las bocas de los dragones volvieron a escupir llamaradas de fuego que ocuparon todo el pasadizo y avanzaron varios metros en menos de un segundo hasta que desaparecieron. Pero antes de desaparecer, obviamente, lanzaron a Ichiro por los aires, dejándolo caer sobre nosotros como un fardo. Por suerte, como estábamos alerta y preparados, entre todos lo recogimos antes de que llegara al suelo (tampoco es que pesara demasiado) y no se hizo ningún daño. Por segunda vez pareció que se hacía el vacío en aquel lugar y que la falta de oxígeno nos impedía respirar pero, en cuanto el fuego se disipó, la sensación de ahogo se esfumó también rápidamente. Estaba claro que aquélla no era una tumba hermética y que el aire circulaba libremente.

—Bueno, y ahora, ¿qué hacemos? —preguntó Gabriella incorporándose—. No podemos pasar entre los dragones y no podemos salir por el burdel.

—Aún no he terminado de hacer pruebas —protestó Ichiro, cogiendo de nuevo el palo selfi con el botiquín.

Morris soltó un bufido de impaciencia.

Volvimos a replegarnos hacia la escalera, colocándonos correctamente para recoger a Ichiro cuando planeara hasta nosotros. Él, mientras, regresó al punto en el que se extendía hacia delante y extendía al máximo su brazo con el palo selfi y el botiquín. Pero esta vez lo apoyó haciendo fuerza justo al lado de la pared derecha y no en el centro del pasadizo. No se oyó nada y no pasó nada. Repitió la operación en la pared izquierda. Tampoco. Se separó un poco de las paredes y repitió la operación sin que sonara el maldito «clic» metálico hasta que todos vimos claramente que había un espacio como de medio metro que pasaba justo por debajo de las gárgolas y que no provocaba las llamaradas de fuego.

—¿Qué?, ¿vamos? —nos alentó Ichiro sonriente—. Si no salimos de la zona de seguridad estaremos a salvo.

—Pasa tú primero —le propuse, más que nada porque él debía demostrar su hipótesis antes de que nosotros la admitiéramos como tesis, ya que nos jugábamos la integridad física. Noté una extraña comezón en el lado izquierdo de mi cara y me volví. Mis ojos se encontraron con la gélida mirada de reproche de Gabriella. Sonreí y me encogí de hombros como diciéndole que no pretendía matar a Ichiro, ni mucho menos, sólo animarle a hacer lo que más le gustaba: lanzarse de cabeza por el precipicio. Pero no tuve demasiada suerte. Al final, cruzamos todos al mismo tiempo.

Tres por un lado y tres por el otro, con las espaldas pegadas a las paredes y las mochilas entre los brazos, fuimos pasando por debajo de las cabezas de *unryū* sin que se desatara el infierno. De nuevo, habíamos derrotado a Saito y ahora debíamos recoger nuestro premio habitual en alguna parte.

Por desgracia, el pasadizo torcía a la izquierda un poco más adelante y luego torcía hacia la derecha y después torcía otra vez a la izquierda y, tras un pequeño tramo recto, torcía nuevamente hacia la derecha. Y, en ese punto, nos encontramos con dos caminos abiertos ante nosotros, uno que torcía hacia la derecha y otro que seguía recto. Se oyeron algunos suspiros de desaliento.

—Yo diría que estamos en un laberinto —comentó Oliver poniendo palabras a los pensamientos de todos.

—Diría que sí —confirmé con pesimismo.

Nos quedamos callados y quietos, sin que nadie tomara la decisión de ir hacia un lado o hacia otro. Tuve la sensación de que pasó una eternidad hasta que alguien reaccionó.

—¡Estamos en el siglo XXI, por Dios! —exclamó de pronto Gabriella bastante enojada—. ¡Tenemos móviles con GPS! ¡Tenemos aplicaciones de mapas y de localización!

—Ya, pero seguramente no tendremos cobertura —murmuró Odette.

Yo saqué rápidamente mi móvil del bolsillo y lo comprobé de nuevo.

—¡Sí, sí que tenemos! —proferí entusiasmado—. ¡Tenemos cobertura! ¡La suficiente para poder salir de este laberinto sin perdernos!

Ichiro asintió tras mirar su móvil.

—¡Pobre Ryoei! —murmuró con una sonrisa malvada—. A mediados de los años noventa no pudo sospechar que se avecinaba una gran revolución tecnológica.

Todos soltamos una carcajada. Aquella trampa la íbamos a superar con la gorra.

—Bueno, entonces, ¿qué camino tomamos? —le preguntó Oliver a Ichiro, ya que éste había estudiado a fondo las calles de Yoshiwara y sería capaz de identificar nuestra posición en el mapa.

Pero Ichiro no le contestó, enfrascado en subir y bajar el dedo por la pantalla.

—Es que hay un pequeño problema —murmuró al cabo de un poco—. No sabemos hacia dónde tenemos que ir porque no sabemos dónde está la salida.

¡Menuda pandilla de zoquetes del siglo XXI!, pensé irritado. Por supuesto. Si no sabíamos dónde estaba la maldita salida, ¿para qué demonios nos servía la localización de los móviles?

—Lo único que podemos hacer —dijo Ichiro tras pensar unos segundos— es orientarnos aproximadamente. Es decir, si empezamos a caminar en círculos lo sabremos, lo mismo que si pasamos por algún sitio por el que ya lo hayamos hecho. Pero la salida debemos buscarla sin la ayuda de la moderna tecnología.

—¡Pues qué bien! —soltó Gabriella decepcionada.

—¿Seguimos recto o vamos por la derecha? —pregunté—. No podemos quedarnos aquí para siempre.

—Espera que guarde esta posición en el mapa —me pidió Ichiro tecleando con los pulgares en la pantalla.

Morris, que había estado muy callado desde que las prostitutas de la calle le habían ignorado, nos propuso la solución perfecta:

—Yo tengo una aplicación que tira una moneda al aire. Podemos usarla.

Así, a bote pronto, me pareció la tontería más grande del mundo pero luego recordé que incluso los asistentes inteligentes como Siri o Alexa tiraban monedas virtuales al aire si se lo pedías.

—Venga, tira —le dije levantando los ojos al techo.

Él sonrió.

—Si sale cara seguimos recto —afirmó con el dedo apuntando al móvil— y si sale cruz doblamos a la derecha.

Tocó con su grueso y grasiento dedo la pantalla y se quedó mirándola fijamente. No podía ni imaginar cómo estaría de sucio aquel pobre cristal.

—¡Morris! —le gritó Gabriella impaciente—. ¿Qué ha salido?

Él levantó la cabeza.

—Cruz —anunció—. Doblamos hacia la derecha.

—Déjame verlo —le pedí, desconfiando de él todo lo que se puede desconfiar de alguien. De repente me había parecido que nos iba a llevar por dónde le diera la gana sólo por el placer de controlarnos. Pero no, pequé de malpensado. La moneda, de diseño muy simple, mostraba una cruz. Literalmente.

Entramos por el corredor de la derecha y, luego, giramos a la izquierda.

—¡Dragones! —exclamó Odette, señalándolos con su linterna y con el dedo.

—¿Más? —se extrañó Ichiro.

Allí, en la parte alta de las paredes, estaban otra vez las dos monstruosas cabezas de piedra mostrando sus feos cuernos, sus feos bigotes y sus feos dientes afilados. Los seis focos de luz las iluminaron. Una de las cabezas parecía haber sido tallada en una enorme amatista por su suave color violáceo y por algunos reflejos brillantes que desprendía bajo la luz. La otra, curiosamente, parecía hecha con ámbar amarillo. Claro que no podía ser cierto porque, por muy rico que fuera Ryoei Saito, los lanzallamas nunca se fabrican con piedras preciosas.

—Creo que vamos a encontrar muchas cabezas de dragón como éstas —señaló Oliver examinándolas detenidamente.

—Hala, pues vamos —dijo Morris quitándose la mochila de los hombros.

Volvimos a pasar bajo las cabezas de *unryū* procurando que nuestras espaldas y los talones de nuestros zapatos se mantuvieran pegados a las paredes. Nos volvimos a reunir al otro lado y seguimos avanzando. El corredor giraba hacia la derecha y el camino se bifurcaba otra vez.

—¿Recto o izquierda? —le pregunté a Morris, esperando verle tirar su moneda virtual.

—¿Para qué? —repuso, agitando el foco de luz sobre el fondo del pasadizo en el que se veía una pared que cerraba el paso.

Giramos, pues, hacia la izquierda y volvimos a encontramos bloqueados por un muro.

—Por aquí no hay salida —murmuró Gabriella destacando lo obvio.

Ichiro marcó en su mapa la posición y la guardó.

—Volvamos —nos dijo pensativo.

Nos dimos la vuelta y torcimos a la derecha y, luego, a la derecha otra vez. Ahí estaban de nuevo nuestros amigos el *unryū* violáceo y el *unryū* amarillento. Nos volvimos a quitar las mochilas para pasar por debajo de ellos, bien pegados a las paredes.

—Ojalá no encontremos más cabezas de bichos —gruñó Morris—. Estoy harto.

Pero en cuanto nos encontramos todos al otro lado para regresar al corredor principal, se escuchó un siniestro «clic» metálico. Habíamos calculado mal la distancia y nos habíamos reagrupado demasiado pronto.

La burbuja de aire comprimido —aunque mejor sería decir la bomba— provocada por la bola de fuego nos estampó contra el muro que teníamos delante antes incluso de que nos diéramos cuenta de lo que estaba pasando. Sin embargo, volvimos a tener mucha suerte porque, como todos llevábamos aún las mochilas en las manos, el impacto contra el muro fue menos malo de lo que hubiera podido ser, ya que las gruesas y grandes bolsas amortiguaron el golpe y nos salvaron de alguna nariz rota o de alguna conmoción.

Mi primera reacción, en cuanto pude pensar con algo de coherencia, fue buscar a Gabriella desesperadamente. No podía recordar dónde se encontraba en el momento de la detonación y eso me preocupaba. Sólo quedaba una linterna encendida en alguna parte y de ese modo era muy difícil encontrarla en aquel revoltijo de cuerpos y mochilas. Cuando vi su cara aplastada contra la escuálida barriga de Ichiro, me lancé a quitarle todo lo que tenía encima para liberarla y, por supuesto, recibí alguna protesta airada por parte de aquellos que no eran objetos ni mochilas. Ella abrió los ojos, aún desorientada, y me miró. Yo le sonreí y me alejé para buscar las linternas.

Diez minutos después reanudamos la marcha entrando de nuevo en el tramo de pasadizo por el que habíamos llegado hasta allí desde la entrada, antes de desviarnos por primera vez. Torcimos a la derecha para seguir recto y, luego, torcimos a la izquierda.

—¡Dragones! —exclamó Odette.

Allí mismo, otras dos cabezas de dragón nos esperaban. Con la práctica, cada vez nos quitábamos y nos poníamos las mochilas con más rapidez y también con más rapidez y seguridad pasábamos por debajo de los *unryū* y, además, habíamos aprendido muy bien la lección de reencontrarnos a la misma distancia de seguridad a la que nos separábamos.

—¿Estoy loco o todos los dragones son de colores? —preguntó Oliver, volviéndose a mirarlos mientras nos alejábamos—. Uno de ésos era de piedra un poco verdosa y el otro de piedra rojiza. Y los de antes eran de color amarillo y de color morado. Bueno, no morado-morado sino un poco más claro. Violeta.

—Yo también lo había notado —observé sin dejar de caminar—. Pero la cuestión es que todos disparan fuego.

Después de aquellos *unryū* torcimos a la izquierda y, un poco más adelante, hacia la derecha y luego otra vez hacia la derecha y luego a la derecha de nuevo. Lo siguiente fue torcer a la izquierda, lo que nos salvó de dar una vuelta casi completa. Ichiro nos dijo que, pese a todo, íbamos en la misma dirección que cuando entramos en el laberinto, de manera que podía decirse que siempre avanzábamos hacia delante aunque nos desviáramos momentáneamente. Con varias vueltas y revueltas seguimos en la misma dirección dejando a un lado y a otro algunos tramos de pasadizo en los que podíamos ver el fondo bloqueado por un muro. Y, todo eso, sin volver a encontrarnos con más dragones. Un lujo, vamos.

En uno de los giros nos topamos con una nueva bifurcación de caminos. La moneda virtual nos obligó a torcer a la derecha, donde encontramos otros dos dragones, uno amarillo y otro violeta. En realidad no eran de ese color, ni tampoco verdes o rojos. La piedra era piedra y sólo fijándote mucho descubrías que tenía un cierto tono u otro. Pero este detalle no parecía tener, de momento, ninguna utilidad.

Pasamos bajo los dragones con gran habilidad, torcimos a la izquierda y, luego, otra vez a la izquierda. Camino cerrado.

—¿No había dragones violeta y amarillo en el otro tramo cortado que nos encontramos antes? —preguntó Gabriella poniendo esa cara que ponía cuando algo le pasaba por la cabeza.

—Sí —le respondió Oliver.

—Pues, a lo mejor, los dragones amarillos y violetas señalan los caminos sin salida —propuso ella.

—Podría ser —comentó Ichiro—, pero no tenemos pruebas suficientes.

—Es una posibilidad interesante —comenté.

—Estoy de acuerdo —admitió Ichiro dando la vuelta para regresar, una vez más, al corredor principal. Nada más volver a pisarlo, en el siguiente giro a la derecha, nos topamos con dos nuevas cabezas de dragón.

Morris soltó varias maldiciones y expresiones poco correctas.

—Estas cabezas son de piedra verde y de piedra roja —observó Oliver—. Ichiro, ¿puedo fotografiarlas?

—Mientras no lo publiques en ninguna parte… —le respondió éste.

Oliver sacó su móvil para tomar algunas fotografías.

—Están al revés —comentó mientras disparaba—. Las últimas que vimos de estos colores tenían la roja a la izquierda y la verde a la derecha.

—Me parece que te estás armando un lío —se rio Odette.

—Por eso las estoy fotografiando —repuso Oliver—. Quizá todo esto tenga algún sentido.

Pasamos por debajo de las cabezas de dragón y, cuando llegamos al fondo del corredor, antes de doblar forzosamente a la derecha, Ichiro dijo:

—Este muro que tenemos delante se encuentra justo debajo de la calle Nakanocho, la avenida principal del viejo Yoshiwara que lo cruzaba por el centro, de arriba abajo, desde la entrada vigilada por los samuráis hasta el extremo opuesto.

—¿La calle se sigue llamando igual? —preguntó Gabriella.

Ichiro asintió.

Torcimos a la derecha y, para nuestra sorpresa, entramos en una especie de plazuela cuadrada con la salida en la esquina que quedaba a nuestra izquierda.

—¡Vaya, hay estaciones de carretera en las que parar y descansar! —bromeó Gabriella.

—No sé si os habéis dado cuenta —dijo Ichiro—, pero hace rato que pasó la hora de comer. Llevamos toda la mañana caminando.

—¡Pues a comer! —prorrumpió Morris avanzando hacia el centro del gran recinto cuadrado dispuesto a sentarse en el suelo. Un suelo que, por cierto, estaba bastante sucio y con algunas manchas inquietantes.

A pesar de todo, terminamos sentados sobre aquella suciedad formando un círculo mientras consumíamos el contenido de nuestros *bentōs*, el primero de los dos *bentōs* que cada uno llevaba pues sólo teníamos otro más para una supuesta cena. Ya podíamos darnos prisa en salir de aquel extraño lugar.

Terminamos de comer rápidamente y nos pusimos en marcha de nuevo, abandonando la placita y emprendiendo un nuevo tramo de corredor. Tras una vuelta a la izquierda y otra a la derecha, llegamos de repente a un lugar en el que el camino volvía a dividirse. En el trozo de pasillo recto que teníamos delante se veían, al final, dos cabezas de dragón y Oliver, que se acercó a mirar y a sacar fotografías, volvió diciendo que eran verde y roja. El camino que se abría hacia la izquierda se bifurcaba a su vez en otros dos caminos: uno que tenía unos

dragones de color amarillo y violeta, y otro con un par de cabezas que, por primera vez, eran de color azul y naranja (o
sea, piedra sutilmente azulada y piedra sutilmente anaranja-
da, según matizó Oliver).

Y entonces lo comprendimos.

—¡No me lo puedo creer! —balbució Gabriella.

Yo me había quedado con la boca abierta por la sorpresa.

—¡Los colores complementarios! —exclamó Oliver.

12

Caminos sin salida

Ichiro tardó unos segundos en atar cabos y, mientras la pobre Odette ponía cara de no comprender de qué estábamos hablando, el estúpido de Morris empezó a ladrar barbaridades como si le hubiéramos mentado a la madre. El pobre no aguantaba tantas humillaciones seguidas en un mismo día, aunque fueran inventadas por él.

—¿Qué son los colores complementarios? —nos preguntó suavemente Odette mientras Morris seguía vociferando que éramos unos pedantes y unos engreídos.

Ichiro, que ya se había dado cuenta de qué iba el asunto de los colores complementarios y sonreía, se volvió hacia ella.

—Son tres parejas de colores —le explicó— que, cuando aparecen juntos, se vuelven mucho más brillantes e intensos.

Vi que Odette se había quedado tan desconcertada como antes, de modo que, convirtiéndome por un momento en Kentaro, le quité la palabra de la boca a su hijo.

—El color rojo siempre parece más rojo si lo pones junto al verde y el verde es mucho más intenso junto al rojo que al lado de cualquier otro color —le dije—. Lo mismo pasa con los otros dos pares de colores: el azul parece más vivo y brillante junto al naranja y el naranja junto al azul, igual que el amarillo junto al violeta y el violeta junto al amarillo.

—¿Ésos no son los colores de los dragones de piedra? —preguntó ella.

—Exacto —le respondí—. Lo que te he dicho tiene una explicación científica que no viene al...

—Existen tres colores llamados primarios —me cortó Ichiro—, que son el rojo, el amarillo y el azul, que no se pueden obtener mezclando otros colores y por eso se les llama primarios. Y luego existen los colores secundarios, que son los que aparecen cuando mezclas dos, y sólo dos, de los primarios entre sí. Es decir, el color verde es un color secundario porque está formado por el amarillo y el azul, ¿verdad? Bueno, pues el verde es el color complementario del único color primario que no está en su mezcla: el rojo. Y, los demás, igual.

Odette asintió educadamente ante la explicación de Ichiro.

—Escucha, Odette —le dijo Oliver, viendo que, en realidad, seguía un poco despistada—. No hagas ni caso de lo que te están contando estos dos. Quédate con las tres parejas de colores, ¿vale? Rojo y verde, amarillo y violeta, y azul y naranja. Si pintas un cielo azul junto a un suelo de tierra color naranja, ambos colores se complementarán para que tú los veas mucho más brillantes y bonitos y el cuadro te gustará más. Es un efecto óptico, algo que sucede en nuestros ojos cuando juntas esos pares de colores.

—¿Y qué tiene que ver con todo esto? —le preguntó Odette, mirando alrededor.

—Pues que Van Gogh usó los colores complementarios en todas sus obras —terció Ichiro sin poder contenerse—. De hecho, incluso en sus peores momentos de crisis y alteración, nunca dejó de utilizar con perfecta sensatez la teoría del color que había estudiado en el libro *Gramática de las artes del dibujo* de Charles Blanc, publicado a mediados del siglo xix, y que tuvo una influencia enorme sobre él. Si pintaba un azul ponía al lado un naranja. Si pintaba un rojo ponía siempre cerca un verde. Y si ponía un amarillo, el violeta no faltaba nunca. Cuando parece que utiliza otros colores, en realidad está haciendo lo mismo sólo que apaga o enciende el tono del color: un azul claro junto a un naranja claro, o un rosa junto a un verde claro. O como en el cuadro *El café de noche*, pintado en Arlés, donde pinta el techo de color verde claro y las paredes de color rojo fuerte y, el resto, todo de un amarillo muy vivo, cosa que también tiene su explicación y es que nuestros ojos perciben el amarillo como el color más brillante del espectro cromático debido a que tenemos hacia él una mayor sensibilidad óptica y, por supuesto, Van Gogh lo sabía. Él quería ser, y estudiando a Blanc lo consiguió, el mejor colorista de entre todos los pintores. Por eso sus obras nos encantan.

—Y todo este rollo —se burló Morris desde fuera del grupo—, ¿para qué demonios nos sirve?

—Está claro que Ryoei Saito conocía perfectamente el uso que hizo Vincent de los colores complementarios —le respondió Gabriella con una voz afilada como un cuchillo—. Por eso los utilizó con las parejas de dragones. Si no sabes por qué cada pareja de *unryū* tiene el color que tiene no te llama la atención y no puedes salir de este laberinto.

—¡Yo sí que podría salir sin tanta estupidez! —exclamó desdeñoso.

—¿Sí? ¿Cómo? —le pregunté, plantándome frente a él—. ¿Tirando la moneda al aire con tu móvil?

Le vi (y le oí) rechinar los dientes y mirarme con el odio de un loco. Pero no hizo nada. Al cabo de unos segundos, sonrió con desprecio y se apartó de mí, alejándose un poco más de todos nosotros. Me cuestioné muy seriamente cómo demonios iba a terminar nuestra relación con Morris porque sabía que, desde luego, no iba a ser a buenas. La cosa estaba tomando muy mal cariz.

—Ya os dije antes —comentó Gabriella, ignorando a Morris—, que me parecía que los dragones amarillos y violetas señalaban los caminos sin salida.

—Pues ahora es el momento de comprobarlo —asintió Ichiro tomando el camino recto que teníamos delante.

Todos empezamos a caminar detrás de él y pasamos por debajo de las cabezas amarilla y violeta de los *unryū*. En cuanto lo hubimos hecho, torcimos a la derecha y, ¡zas! Ahí estaba el muro que nos cortaba el paso.

—Creo que Gabriella tiene razón —comenté—. No deberíamos volver a entrar en ningún tramo de pasadizo con los dragones amarillos y violetas. Es una pérdida de tiempo.

—Estoy de acuerdo —admitió Ichiro.

Y, en ese momento, lo comprendí todo. Ahora que sabíamos que los caminos del laberinto estaban marcados por las parejas de colores complementarios, era fácil deducir cuál era el correcto.

—Ya sé cómo salir de aquí —dije aún bajo el efecto del chispazo mental. Lo dije con una voz tan segura y tan firme que los demás se volvieron asombrados a mirarme.

—¡Sí, claro, cómo no! —escupió Morris desde el fondo.

—Sólo hay tres parejas de colores complementarios —continué—, por lo tanto sólo hay tres tipos de caminos en el laberinto. Si descartamos los caminos con dragones de colores amarillo y violeta porque son tramos cortos y sin salida, sólo nos quedan dos tipos más: los caminos con dragones rojos y verdes y los caminos con dragones azules y naranjas. Para salir de aquí debemos elegir uno de ellos y rechazar el otro.

Me quedé callado un momento, uniendo más datos en mi cabeza.

—Y eso quiere decir que… —me animó Gabriella a continuar.

—Quiere decir que el camino correcto es el de los dragones rojos y verdes.

—¿Por qué? —quiso saber Oliver.

—Creo que la razón de mayor peso es el color de las empuñaduras que utilizaste para tratar de abrir la puerta secreta —le expliqué—. Según tú, los ninjas utilizaban dos espadas como las del despacho del dueño para soltar los cierres de la puerta.

—Sí, así es —admitió pesaroso—. Pero a mí no me funcionó. Ichiro la abrió con dos hojas de papel.

—Es verdad —convine—. Pero, si hubiéramos sabido hacerlo, las espadas samurái hubieran sido las llaves de la puerta secreta, ¿no es cierto?

—¿Y dices que el color de las empuñaduras de la *katana* y la *wakizashi* es la pista para este laberinto? —me preguntó Ichiro extrañado.

—La *katana* tenía la empuñadura forrada con cuero de color verde —recordé— y la *wakizashi* tenía la empuñadura de madera roja. Verde y rojo. Y si eran las llaves de la puerta, no resulta tan absurdo pensar que esos colores marcan el camino correcto del laberinto.

—¡Es ridículo! —gruñó Morris.

—No, no lo es —dije con un suspiro de impaciencia—. Hay más.

—¿Más? —inquirió Gabriella.

—¿Recuerdas el color de la fachada del edificio del burdel? —le pregunté yo a mi vez.

—Verde esmeralda —me respondió sin dudar.

—¿Y los grandes letreros con el nombre del local y los dibujos de los dragones?

—Rojos —recordó Ichiro—. Muy rojos.

—Rojo escarlata, para ser precisos —corroboré—. ¿Lo veis? Otra vez verde y rojo. Los colores de los símbolos del local, de su imagen, son el verde y el rojo, como las espadas.

—¿Eso es todo lo que tienes? —soltó despectivamente Morris.

—Creo que es más que suficiente —respondí sin mirarle—. Pero, en vista de que tú necesitas más, dime, Morris: cuando entramos en el burdel e Ichiro encendió las luces del bar, ¿de qué color eran?

Todos se quedaron un momento en silencio, pensando.

—¡Rojas y verdes! —exclamó al fin Odette con cara de sorpresa.

—Exacto —asentí—. Rojas y verdes, como los letreros de la calle y la fachada: rojo y verde. Y, ¿recordáis la barra del bar, de madera rojiza, y el escenario de karaoke de color aguacate?

—¿Es que no me estás escuchando? —me gritó Morris cada vez más enfadado—. De acuerdo, el rojo y el verde son los colores del negocio. ¿Y qué?

—¡Hombre, John! —le interrumpió Oliver—. Lo que dice Hubert es bastante razonable.

Los demás se mostraron de acuerdo.

—Deberíamos —gruñó Morris— recorrer este primer tramo de dragones de color azul y naranja para ver adónde nos lleva. Es una estupidez no comprobar qué pasa con esos trozos de pasadizo.

—Pues yo creo que la idea de Hubert es buena —se atrevió a decir Odette—. Y podemos ganar mucho tiempo.

—Hubert no tiene razón siempre —objetó Morris, adelantándose hasta el centro del grupo. De repente había decidido que tenía que desarrollar un papel más dominante, sobre todo si era para enfrentarse a mí y para ganar—. Quizá la salida está precisamente al final de ese primer tramo azul y naranja. Hasta ahora el rojo y el verde no nos han llevado a ningún sitio.

—Hemos avanzado —aseguró Ichiro que era el que controlaba el mapa.

—¡No hemos avanzado! —le gritó Morris a la cara, muy cabreado—. ¡Nos hemos movido pero no hemos avanzado!

Se hizo el silencio en aquel rincón de pasadizo bajo tierra. En la cara de Ichiro vi que la afirmación de Morris era falsa. Sí que habíamos avanzado pero, como lo había desmentido gritando como un energúmeno, imponía su opinión a la fuerza. Así de simple. En realidad, a mí no me importaba recorrer aquel tramo de dragones de color azul y naranja y comprobar si yo estaba equivocado. Es más, en mi fuero interno creía que debíamos hacerlo. Pero la manera que tenía Morris de plantear todo como un enfrentamiento me hacía comportarme como un imbécil.

—¿Alguien se opone a que recorramos el tramo azul y naranja? —nos preguntó Ichiro con voz neutra.

—Yo me opongo —dije con firmeza—. Es una pérdida de tiempo absurda. El camino correcto es el rojo y el verde, aunque nos haga zigzaguear.

—Bueno, pero tú sólo eres uno —me explicó Morris dando un paso desafiante hacia mí y luciendo una hermosa sonrisa de satisfacción—. Nosotros somos cinco. Así que tú pierdes.

Sentí una ira ciega y unas enormes ganas de darle un fuerte puñetazo en su estúpida cara. Seguramente él ganaría la pelea pero, antes, se llevaría uno o dos buenos golpes que le dolerían bastante. Y, justo entonces, me di cuenta de que eso era exactamente lo que él quería, que había montado toda aquella escena precisamente para eso, para provocarme, para humillarme y para ganar, como si aquello fuera una competición. Todos íbamos en el mismo barco pero él no podía soportar sentirse el último mono —aunque sólo fueran imaginaciones de su enferma cabeza, porque ninguno le habíamos tratado mal— y lo pagaba conmigo como lo hubiera podido pagar con cualquiera a quien se le hubiera ocurrido una solución.

—De acuerdo —sonreí—, yo pierdo y tú ganas. Disfrútalo.

Le vi iluminarse como una bombilla de Navidad, feliz como si le hubiera tocado el premio gordo de la lotería.

—Yo también me opongo a recorrer el tramo azul y naranja —dijo Gabriella en ese momento, reaccionando como si despertara de un sueño. Caminando con decisión, se puso a mi lado—. Creo que Hubert tiene razón.

La ira de Morris le subió a la cara y, bajo su barba pelirroja, su rostro se coloreó de un rojo mucho más intenso. Quería asustar, imponer su corpulencia, ganar, tener la razón aunque no la tuviera, dominarnos y llevarnos a su terreno, el terreno en el que él era quien mandaba y quien decidía por todos.

—Me da igual que vosotros dos no vengáis —silabeó disparando saliva al hacerlo—. Los demás vamos a recorrer el camino de dragones azul y naranja.

—Tranquilo —declaré—. Nosotros también vamos.

—Si encontramos la salida —sonrió finalmente con orgullo—, tendrás que admitir que no eres tan listo como te crees.

—No soy tan listo como tú crees —repliqué irónicamente—. Pero si, al final, la salida está por el camino verde y rojo, serás tú quien tendrá que admitir que estaba equivocado.

Soltó una carcajada burlona y se dio la vuelta. Gabriella me puso una mano en el hombro y me lo apretó con fuerza, dándome ánimos.

Pasamos bajo las cabezas de dragón de color azul y naranja y, zigzagueando, llegamos a otra división de caminos: el de la izquierda mostraba unos nuevos dragones azul y naranja, y el de la derecha dragones amarillo y violeta, los colores que marcaban los caminos cortados. Seguimos, pues, la senda azul y naranja en completo silencio, dejando a ambos lados, durante mucho tiempo, tramos cortos y vacíos cuyo final iluminábamos con la luz de las linternas. Finalmente, tras más de una hora de caminata y de dejar atrás varios dragones de color azul y naranja llegamos a una nueva plazuela cuadrada idéntica a la otra en la que habíamos comido y que, ¡oh, sorpresa!, mostraba una única salida con dragones de color amarillo y violeta, es decir, camino cortado. Lo comprobamos cuidadosamente pero lo cierto era que el camino azul y naranja terminaba en la pequeña plaza. No había otra salida ni otro camino.

Morris, que antes se había puesto tan rojo, ahora estaba pálido y ceniciento como un muerto.

—Vaya, Morris —le dije con sorna—. Resulta que soy mucho más listo de lo que tú creías. ¿Serías tan amable de reconocer tu error, por favor?

—¡Vete al infierno! —exclamó girándose hacia una pared para esquivar nuestras miradas. Lamentablemente, había perdido la guerra que él mismo había empezado y, por ilógico que pudiera parecer, no iba ni a perdonarme a mí ni a perdonar a los demás porque, en su realidad, él no se había equivocado, nunca se equivocaba, sino que todos estábamos contra él y éramos sus enemigos declarados.

Nadie volvió a hacerle caso. Nos pusimos en marcha y no miramos atrás para comprobar si nos seguía o si había decidido quedarse allí para siempre. Nos había hecho pasar un mal rato y, además, habíamos perdido un par de horas.

Retrocedimos hasta el lugar donde se encontraban los tres posibles caminos y tomamos el que tenía las cabezas de color verde y rojo. Pasamos por debajo de ellas y continuamos adelante. Torcimos una vez a la derecha y avanzamos por un tramo recto. Luego, torcimos a la izquierda, pasamos por debajo de otros dragones rojo y verde y zigzagueamos un rato tranquilamente. A partir de aquel punto las cabezas de dragón desaparecieron por completo, así como las bifurcaciones. Apenas veíamos algún tramo corto cerrado a un lado o a otro.

Cerca de la media noche, ahora ya sí agotados y hambrientos, paramos precisamente en uno de esos tramos para cenar y descansar las piernas.

—¿Cómo es posible —preguntó Odette entre bocado y bocado a una bola de arroz— que llevemos desde buena mañana caminando por debajo de un barrio que podríamos haber recorrido entero en unas pocas horas? No lo entiendo.

—Estamos dando muchas vueltas —le respondió Gabriella, haciendo desaparecer un trozo de zanahoria en la boca.

—No podía ser un camino tan largo para las prostitutas que escapaban —objetó Oliver.

—No, claro que no —comenté yo—. Saito utilizó el viejo túnel para construir el laberinto y lo amplió hasta convertirlo en esto.

—Pues yo creo que pensó que nadie llegaría tan lejos —dijo Ichiro—. Me extraña que no hayamos vuelto a encontrar cabezas de dragones desde hace varias horas.

—¡Mejor! —exclamó Odette con toda su alma.

Y todos asentimos y sonreímos menos Morris, que se mantenía fuera del grupo, sin hablar, sin reaccionar a los comentarios, como si no estuviera.

Pero no imaginábamos lo equivocados que estábamos. Claro que Saito había supuesto que alguien llegaría hasta el final. Siempre lo suponía.

Cerca de las tres de la madrugada llegamos a una nueva placita. Una pequeña mesa de piedra se alzaba en su centro y encima vimos la acostumbrada bolsa hermética de plástico.

—¡Pero si aún no hemos salido del laberinto! —exclamó Odette.

—¿Es que hemos superado ya esta trampa y yo no me he enterado? —bromeó Oliver.

Tuve un mal presentimiento. ¿Por qué nos entregaba las pistas de la siguiente prueba antes de acabar la que teníamos entre manos? Nos acercamos muy despacio, agotados de tanto caminar y vimos, efectivamente, una nueva lámina de *ukiyo-e* y una nueva ficha de madera (esta vez totalmente lisa, sin grabados en ninguna de sus superficies) dentro de la sucia bolsa transparente.

La lámina, en el *Retrato de Père Tanguy*, era la primera por abajo en el lado izquierdo y no se trataba precisamente de la más bonita. Sin embargo, en la copia del original que teníamos delante se distinguían, a diferencia de las manchas de colores sin formas que había pintado Vincent, algunas de esas pequeñas flores llamadas campanillas en colores rojo y púrpura sobre manchas de hojas verdes junto a unas diminutas figuras humanas que parecían estar contemplándolas desde lejos. Incluso con lo cansado que estaba pude apreciar la originalidad del punto de vista del autor, al haber dibujado las pequeñas campanillas en primer plano con un tamaño gigantesco al lado de unas personas diminutas, dibujadas así para representar la perspectiva. El cielo era blanco con nubes rojas y de ellas salía un pájaro que parecía dirigirse directamente hacia las campanillas. A diferencia de las láminas anteriores, ésta presentaba un marco de color azul claro con una cenefa también de campanillas. Como siempre, en la parte posterior había un mensaje de Saito:

—«En la espalda de Nyorai» —leyó y tradujo Ichiro. Pero estábamos demasiado fatigados como para preguntar quién demonios era Nyorai y qué le pasaba a su espalda. Bastante doloridas estaban las nuestras.

Ichiro guardó la bolsa en su mochila y continuamos nuestro camino hacia el final del laberinto. Al poco de haber dejado atrás la placita con la mesa de piedra, tropezamos de nuevo con otro par de cabezas de dragones de color verde y rojo. Sin decir nada, atontados ya de puro cansancio, nos fuimos quitando las mochilas a cámara lenta (a esas horas, pesaban varias toneladas), nos pegamos a la pared y comenzamos a avanzar de lado.

Recuerdo haber escuchado un último «clic» metálico que me despejó de golpe del cansancio antes de notar que me fallaba el suelo bajo los pies. Sentí que caía al vacío mientras la mochila y la linterna volaban por los aires y alguien, en el interior más profundo de mi cabeza, se preguntaba dónde estaba la explosión de fuego.

Pero no había explosión de fuego. Ni luz. Estaba cayendo a toda velocidad por una especie de gigantesco tobogán de piedra que me zarandeaba de un lado a otro sin que pudiera evitarlo. Escuché gritos, golpes. Supe que delante de mí estaban cayendo otros y que otros venían detrás de mí. Pero por mucho que estiraba los brazos intentando frenarme, la maldita rampa estaba demasiado inclinada y era demasiado ancha como para alcanzar sus paredes salvo para golpearte contra ellas. La alarma y el pánico provocados por el tremendo sobresalto me impedían pensar y por supuesto se agigantaron conforme continuaba aquella larga caída de casi treinta metros.

Al final, la rampa terminó y, a oscuras como estábamos, sentí que volaba por los aires unos instantes y que caía al vacío sin control. De pronto, mis pies chocaron con fuerza, en diagonal, contra una superficie de agua helada en la que me zambullí profundamente. Me sentía confundido, desorientado, incapaz de saber qué estaba pasando pero lleno de adrenalina como para disparar un cohete, de modo que mi instinto de supervivencia me impulsó a patalear con todas mis fuerzas en cuanto dejé de hundirme para tratar de ganar la superficie. Me encontraba muy al fondo de aquel pozo y sólo veía, de vez en cuando, el punto de luz de alguna de nuestras linternas hundiéndose y desapareciendo.

Nadé desesperadamente porque no me quedaba aire y, en segundos, un incontrolable espasmo reflejo iba a obligarme a aspirar por la boca un montón de agua que me llenaría los pulmones y me ahogaría. A décimas de segundo de ese momento, conseguí salir a la superficie y mi primera respiración me sirvió para soltar un grito de rabia que resonó contra las paredes de donde quiera que estuviéramos.

—¡Hubert! —gritó la voz de Gabriella en respuesta.

—¡Gabriella! —aullé.

Nadé a ciegas hacia ella y, en ese momento, recordé el móvil que tenía en el bolsillo. Me detuve, lo saqué y encendí la luz. Gabriella estaba casi enfrente de mí pero no pude detenerme a mirar a nuestro alrededor porque el súbito gesto de terror de su cara me hizo girarme hacia el punto fijo que ella miraba. En medio de nuestras mochilas, dispersas por aquí y por allá, que flotaban con un suave balanceo, algo pequeño permanecía quieto en el agua.

—¡Odette! —exclamé, lanzando mi teléfono hacia Gabriella y empezando a nadar en dirección a Odette. Llegué hasta ella al mismo tiempo que Ichiro y entre ambos le dimos la vuelta y empezamos a zarandearla—. ¡Odette!

Abrió ligeramente los ojos e hizo el intento de respirar pero no pudo. Había respirado agua y se ahogaba.

—¡Allí! —exclamó la voz de Oliver a mi espalda. Sólo recuerdo haber visto un trozo de su mano señalando una plataforma que estaba como a unos diez metros de nosotros.

Ichiro y yo empezamos a nadar con un brazo mientras con el otro tirábamos de Odette. Ella era la enfermera, la que siempre ayudaba a los demás, la que cuidaba de nosotros. ¿Cómo íbamos a ayudarla ahora nosotros a ella? Yo no sabía lo que había que hacer para salvar a un ahogado.

Llegamos a la plataforma cuando ya Morris se había subido a ella y se había puesto en un rincón con la luz de su móvil encendida. No me entretuve pensando si se había ido al rincón porque seguía enfadado o para no molestar durante las maniobras que tuviéramos que hacer. Salí del agua dándome impulso con los brazos y cogí el cuerpo inerte de Odette que Ichiro y Oliver me entregaron desde abajo. La tumbé en el suelo, boca arriba y pensé que debía hacerle el boca a boca, aunque no tenía ni idea de cómo se hacía.

—¡De lado, ponedla de lado! —nos dijo Gabriella a voces desde el agua.

Pero Oliver ya se estaba inclinando sobre Odette y había puesto sus labios alrededor de los de ella. Le vi soplar tan fuerte que su cara de piel morena se puso totalmente roja por el esfuerzo. El pecho de Odette se elevó suavemente. Y, entonces, ella se arqueó como en una posesión demoníaca de película y, entre espasmos, empezó a toser y a dejar salir agua por la boca a borbotones. Me sentí aliviado y feliz.

Gabriella ya había salido del pozo y había empezado a golpear la espalda de Odette como si quisiera desatascarle la tráquea de algún trozo de comida.

—No, no, Gabriella —le pidió Oliver haciéndose cargo de Odette otra vez—. No necesita eso. Hay que tumbarla de lado, sobre el costado izquierdo. Mi hermano estuvo a punto de ahogarse una vez y recuerdo bastante bien lo que hay que hacer.

La colocó cuidadosamente sobre el suelo mojado de modo que Odette continuó echando agua por la boca pero empezó a respirar con bocanadas ansiosas. Todos nos quedamos quietos y en silencio, mirándola. Unos minutos después abrió los ojos y nos miró con afecto.

—Gracias —murmuró intentando sonreír.

—¿Dónde estamos? —preguntó abruptamente Morris.

La plataforma tenía una escalera metálica que ascendía en círculos pegada a las paredes de aquel enorme pozo. Cuando Odette fue capaz, por fin, de ponerse en pie y el color volvió a sus labios y a sus mejillas empezamos a fijarnos en el lugar en el que nos encontrábamos. Hacía un frío terrible y estábamos calados de agua hasta los huesos. Yo había perdido mis gafas en algún punto y no disfrutaba de una visión muy clara pero me preocupaba mucho más el frío brutal. Debíamos darnos prisa en salir de allí.

—Hay que recuperar las mochilas —nos dijo Ichiro, más tranquilo—. En la mía está la bolsa de plástico con la nueva lámina de *ukiyo-e* y la nueva ficha de madera. También están todas las fichas de madera que hemos ido encontrando hasta ahora. No podemos perderlas.

—¿Por qué llevas encima todas las fichas de madera? —se extrañó Gabriella—. Sería más seguro dejarlas en Shizuoka, con tu padre.

—Pueden hacernos falta en cualquier momento —le respondió él, sacudiendo con pesar la cabeza mientras miraba hacia el agua—. No sabemos para qué sirven pero en cualquiera de las trampas podemos necesitarlas. Por eso las llevo siempre conmigo.

Así que, aún con la ropa mojada pegada al cuerpo y tiritando de frío, Ichiro, Oliver y yo nos lanzamos de nuevo al agua helada y fuimos rescatando una a una las seis mochilas. Morris no se molestó ni en ayudar a subirlas a la plataforma conforme nosotros las íbamos acercando. Nos miraba con profundo desprecio desde su solitario rincón.

Cuando terminamos, los tres nos quedamos tumbados en el suelo sin fuerzas para movernos. Recuerdo que Gabriella se acercó hasta mí para frotarme las manos y los brazos en un vano intento por hacerme entrar en calor. También Odette lo intentó con Oliver. Pero estábamos congelados. Debíamos movernos o cogeríamos una pulmonía. Ichiro, tan voluntarioso como siempre, hizo un gran esfuerzo y consiguió ponerse en pie y examinar el contenido de su mochila, que era lo que más le preocupaba por el asunto de las fichas. Cuando se quedó satisfecho con el resultado, y mientras Oliver y yo, ya en pie, tratábamos inútilmente de controlar el tembleque, se acercó a una gran placa metálica clavada en la pared de la plataforma y leyó lo que ponía en japonés.

—Estamos en el G-Can número dos de Tokio —nos dijo como si nosotros supiéramos lo que era un G-Can—. Me temo que vamos a tener que subir muchas escaleras pero eso es bueno porque así entraremos en calor.

—¿Qué es un G-Can? —le preguntó Gabriella mirando asombrada cómo Ichiro, sujetándose a la barandilla, empezaba el ascenso lleno de energía.

—Tokio se inunda con las lluvias de los muchos tifones que sufre Japón anualmente —le dijo él sin detenerse. Los demás empezamos a ponernos en marcha porque nos estaba dejando allí abajo sin mirar si le seguíamos—. Tenemos tantos ríos y llueve tanto que éstos acaban desbordándose y provocando grandes catástrofes. Es el mismo problema que tienen en el país de Hubert con el mar. Pero mientras que en Holanda construyen diques aquí, desde 1992, construimos estos enormes tanques de almacenamiento de agua. Cuando los ríos vienen crecidos desde las montañas que rodean Tokio, el exceso de agua entra hasta aquí por unas compuertas impidiendo que se inunde la ciudad. Es una enorme infraestructura hidráulica que costó miles de millones de yenes pero que sigue salvando muchas vidas. A estos tanques de almacenamiento se les conoce como G-Cans. Y aún hay otro más grande donde los cinco tanques principales, incluido éste, desaguan cuando se desbordan. Es tan grande que le llaman «La Catedral». Allí se han rodado muchas películas.

Pues aquel G-Can era bastante enorme. De hecho, estuvimos subiendo escaleras y deteniéndonos a descansar en plataformas durante más de cuarenta y cinco minutos. Pero, conforme ascendíamos, hacía mucho menos frío y nos encontrábamos mejor. Cuando, por fin, llegamos a la parte de arriba, avanzamos por largos pasillos y pasamos junto a oficinas y salas de reunión oscuras y vacías a esas horas de la madrugada. Tuvimos la enorme suerte de que el G-Can no necesitaba vigilancia nocturna (y si la tenía, no la vimos), de modo que pudimos romper el pequeño cerrojo que clausuraba la puerta y salir al exterior por una pequeña garita situada junto a unos columpios en mitad del parque Yoshiwara, frente al burdel Uchikake unryū. Nos quedamos alucinados de pensar que aquella caseta que pasaba totalmente desapercibida pudiera llevar a una obra de ingeniería tan gigantesca como la que habíamos tenido el placer de conocer y utilizar como piscina privada.

El sol estaba saliendo y pronto las calles de Tokio, incluido el viejo barrio de prostitución, quedarían abarrotados de gente y de turistas, de modo que Ichiro llamó por teléfono y varios cochazos de cristales tintados como el que se había quedado el día anterior protegiendo la entrada del burdel se presentaron al cabo de pocos minutos para llevarnos al hotel y que pudiéramos descansar unas horas antes de ponernos otra vez en marcha.

Caí inconsciente en la cama y me desperté pasado el mediodía, cuando mi nuevo teléfono móvil, que funcionaba perfectamente a pesar del chapuzón, empezó a sonar con bastante insistencia. Medio atontado aún y sintiendo pinchazos dolorosos en distintas partes de mi cuerpo, respondí a la llamada. Era Ichiro.

—Hubert, perdona que te despierte —me dijo con voz compungida—, pero es que John se ha marchado. Ha dejado una nota en la recepción del hotel. Parece que ya ha cogido un vuelo de regreso a los Estados Unidos.

¿Morris se había largado…? ¡Bien! ¡Ya era hora!

13

La diosa comedora de niños

La conmoción que sufrió Ichiro por la deserción de Morris me resultó totalmente incomprensible. Estaba destrozado y, por lo visto, el resto de la familia Koga también. Desde Shizuoka, Kentaro y Midori empezaron a hacer gestiones desesperadas para conseguir que volviera. Creo que, incluso, lograron hablar con él antes de que aterrizara en su país pero, aunque imagino que le ofrecieron bastante más dinero, Morris no volvió. Y por mucho que los Koga vivieran su marcha como una enorme pérdida, nosotros cuatro, sus compañeros, nos sentimos bastante contentos en general. Odette, que había sido reconocida por un médico en cuanto llegamos al hotel aquella madrugada y se encontraba ya perfectamente, fue la única que lamentó un poco la marcha de Morris por aquello de que para ella todo el mundo era bueno y la maldad no existía. Gabriella y Oliver, en cambio, sonreían sin disimular la alegría que sentían, mientras que yo parecía tranquilo y flemático pero, en mi interior, estaba celebrando una fiesta por todo lo alto. Nada podría haberme hecho más feliz. Que le aguantaran en Warren, Michigan, si es que podían y no terminaban echándolo a patadas a la vuelta de unos pocos años.

A última hora de la tarde de aquel inolvidable día de agosto, Ichiro apareció apresuradamente en el elegante salón de té del hotel donde le estábamos esperando. Su gesto era serio, duro, y se veía a la legua que estaba de un humor oscuro y tormentoso, como el tiempo que hacía en Tokio en aquellos momentos.

—Ya no contesta al teléfono —empezó a decir en cuanto tomó asiento entre nosotros—. No podemos hablar con él.

Lo dijo como si fuera una tragedia, tan absorto en su particular drama que no se dio cuenta de la indiferencia con la que reaccionamos a su enorme preocupación. Tras un breve silencio, añadió:

—¿Cómo vamos a continuar sin él? No podemos.

—¿Cómo que no podemos? —saltó Gabriella, indignada—. ¡Ahora es cuando sí podemos! Ya no tenemos que cargar todo el día con un tipo grosero, antipático y violento que creaba un mal rollo terrible entre nosotros. Estaba cansada ya de tantas discusiones y enfrentamientos. Que le vaya bien.

Ichiro la miró desconcertado y creo que por primera vez desde que había recogido la nota de despedida de Morris en la recepción del hotel se dio cuenta de que nosotros cuatro estábamos encantados con su desaparición y que no compartíamos en absoluto la pena de la familia Koga. Le costó un poco asimilarlo porque llevaba horas de llamadas telefónicas y de conversaciones con su mujer y su padre, los tres girando enloquecidos dentro de la misma espiral obsesiva de hacer volver al idiota de Morris. Sólo entonces se percató de que el resto del mundo no compartía su preocupación, más bien todo lo contrario. Abrió mucho sus ojos rasgados, mirándonos sorprendido de uno en uno y, cuando terminó de examinarnos a conciencia, asintió levemente con la cabeza admitiendo, por fin, la realidad. Nosotros no queríamos, de ninguna manera, que Morris volviera.

—Bueno, me parece que os gustaría seguir aunque John ya no esté —murmuró.

—Claro que nos gustaría —le dijo dulcemente Odette.

—Yo opino como Gabriella —añadió Oliver con una gran sonrisa—. Creo que ahora estaremos mejor, más tranquilos y más unidos. John era insoportable y nos ponía a todos de mal humor.

Ichiro guardó silencio un rato muy largo durante el cual una solícita camarera vestida con kimono le preguntó en el idioma común de ambos si deseaba tomar el té, a lo que Ichiro respondió afirmativamente, aún perdido en sus tristes pensamientos.

Sólo después de dar el primer sorbo a la aromática bebida en su pequeño cuenco de cerámica y de soltar un largo suspiro de resignación, los ojos de Ichiro recuperaron su viveza habitual y su brillo decidido.

—¡Caray, claro que podemos seguir! —exclamó frunciendo el ceño—. ¡Menos mal que este nuevo grabado de *ukiyo-e* no presenta grandes problemas!

Todos sonreímos aliviados y hasta se nos veía felices de volver a sufrir las malvadas torturas ingeniadas por Ryoei Saito.

—¿Ya sabéis de qué se trata? —preguntó Oliver con curiosidad.

—No, aún no —le respondió Ichiro—. Hemos estado muy ocupados todo el día con el problema de John. Pero le diré a mi padre que empiece ahora mismo a estudiar la lámina. Sabemos cuál es porque se trata de una pintura anónima muy famosa, *Iriya: Glorias de la mañana*, una de las láminas de la serie «Famosas vistas de Tokio» publicada en 1870. Iriya es un barrio de Tokio en el que, a primeros de julio, se celebra uno de los festivales más populares y conocidos de Japón, el festival Asagao. *Asagao* significa lo mismo que Glorias de la Mañana o el otro nombre que tienen estas flores, campanillas. En Iriya se celebra el festival de las campanillas más importante de Japón, y hay muchísimos por todo el país.

—Pero estamos en agosto —objeté yo, ajustándome las viejas gafas de repuesto que siempre metía en la maleta cuando salía de viaje—. El festival fue hace más de un mes.

—Mañana podré deciros algo, Hubert —me respondió apenado—. Hoy ha sido un día difícil. Estoy seguro de que mi padre se quedará toda la noche trabajando y tendremos la información a primera hora de la mañana. Le encanta quedarse despierto haciendo cosas hasta la madrugada. Mi madre ya se resignó hace muchos años.

Con una sonrisa cansada se terminó su bebida caliente, se puso en pie y se despidió de nosotros.

—¿A nadie le resulta extraño —empezó a preguntar Gabriella en cuanto Ichiro desapareció— que los Koga sientan tanto afecto por un imbécil como John Morris?

—A mí —admitió Oliver, pensativo—. No puedo entender por qué John es tan especial para ellos.

—Me parece que querían ayudarle —apuntó Odette sonriendo—. Los Koga son muy buena gente y, en cuanto se dieron cuenta de cómo era John, pensaron que esta aventura del cuadro y la convivencia con gente tan diferente le vendrían bien para mejorar un poco el carácter. Ichiro y Midori no tienen hijos propios y supongo que se sienten responsables de nosotros.

—Eres demasiado buena, Odette —le dije con afecto, acabando mi té y limpiándome el bigote con una servilleta de papel—. Los Koga no están tan ciegos como para no ver que Morris es un capullo integral sin arreglo. Para ellos lo importante es el cuadro de Van Gogh, están obsesionados con encontrarlo. No te olvides que llevan más de veinte años buscándolo. Y, admitámoslo, cuando Morris no estaba en mitad de un brote psicótico, era bastante útil en las pruebas por sus conocimientos de los materiales de construcción, las puertas, las mediciones y ese tipo de cosas.

—Me apuesto lo que queráis —añadió Oliver, levantándose del cómodo sillón occidental en el que había estado sentado tomando su té—, a que ni siquiera vamos a notar que se ha marchado. Yo ya le he borrado por completo.

—Pues él ha empezado antes que tú —le anunció Gabriella que estaba mirando su móvil—. John ya se ha borrado de nuestro grupo de WhatsApp y me ha bloqueado en todas las redes. Supongo que a vosotros también.

Gabriella, Oliver y yo nos reímos. Odette sonrió con un poco de pena, pero sonrió. Morris era tan tonto como un niño malcriado.

—Te voy a copiar, Oliver —le dije, levantándome también—. Morris es agua pasada. No creo que vuelva a acordarme de él.

Gabriella y Odette se mostraron conformes. Y, de hecho, durante la cena, a la que no asistió Ichiro porque estaba trabajando con su padre desde algún despacho en unas oficinas que tenían en Tokio, no lo mencionamos ni una sola vez. Los cuatro que quedábamos nos sentíamos más unidos que nunca y la conversación se volvió más personal, más de amigos y no sólo de compañeros de trabajo.

A la mañana siguiente, que era domingo, a primera hora, Ichiro nos convocó en una sala reservada del hotel, en la que también nos sirvieron el desayuno antes de empezar a trabajar. Ichiro parecía renovado y se mostraba tan nervioso por la siguiente prueba como siempre. Me pregunté cuánto habría dormido esa noche porque aquel japonés estaba movido por una pasión tan grande que el sueño no era una de sus prioridades.

—Parece que la primera impresión de mi padre —empezó a decirnos tras repartir entre nosotros reproducciones de la lámina de las campanillas y, de nuevo, del *Retrato de Père Tanguy* en el que Van Gogh había copiado las flores— era bastante acertada. En esta ocasión, Saito, con el famoso grabado *Iriya: Glorias de la mañana*, de 1870, nos lleva al barrio tokiota de Iriya, cerca de Ueno, donde se celebra desde hace muchos siglos el Asagao Matsuri, el festival de las campanillas. Del 6 al 8 de julio, todos los años, las calles alrededor del templo Iriya Kishimojin, que fue donde empezó el festival, se llenan de puestos de flores y de gente. Hay más de cien puestos de venta de campanillas y acuden más de cuatrocientas mil personas. Es tradicional en Japón que las campanillas decoren los hogares durante el verano.

—¿Hay algún puesto de flores más importante que los demás? —preguntó Odette.

—No —repuso Ichiro, encantado con la pregunta—. Y eso nos lleva al núcleo central del festival.

—El templo Kishi-lo-que-sea —comentó Oliver. Ichiro asintió.

—El templo Iriya Kishimojin, también conocido como templo Shingen-ji, que se fundó en 1659 y que está dedicado a una diosa malvada del budismo indio, Kishimojin, que raptaba niños y se los comía. ¿Os acordáis del mensaje escrito por Saito en la parte posterior de la lámina?

Todos dijimos que no con la cabeza.

—«En la espalda de Nyorai» —nos recordó Ichiro—. Nyorai es el nombre de Buda en japonés. Pues parece que fue Nyorai, o sea Buda, quien quiso darle una lección a la ruin Kishimojin por comer tiernos infantes raptando a su hijo pequeño. La diosa sufrió tanto por la desaparición de su hijo que se convirtió en la protectora de los niños, las madres y los nacimientos en Japón. El templo de Iriya Kishimojin, dedicado a ella, es un pequeño templo que, con los siglos, ha quedado encerrado entre altos y modernos edificios en el centro de Tokio.

—¿Y se ha conservado desde 1659? —se sorprendió Gabriella.

—Sí, claro —afirmó Ichiro con firmeza—. En Japón los templos se conservan perfectamente porque, como están hechos de madera, cada cierto número de años se vuelven a construir enteros con la misma forma que tenían. La madera cambia pero el templo sigue. La cuestión es que es un templo sin demasiada importancia aunque muy conocido por ser el centro del Asagao Matsuri, el festival de las campanillas. El resto del año pasa desapercibido y suele estar vacío.

—¿Y hay algún Buda en el templo? —preguntó Oliver—. Quiero decir, algún Nyorai con la espalda a la vista.

Ichiro asintió y nos entregó a cada uno la copia de una fotografía en la que se veía de cerca, ocupando toda la imagen, un Buda sentado sobre una gran flor de loto esculpido en una suave piedra de color gris claro, con las piernas cruzadas, las manos en posición de oración y una curiosa cabeza rapada tan redonda como un balón de fútbol. Detrás de él se distinguía una especie de caballete de tejado, así que me dio la impresión de que debía de estar colocado en algún lugar muy alto.

—No creo que podamos verle la espalda —dije señalando el caballete.

Ichiro se rio.

—No es un tejado —me dijo—. Es un muro. El muro del cementerio del templo, que está detrás. Pero no tendremos ningún problema porque la fiesta del Obon, la festividad anual de los muertos, empieza mañana lunes, 13 de agosto, y termina el próximo jueves, día 16. Así que hoy no habrá nadie por allí ya que todo el mundo comenzará a visitar los *ohaka*, los monumentos a los antepasados, a partir de mañana.

—Es un consuelo saberlo —comenté—. No me parecía bien que la gente nos viera manoseando la espalda de un Buda.

—Tranquilo, eso no va a ocurrir —se rio Ichiro—. Además, el Nyorai tampoco es demasiado grande. Mi padre asegura que podremos examinar la espalda de la estatua sin ningún problema. Ha estado varias veces allí con mi madre, en el Asagao Matsuri, comprando campanillas. El Nyorai está nada más entrar en el recinto del templo, a la izquierda. Él nos recomienda que vayamos por la noche, una vez que haya oscurecido, pero yo creo que las luces de las linternas alarmarían más a los vecinos. Si vamos ahora, por ejemplo, como el Nyorai está bajo un tejadillo, podemos meternos por detrás y, si nos pilla alguien, pues pedimos disculpas.

—Tú no eres budista, ¿verdad? —le preguntó Gabriella sorprendida.

—¡Sí que lo soy! —protestó él, riendo—. Y también sintoísta. Como todos los japoneses.

Resultó que el barrio de Iriya estaba cerca de nuestro hotel, así que, tras pasar por una óptica cercana para hacerme unas gafas nuevas que me entregaron en menos de media hora, nos montamos en uno de los grandes vehículos de Ichiro y llegamos al templo diez minutos después. La verja metálica estaba abierta y se veían muchos árboles ocultándolo todo menos el edificio principal, ahora cerrado a cal y canto, delante del cual colgaban dos gruesas cuerdas con cascabeles gigantes de los que se utilizan para la oración. Entre ellas, y bajo un frontón de dragones tallados en la madera, destacaba un enorme globo de papel rojo con caracteres japoneses dibujados en negro. Al salir del coche cargado con la mochila que Ichiro nos había dado durante el trayecto, el golpe de calor húmedo fue tremendo. Me quedé totalmente noqueado. Menudas temperaturas extremas tenían en ese país. Y, encima, el cielo se había nublado.

El templo estaba en una calle muy ancha, la calle Kototoi, llena de tráfico pero con unas enormes aceras totalmente vacías. Aquellas aceras, desde luego, podían acoger a los vendedores de flores y a los cuatrocientos mil paseantes durante el festival de las campanillas sin el menor problema. También el recinto del templo estaba vacío, por lo menos el patio descubierto con incensario central en el que nos encontrábamos, alrededor del cual había varios templetes pequeños, también cerrados, y varias estatuas con flores frescas delante. La de la diosa ex comedora de niños, Kishimojin, era bastante agradable; podría haber pasado por una dulce Virgen románica con el Niño en brazos si no hubiera sido por su cabeza totalmente calva y redonda y sus ojos orientales.

Lo más extraño era que, también a diferencia de la Virgen románica, ésta no sólo parecía una imagen reciente sino que hubiera jurado que estaba fabricada con un molde y no esculpida por un artesano. Eso o que los japoneses eran tan limpios que sus estatuas, pese a estar expuestas al aire en el centro de una gran ciudad, no tenían suciedad histórica de ninguna clase. No se me ocurrió preguntarle a Ichiro si es que acaso también se deshacían de las viejas y las reponían con imitaciones nuevas.

Curiosamente, ambos, tanto la diosa como el niño que cargaba en brazos, llevaban una especie de baberos o servilletas rojas al cuello que, por lo visto, servían para ahuyentar a los malos espíritus, a los *kami* malvados. También ella estaba sobre un loto, como el Nyorai, que quedaba a su lado, y, como él, también tenía delante un enorme incensario rectangular de piedra con kilos y kilos de viejas cenizas.

Distraído como estaba contemplando el lugar y disfrutando como un turista cualquiera, no me di cuenta de que Ichiro se había quitado la mochila de la espalda, había pasado por encima del incensario del Nyorai y estaba intentando, con grandes aprietos, meterse entre la estatua y el muro.

—¡Sal de ahí! —le pidió Gabriella, apurada por si alguien le veía—. ¡Pero si no cabes!

Él se rindió y sacó la única pierna y el único brazo que había podido meter detrás del Nyorai.

—La entrada no está aquí —nos anunció como si no fuera algo evidente.

—Pues pasa la mano para ver si notas algo —le recomendó Gabriella—. El mensaje de Saito estaba muy claro.

No pude evitar acordarme de Morris y de la extraordinaria sensibilidad que tenía en sus gordos y grasientos dedos. Hubiera dejado aceitada la espalda del Nyorai pero, si allí había alguna cosa, él la hubiera encontrado a la primera.

—No noto nada —se lamentó Ichiro saliendo del templete saltando por encima del gran incensario—. Intentadlo alguno de vosotros.

Todos miramos a Odette. Tenía el tamaño corporal perfecto y ese tacto profesional que tienen las enfermeras en las yemas de los dedos para encontrar venas en los brazos más suaves y lisos.

—Preferiría no hacerlo —murmuró ella.

Pero Oliver ya la estaba cogiendo por debajo de los brazos y, levantándola por los aires como si fuera una pluma, sin ningún esfuerzo, la pasó sobre el incensario con mochila y todo y la dejó junto al loto con el Nyorai que, visto de cerca, parecía, como Kishimojin, haber sido hecho recientemente en alguna fábrica moderna de Nyorais.

Ella se giró con timidez y, quitándose la carga de la espalda, se asomó al estrecho espacio por el que podía verse la espalda de Buda. Luego, levantó el brazo izquierdo y lo hizo desaparecer detrás de la estatua. Se quedó inmóvil y en silencio, con los ojos bajos, concentrada en lo que le decían sus dedos.

De repente, uno de los lados del incensario gigante de la diosa Kishimojin empezó a desplazarse en ángulo hacia el exterior del pequeño estrado sobre el que se encontraban tanto ella como el Nyorai.

—He pulsado una especie de pequeño botón —nos dijo Odette, tan sorprendida como nosotros.

El incensario de piedra siguió girando igual que una navaja desplegando la hoja y se detuvo en un perfecto ángulo recto respecto a su posición original, dejando al descubierto un estrecho hueco por el que descendía una escalera de piedra gris. ¿Tenía que ser el incensario de la diosa comedora de niños el que se abría y no el del propio Nyorai? Aquello daba mala espina. Seguro que estaba hecho con mala intención.

—¿Otra vez? —me quejé—. ¿Es que siempre vamos a tener que meternos bajo tierra?

—¿Dónde crees que se esconden siempre los misterios más grandes y los tesoros más valiosos? —me respondió Ichiro lanzándose a toda velocidad hacia la entrada.

Allá íbamos de nuevo, me dije con resignación. A saber cuándo volvería a ver la luz del sol o las nubes del cielo o las calles atestadas de tráfico. A saber dónde acabaríamos si solucionábamos la prueba. Oliver, que me leyó la cara, me dio una palmadita de ánimo en el hombro al adelantarme para descender por el hueco detrás de Ichiro. Dejé pasar a Odette y a Gabriella y yo ocupé el último lugar, el que antes ocupaba siempre Morris. Visto lo mucho que aún me acordaba de él, tuve claro que tardaría un tiempo en olvidarle por completo. Pero lo estaba deseando. Era un recuerdo desagradable.

Bajamos la escalera y, al poco, tuvimos que encender las linternas. Parecía que los Koga tenían un suministro de linternas interminable. A lo mejor también las fabricaban ellos. Y, además, disfrutaban de una intendencia perfecta así como de una magnífica logística. ¿Cómo, si no, hubieran podido prepararnos las mochilas para las trampas con semejante eficacia y rapidez? Aunque después de ver lo del coche de seguridad aparcando delante de la puerta del burdel de Yoshiwara no sé de qué me sorprendía. Quizá no fuera tan mala idea cerrar mi galería de arte y abrir una funeraria. A fin de cuentas, era un negocio con clientela asegurada.

No sé cuánto descendimos por aquella escalera pero yo diría que unos tres pisos de un edificio normal en Occidente. Al final, tras caminar por un largo pasillo durante unos diez minutos, llegamos, como siempre, a una especie de recibidor no demasiado grande con una puerta metálica adornada con un único tirador, aunque esta vez el aspecto era un poco diferente: parecía una de esas puertas estancas que se usaban en los submarinos, las que no tocan el suelo y tienen marco también por la parte de abajo. Su aparente sencillez no nos engañó. Sabíamos que, en realidad, era una puerta acorazada con pasadores de acero que pondría en marcha toda la vieja maquinaria de la prueba que Saito hubiera montado para esta ocasión.

Al menos, allí, bajo tierra no hacía el calor de arriba. Más bien lo contrario. La pobre Odette, que había sudado lo suyo con el Nyorai, estornudó.

—Venga, Ichiro, abre —le pidió Oliver—. Siento curiosidad.

Ichiro tiró del asa y, con mucho esfuerzo, desplazó la hoja lo suficiente como para colarse dentro. Las potentes luces del interior se encendieron de golpe, cegándonos por unos instantes, y se escuchó, arriba, el sonido del pesado incensario de piedra volviendo a su lugar.

—¿Qué demonios es eso? —preguntó Ichiro desapareciendo dentro de la sala iluminada.

La puerta estanca no se quedaba quieta. Se vencía de nuevo para cerrarse a la fuerza y, cuando pasó Odette, Gabriella y yo tuvimos que sujetarla con fuerza para que no la aplastara. La maldita puerta quería cerrarse y no había forma de impedírselo.

—¿Ponemos una mochila? —me propuso Gabriella.

—Sí, creo que sí —repuse quitándome la mía del hombro y colocándola entre el marco y la hoja cuando ya estuvimos los dos dentro. Ver cómo mi robusta mochila de montaña resultaba aplastada como si fuera de mantequilla me dejó tan pasmado que no me fijé en la habitación en la que habíamos entrado. Por eso, la voz extrañamente ahogada de Oliver me sorprendió:

—Pero… ¿Esto qué es? ¿Se supone que tenemos que ponernos a cantar o algo así?

14

El canto de la ballena

Lo que era no lo sabíamos. Lo que parecía era el estudio de una antigua emisora de radio. Las paredes, el suelo y el techo de aquella gran habitación no sólo estaban insonorizados sino que absorbían parte del ruido, especialmente las reflexiones de nuestras propias voces, dejándolas tan limpias que nos sonaban raras. Y qué decir de la sala en sí, recubierta en su mayor parte por pequeñas pirámides puntiagudas con aspecto de cartones para huevos aunque de un tenebroso color gris marengo. Todo era de color gris marengo. Por eso los focos de luz blanca del techo eran tan potentes. Sin duda, parecía una gran cabina de radio.

Sin embargo, en la mesa del centro de la habitación no había ningún micrófono, ni tampoco colgaba ninguno del techo ni nada parecido. ¿Y qué es un estudio de radio sin un micrófono? Oliver se había equivocado al suponer que teníamos que ponernos a cantar. Allí sólo había una vieja y enorme mesa de mezclas con millones de pequeños botones y, sobre ella, cuatro viejos monitores de fósforo verde —de los anchos de antes, con tubos de rayos catódicos— que, al estar ya encendidos, dejaban ver una línea plana horizontal en su centro.

—¿Qué se supone que debemos hacer aquí? —preguntó Gabriella con los ojos abiertos como platos.

—Si no os importa —dije yo, rompiendo la magia del momento—, podríais ayudarme a recuperar mi mochila. La puse ahí para intentar que la puerta no se cerrara pero, como podéis comprobar, se ha quedado un poco aplastada.

—¡Madre mía! —exclamó Odette al verla.

—Lo sé —respondí—, pero no me podía imaginar que la hoja tuviera tanta fuerza. Pesa mucho pero no tanto como para aplastar así mi mochila.

—Tiene que tener algún tipo de mecanismo especial para poder hacer eso —dijo Oliver sin atreverse a añadir lo que todos estábamos pensando: que Morris hubiera sabido perfectamente qué tipo de dispositivo llevaba esa puerta o qué tipo de puerta era.

Entre Oliver y yo conseguimos empujarla hacia fuera lo suficiente como para que Ichiro pudiera rescatar mi pobre y deformada mochila. Por suerte sólo se habían roto las cajas de los *bentōs* que guardaban la comida. El resto estaba bien, aunque algunas cosas se habían manchado un poco. Mientras la dejaba apoyada contra la pared picuda, la puerta de submarino logró por fin su propósito y se cerró, dejándonos escuchar el ruido metálico de los pasadores de acero que la bloquearon por completo. No había asa por dentro, de modo que estábamos otra vez atrapados en un lugar extraño. Miré mi móvil y no, allí no teníamos cobertura. Ninguna. Cero.

—Bueno, vamos a ver de qué va esto —dijo Ichiro acercándose a la mesa y echando una ojeada.

Los demás nos pusimos a su lado y examinamos también los viejos monitores y la mesa de mezclas, que tenía la caja de aluminio brillante. Odette, genio y figura, sacó una toallita húmeda para las manos (o para la nariz y la boca llegado el caso) y la pasó con muchísima delicadeza por toda la consola, quitándole la tenue capa de polvo casi invisible que los últimos veinte años habían dejado entrar en aquella habitación hermética. Sólo a ella se le podía ocurrir hacer algo como eso.

Conté los botones de la primera columna y, luego, conté rápidamente los botones de la primera fila; había quince por veinticinco botones en aquella enorme mesa de mezclas, es decir, trescientos setenta y cinco en total, más otro pequeño grupo de cuatro en la parte superior que, en realidad, no eran botones sino potenciómetros de color blanco. Un momento, me dije sorprendido, aquello no era una mesa de mezclas. En una verdadera mesa de mezclas, aquellos trescientos setenta y cinco pequeños botones negros (que eran como los pulsadores de los timbres de las casas), hubieran sido potenciómetros o dímers como los de la pequeña fila blanca superior. Y no lo eran.

—¡Esto no es una mesa de mezclas! —exclamó Oliver mientras yo llegaba a la misma conclusión—. ¿Dónde están las entradas para señales mono y estéreo?, ¿y las salidas de mezclas? No tiene ajuste de niveles, ni control de panorama para dividir la señal, ni control de balances… ¡No tiene nada!

Su creciente indignación cayó en el vacío de nuestro estupefacto silencio. El tío sabía un montón de esas cosas.

—¿Qué? —nos preguntó inseguro viendo que todos le mirábamos raro.

—Pues que nos has sorprendido con tu sabiduría técnica —le aclaré, riéndome.

Él inclinó la cabeza y se rio también.

—Trabajé de DJ en una discoteca de Liverpool durante mucho tiempo —nos contó—. Del arte urbano no se puede vivir. Aún pincho de vez en cuando para ganar algunas libras.

—¡Claro que se puede vivir del arte urbano! —le espetó Gabriella sin ninguna piedad ni compasión—. ¡Mira Blek le Rat, mira Banksy, mira tantos otros! No te escudes en un pretexto como ése. Trabaja mucho, esfuérzate, no pierdas de vista tu meta y lo conseguirás.

Oliver la miró como si no la conociera. ¿Cómo se atrevía a decirle a él, un verdadero artista, que podría vivir de la pintura si perseveraba lo suficiente? Tuve claro que Oliver, como muchos otros creadores, soñaba con ser descubierto de la noche a la mañana por un gran marchante o un importante galerista que le lanzara para siempre al Olimpo de la fama y del éxito. Por desgracia, las cosas ya no ocurrían así. Los verdaderos artistas se quedaban fuera del mercado si antes no llamaban la atención con sus perfiles en las redes, sobre todo en Instagram. Sólo un número elevado de seguidores hacía que los marchantes y los galeristas nos fijáramos en ellos.

Oliver reaccionó haciéndose el sueco para no discutir con Gabriella en ese momento. Ahora se imponía la necesidad de averiguar qué debíamos hacer con aquella consola.

—Venga, Oliver —le dijo Ichiro, cediéndole la mesa con un gesto de la mano—, adelante. Tú eres el que más sabe de estas cosas.

—Creedme, no sé más que vosotros. Pero veré lo que puedo hacer.

Y se inclinó sobre la mesa estudiando detenidamente los dímers, los botones y los cuatro monitores con la línea horizontal de color verde claro sobre fondo verde oscuro. Unos segundos después pareció haber tomado una decisión y con el dedo índice de la mano izquierda pulsó el primer botón de la primera fila.

El fuerte sonido del claxon de un coche nos hizo estallar los tímpanos y dar un brinco a todos. ¡Maldición, pero si parecía que el coche estaba allí mismo, dentro de aquella cabina! Recuerdo que levanté la mirada hacia arriba y vi, ocultos entre los picos del material aislante, montones de altavoces redondos encastrados en las paredes y del mismo maldito color gris marengo que todo lo demás. Era imposible distinguirlos si no sabías que estaban allí, porque la luz de los focos no te permitía verlos estando tan cerca del techo. Pero había muchísimos y, con seguridad, todos ellos tenían unos buenos amplificadores.

Al mismo tiempo que había sonado el espantoso claxon del coche, la línea recta del primer monitor empezando por la izquierda había dibujado una onda extraña y ahí se había quedado.

—¿No podemos bajar el volumen? —preguntó Gabriella muy alterada.

Pero Oliver ya tenía el dedo puesto sobre el segundo botón de la primera fila y lo pulsó sin pensárselo dos veces. Odette, Gabriella y yo nos tapamos las orejas con las manos preparándonos para lo peor. Se escuchó una fuerte campanada y, a continuación, dos más, tres en total. Pero, vamos, que sólo con la primera ya hubiéramos podido quedarnos sordos. Era como estar directamente en el campanario de una gran catedral. La línea de color verde claro del segundo monitor reflejó tres picos consecutivos de la misma altura y amplitud.

—¡Comprueba si alguno de los cuatro potenciómetros blancos baja el volumen, por favor! —le gritó Gabriella.

Oliver volvió a pulsar el segundo botón y, mientras se repetían las maravillosas campanadas catedralicias giró como un loco los cuatro reguladores.

—¡No tienen ningún efecto! —nos dijo afligido—. No sirven para nada.

—¡Pues no tenemos cascos para protegernos los oídos! —protesté. Estaba claro que aquel volumen no nos iba a perforar los tímpanos ni nos iba a hacer sangrar por las orejas, pero era totalmente insoportable.

—¡No, pero podemos usar los auriculares de los móviles como si fueran tapones! —propuso él—. Algo harán.

Y algo hacían, sí, pero no mucho. Hubiera sido preferible disponer de unos buenos auriculares con cancelación activa de ruido, pero los Koga no nos habían puesto de eso en las mochilas. Eché mucho de menos mis viejos auriculares de casa, que se acoplaban alrededor de toda la oreja con gruesas almohadillas. Lo que hubiera dado por tenerlos en aquel momento.

El tercer botón puso en marcha, allí mismo, un helicóptero en pleno vuelo. La línea central del tercer monitor mostró entonces muchas pequeñas elevaciones iguales separadas entre sí por la misma distancia, como el sonido del rotor. Al cabo de media hora, y sin haber acabado de pulsar los trescientos setenta y cinco malditos botones, ya habíamos escuchado perros ladrando, máquinas de distintas clases, manifestaciones callejeras, sonidos de varios juguetes infantiles, cantos de un montón de pájaros, golpes, palmadas, instrumentos musicales, disparos, puertas cerrándose y abriéndose, zumbidos de todo tipo, chorros de agua, ventiladores, descorches de botellas, maullidos de gato, aspiradoras, interruptores, una orquesta afinando sus instrumentos antes del concierto, viento, oleaje, señales de morse... No soy capaz de recordarlos todos, la verdad. Además, llegaba un momento en el que estabas tan aturdido que eras incapaz de separar un sonido de otro, hasta el punto que llegué a confundir el pitido de un silbato con la sirena de una ambulancia. Era como un infierno sonoro. Y antes de terminar, aún tuvimos que escuchar frenazos de coches, tictacs o cucús de relojes, lluvia, explosiones, el vuelo de una mosca, mecheros y cerillas encendiéndose, un martillo golpeando un cincel... No sé, una locura. Y eso sin contar los sonidos que no conseguimos identificar, que fueron muchos.

Con cada nuevo efecto de sonido el siguiente monitor mostraba la onda sonora correspondiente y, cuando terminaba el cuarto monitor, volvía a empezar por el primero.

Pero, por fin, Oliver pulsó el último botón. Se escuchó agua en ebullición, como hirviendo en una cazuela, y, después, nada. Vacío. Paz. Silencio. Un maravilloso silencio que no sólo agradecieron mi cerebro y mis oídos sino también mi cuerpo entero, como si la experiencia hubiera sido igual de dolorosa para mis nervios, músculos y huesos. Me sentía agotado, exhausto, a punto de caerme redondo al suelo. Y no era el único.

Gabriella estaba pálida hasta parecer transparente, con la frente cubierta por una brillante capa de sudor. Odette apoyaba la espalda contra los picos de la pared como si no pudiera mantenerse en pie y tenía los ojos fuertemente apretados.

Ichiro se había sentado en el suelo con las piernas cruzadas y parecía estar meditando, aunque su rostro, por primera vez desde que le conocía, expresaba sufrimiento. Oliver y yo éramos los que mejor nos encontrábamos y yo me sentía como una auténtica piltrafa. No quería volver a oír nada —pero nada de nada— en los próximos dos o tres años.

Permanecimos mudos e inmóviles durante mucho tiempo, extenuados por la brutal paliza de sonidos. Al cabo de un rato muy largo Ichiro se levantó y sacó uno de los *bentōs* de su mochila.

—Deberíamos comer —dijo con voz débil—. Nos encontraremos mejor.

Su voz me molestó. No hacía falta que hablara. Con que nos hubiera enseñado el *bentō* le habríamos comprendido perfectamente. Empecé a notar un pequeño dolor de cabeza, así que le hice señas a Odette para que, por favor, me pasara un analgésico. Ella entendió lo que le estaba pidiendo pero eso no impidió que los demás empezaran a partirse de risa a costa de mi silenciosa mímica. Al menos, las risas aliviaron la tensión y lo que pasó al final fue que Odette tuvo que repartir analgésicos entre todos como si fueran caramelos. Nunca hubiera sospechado el efecto físico devastador de los sonidos fuertes. Yo escuchaba música con frecuencia a un volumen que podría considerarse moderadamente alto pero jamás me había puesto enfermo como en aquel momento. Quizá la música y los ruidos inconexos produjeran diferentes resultados en el organismo.

Comimos en silencio, sin quitarnos los auriculares de los oídos —se habían integrado en nosotros como nuestros propios sistemas inmunológicos—, imaginando cada uno por su cuenta qué sería lo que debíamos hacer con aquella colección de sonidos. Hasta ahora las trampas habían consistido en asuntos relacionados con la pintura (bueno, excepto en la casa ninja) y, mejor que peor, nos habíamos defendido gracias a los conocimientos que teníamos entre todos. Pero ¿cerca de cuatrocientos efectos de sonido diferentes…? ¿Qué se suponía que debíamos hacer con ellos?

Cuando terminamos de comer nos quedamos sentados como estábamos, con los *bentōs* vacíos delante de nosotros (el mío, como estaba roto, formaba, en realidad, un montoncito de escombros de madera). Creo que no teníamos ni idea de por dónde empezar. Algunos se dejaron caer hacia atrás, hacia el suelo, como para echarse una siesta, aunque no creo que ninguno fuera capaz de dormir en aquellos momentos. Era más bien por la necesidad de descansar y de mantener los ojos cerrados.

—No se ha puesto en marcha ninguna trampa —murmuró Gabriella en voz baja.

—A lo mejor no hay —comentó Odette, tumbada sobre aquel suelo de plástico aislante.

—La prueba es tan complicada —susurró Oliver, también desde la posición horizontal— que sólo nos faltaría añadirle pinchos, cuchillos o gas mostaza.

—Saito dio aquí un giro de ciento ochenta grados —comentó Ichiro, hablando también con un tono de voz muy bajo—. ¿Qué sabemos nosotros de sonidos?

—Nada —masculló irritado—. No sabemos nada.

Volvimos a quedarnos callados y pensativos un buen rato. Levanté los ojos hacia la mesa con la consola y los monitores. Mi cansado cerebro se entretuvo en analizar los trazados que dibujaban las ondas sonoras en las líneas verdes. Cuatro monitores con cuatro ondas completamente distintas que se correspondían con los últimos cuatro sonidos escuchados. Y las ondas no tenían nada que ver unas con otras. No tenían nada en común. Las formas eran completamente distintas. Pero, como en los cajeros automáticos, en algunas aplicaciones o páginas web o incluso en algunos móviles, los cuatro monitores parecían representar los cuatro cuadraditos en los que se introducían los cuatro dígitos de una clave.

Me quedé en *shock*. Los cuatro dígitos de una clave. ¡Eso era! Había que encontrar una clave de cuatro malditos sonidos. Cuatro entre trescientos setenta y cinco.

Volví a notar en ese momento una conocida y extraña sensación en la cara. Sin dudarlo levanté la mirada directamente hacia Gabriella. Ella, a su vez, me estaba mirando también pero lo hacía con intensidad, con deseo y, al mismo tiempo, lucía una dulce sonrisa en los labios.

—Hubert ha encontrado la solución —anunció a todos con admiración en la voz y sin dejar de mirarme, como si estuviera viendo con toda claridad hasta el fondo de mi alma. Supongo que yo tampoco disimulé mucho el súbito incendio que se desató en mi interior. Nunca había sentido un deseo tan intenso por ninguna mujer, ni siquiera por Annelien, y mira que la había amado. O quizá no. Pero Annelien ya no existía. Desde el mismo momento en que había conocido a Gabriella en París, el recuerdo de Annelien se había disuelto en la nada.

—¿En serio, Hubert? —se sorprendió Oliver, incorporándose un poco y apoyándose sobre los codos—. ¿Has encontrado la solución?

—No, no la he encontrado —intenté aclarar—, pero se me ha ocurrido una idea que parece tener bastante sentido.

—¡Venga, hombre, cuéntala! —me urgió Ichiro con una enorme sonrisa de felicidad.

—Debemos buscar una clave de cuatro sonidos —le expliqué—. Las cuatro ondas de esos sonidos deben estar representadas en los cuatro monitores.

—¿Una clave? —se extrañó Ichiro—. Pero ¿qué clave?

—Eso es precisamente lo que tenemos que averiguar —respondí con ironía.

—Si fueran números —añadió Gabriella— podríamos probar con años importantes de la vida de Van Gogh. O de la vida de Saito.

—¿Y si los años se pueden simbolizar con algunos sonidos? —propuso Odette.

—¿Cómo? —quise saber.

Ella se quedó desarmada.

—No lo sé —comentó con timidez—. Sólo me ha parecido una buena idea.

—O sea, el número uno sería una cerilla encendiéndose —la ayudó Gabriella—, el número dos el maullido de un gato, el número tres una explosión…

—¡Exacto! —se entusiasmó Odette—. Algo así. Pero tendrían que tener algún sentido especial, algo más concreto que adjudicarle al dos el maullido de un gato. ¿Sabéis lo que quiero decir?

—Te refieres —dije yo pensativo— a encontrarle a los sonidos alguna relación con Van Gogh y Ryoei Saito y, luego, buscar la relación numérica de esos sonidos.

—Sí, a eso justamente era a lo que me refería —manifestó ella con una gran sonrisa.

—¡Pero hay trescientos setenta y cinco sonidos! —nos recordó Oliver horrorizado.

—Deberíamos hacer una lista de los trescientos setenta y cinco —opinó Ichiro.

—¿Y volver a escucharlos todos, uno detrás de otro? —me espanté.

Él se encogió de hombros. A mí la cabeza empezó a dolerme de nuevo y a darme vueltas, anticipando la pesadilla que se nos venía encima.

—No nos queda más remedio, Hubert —se lamentó Ichiro—. Si no ponemos un poco de orden, si no identificamos uno a uno los sonidos, no podremos deducir su correspondencia con la clave numérica ni ordenarlos para formar los años. Una vez que tengamos clara la relación podemos probar, por ejemplo, con 1853, el año de nacimiento de Vincent en Zundert, o con 1876, el año en que fue despedido de la galería de arte de su tío y descubrió que quería ser ministro de la Iglesia Reformada de Holanda, o con 1880, el año que decidió convertirse en pintor…

—O con años importantes de la vida de Ryoei Saito —añadió Gabriella.

—Yo diría que con los años importantes de la vida de Saito relacionados con el *Retrato del doctor Gachet* —concluyó Ichiro—. Por ejemplo, 1990, el año en que lo adquirió en la famosa subasta de Christie's en Nueva York, o 1991, el año en que le impusieron los 24 millones de dólares de impuestos y anunció en rueda de prensa que el *Retrato del doctor Gachet* sería incinerado con él, o 1993, el año en que fue detenido y encarcelado…

—Yo pararía ahí —le frené—. Después de eso, Saito se dedicó a montar su venganza.

—¿Por qué no empezamos ya a redactar la lista? —nos interrumpió Oliver riéndose e incorporándose a trozos, como haría un anciano de noventa años—. Creo que estáis perdiendo el tiempo para no poneros a escuchar sonidos otra vez. Venga, a trabajar. ¿Quién toma nota?

Y mientras él se dirigía lentamente hacia la consola, Ichiro, Odette y yo sacamos nuestros móviles y nos preparamos para escribir. Gabriella, que llevaba un rotulador indeleble en la mochila, garabatearía los números al lado de los botones. Era primera hora de la tarde y no sé por qué di por sentado que acabaríamos pronto y que cenaríamos en el hotel. Quizá porque todo parecía muy encarrilado y lo más pesado era elaborar la lista que, a fin de cuentas, tampoco era tanto. Volvimos a ponernos los auriculares de los móviles que nos habíamos ido quitando por comodidad y, de inmediato, tuvimos el placer de volver a disfrutar del primero de los trescientos setenta y cinco sonidos: el claxon del coche.

Pero estaba muy equivocado. Todo se fue complicando. Los sonidos más difíciles, los que no estaban nada claros, nos provocaban aburridas discusiones que duraban mucho tiempo. ¿Era un coro de cigarras o los silbidos de una ventisca en las montañas? ¿Era el canto de una ballena o el mugido de un toro o de una vaca? Y la cosa se fue alargando y alargando de tal manera que llegó la hora de cenar y no habíamos acabado. Ni siquiera habíamos llegado al sonido número ciento cincuenta. Aquello empezaba a tener mala pinta y a ninguno nos apetecía pasar allí la noche.

Cenamos con las cabezas a punto de explotarnos. No sólo habíamos escuchado casi ciento cincuenta sonidos atronadores sino que, además, algunos los habíamos repetido varias veces hasta poder identificarlos (y, pese a los largos debates, no nos habíamos puesto de acuerdo con todos) y, además, cada vez necesitábamos descansar más entre sonido y sonido si no queríamos volvernos locos. Saito debía saber que aquella prueba iba a ser más dura de lo normal porque ninguna peligrosa amenaza ninja con cronómetro nos había atacado por el momento. Gabriella, que era nuestro sismógrafo de amenazas, afirmaba que, aunque la máquina de los tormentos aún no se hubiera puesto en marcha, no podía asegurar con total certeza que dicha máquina no existiera. Sólo se atrevía a conjeturar que, de momento, no estábamos en peligro porque Saito nos estaba dejando pensar.

Pasada la media noche llegamos a un punto en el que ya no podíamos más. Odette se encontraba realmente enferma. Sólo era capaz de murmurar que quería acostarse y que no quería escuchar más ruidos. Gabriella volvía a estar pálida como una muerta. Oliver necesitaba tumbarse desesperadamente o se derrumbaría por el cansancio y el inmenso dolor de cabeza que sufría desde hacía varias horas sin que los analgésicos le calmaran ni siquiera un poco. Yo estaba igual. Sólo deseaba salir de allí y volver a mi casa. Largarme como había hecho Morris. No podía soportar aquello ni un minuto más.

Decidimos sacar los colchones hinchables y los sacos de dormir para, desgraciadamente, pasar allí la noche (tampoco es que quedarnos fuera un acto voluntario y que pudiéramos marcharnos si nos apetecía). Dormir no sólo era una necesidad, era una urgencia física tan fuerte como no la había sentido igual en toda mi vida y no se trataba sólo de que se me cerraran los ojos y de que no pudiera continuar despierto, ni mucho menos, sino que, por alguna extraña razón, necesitaba acostarme y dormir más que cualquier otra cosa en el mundo. ¿Sería una reacción del cuerpo al agotamiento acústico? Seguramente, porque todos estábamos igual. En cuanto nos metimos en los sacos, y sin que nos molestaran para nada las fuertes luces del techo, caímos inmediatamente en un sueño profundo. Yo, que siempre tenía que dormir con todo bien cerrado y completamente a oscuras, entré en coma bajo el brillo cegador de los focos blancos. Y no era la luz lo que me iba despertando de vez en cuando sobresaltado y sudoroso, eran los sonidos de la consola, que se habían metido en mi subconsciente y seguían sonando dentro de mi cabeza mientras dormía.

Y, entonces, en una de esas ocasiones en las que me desperté de golpe, me senté, me froté los ojos, me pasé la mano por el bigote y la perilla y miré a mi alrededor agotado, malhumorado y con el mismo dolor de cabeza que tenía antes de acostarme, recordé qué sonidos habían sido los que me habían estado despertado una y otra vez. Y, en ese momento, supe que había encontrado la solución.

15

Los números de la lotería

No pude volver a pegar ojo en toda la noche, dándole vueltas y más vueltas a mi descubrimiento. Me hubiera gustado despertar a los demás a gritos (sí, a gritos) para decirles que ya podíamos largarnos de allí cuando quisiéramos pero me detuvo el recuerdo de mis compañeros cuando nos fuimos a dormir: ojerosos, mareados, débiles, agotados…

Además, sólo después de mi descubrimiento fui consciente de que el saco de dormir de Gabriella estaba tan cerca del mío que podía observarla mientras dormía. La línea del óvalo de su cara era pura belleza enmarcada por el suave halo de finos cabellos rubios que brillaban bajo las potentes luces. ¡Qué hermosa era! Resultaba irresistible para mí. Mi mente se despejó de golpe del cansancio y, por un largo momento, me olvidé de todo menos de ella, de Gabriella Amato, de Milán, Italia.

Hubiera podido quedarme así para siempre, vigilando su sueño. Pero, de repente, desperté de la fantasía y la cruda realidad me golpeó. ¿Qué demonios hacía yo allí contemplando a una mujer a la que no podría tener nunca? ¿Cómo se me había pasado por la cabeza que yo podría llegar a interesarle lo más mínimo, yo, el desastroso Hubert Kools a quien su ex mujer le había puesto los cuernos con un compañero de trabajo? Ella era una gran belleza y, además, una artista y yo un mediocre galerista arruinado que se había quedado obsoleto en el nuevo mundo del arte. Tenía que sacarla de mi cabeza como fuera. Borrarla. Tenía que seguir adelante pensando en ella como en un imposible, como una pérdida de tiempo y de energía, una distracción absurda y sin esperanza.

Miré el reloj. Ya eran la seis y media de la mañana. Hora de despertar a mis compañeros y de contarles lo que había descubierto. Con el corazón en un puño eché una última mirada a Gabriella y, sin poder evitarlo, musité con voz inaudible:

—Maldita sea, Gabriella, creo que me he enamorado de ti.

Ella, por supuesto, no me escuchó (no me escuché ni yo). Siguió profundamente dormida, con los ojos cerrados y la respiración suave y tranquila. Tenía el ceño un poco fruncido y supuse que seguía oyendo relojes, ventiladores, golpes, campanadas...

Salí del saco de dormir y me arreglé la camiseta de algodón y los pantalones vaqueros como pude. Cuando estaba metiendo los pies en los zapatos, Ichiro se incorporó.

—*Ohayō gozaimasu*, Hubert —me dijo con voz pastosa.

—Buenos días para ti también, Ichiro —le respondí abriendo mi mochila y sacando la botella de agua para dar un largo trago.

Oliver reaccionó al sonido de nuestras voces como si le hubieran disparado un tiro justo al lado de la oreja: se puso en pie de golpe, con saco y todo, y empezó a girar la cabeza a derecha e izquierda buscando al agresor que nos estaba matando.

—¡Buenos días! —le dije impresionado—. ¡Menuda manera de despertarte!

Él se relajó inmediatamente y sonrió.

—Estaba soñando con los efectos de sonido —farfulló a modo de justificación.

—Exactamente eso me ha pasado a mí toda la noche —le conté, mientras me pasaba una toallita húmeda por la cara—. Pero sólo hasta que encontré la solución al problema. Después me tranquilicé por completo —mentí.

Ichiro y Oliver me miraron con los ojos desencajados y Odette, sin moverse, murmuró desde el suelo:

—¿Ya sabes qué sonidos representan a los números?

En ese mismo momento, Gabriella bajó la cremallera de su saco de dormir desde dentro para poder sacar los brazos y estirarlos sobre su cabeza.

—¿Por qué estaba segura de que lograrías resolverlo? —murmuró con una alegre sonrisa.

—Pues yo no tenía ni idea —le respondí—. Es más, diría que la solución me la dio mi cerebro mientras dormía, sin intervención alguna de mi parte consciente.

—¿En serio? —se admiró Oliver.

—Y tan en serio —le respondí—. He tenido cuatro sonidos muy concretos despertándome toda la noche. Los cuatro sonidos de la clave.

—¿Has soñado con ellos —se rio Odette saliendo del saco— como quien sueña con los números de la lotería?

—No es una lotería —le expliqué, masticando una galleta del pequeño paquete que acababa de abrir—. La clave no es el resultado al azar de una lotería. Es perfectamente lógica y coherente. Un poco retorcida, eso sí, pero muy precisa.

Ahora todos estaban paralizados, mirándome fijamente a la espera de que desvelara el misterio. Y tenían unas caras tan divertidas que no pude evitar echarme a reír.

—¡Venga, Hubert, no te hagas de rogar! —me regañó Gabriella.

—¡Tío, si no hablas, te mataré! —me soltó Oliver, que se había despertado un poco violento.

Yo seguía riéndome cada vez más viendo cómo se morían de ganas por conocer la solución.

—¡Vale, vale! —repuse, al fin—. Dejad que me termine estas galletas y os lo explico.

—¡No, de eso nada! —replicó Gabriella arrancándome el paquetito de galletas de un manotazo—. ¡Habla ahora o calla para siempre porque todos ayudaremos a Oliver a matarte!

Estiré los brazos, suplicantes, hacia mis galletas pero la mirada asesina de aquellos preciosos ojos verdes me hizo bajarlos y ceder.

—Está bien —admití—. ¡Pero, luego, quiero mis galletas!

—Luego tendrás tus galletas —afirmó Gabriella, ocultándolas en su saco de dormir para quitarlas de mi vista—, pero ahora, ¡habla!

Hice un gesto teatral retirándome el pelo de la cara como un director de orquesta y me dejé caer para tomar asiento sobre mi saco. Ellos también se sentaron, igual que si estuviéramos de campamento y fuera a contarles una historia de miedo alrededor de la hoguera.

—¿Recordáis —les pregunté— lo que ocurría en el reino de la muerte, en las catacumbas de París, cada vez que, con las luces, conseguíamos encontrar el color correcto del retrato de Julien Tanguy o cada vez que dejábamos pasar mucho tiempo sin mover los tres dímers?

—Sí, claro —respondió Gabriella—. ¿Cómo olvidarlo? Se notaba un golpe en el suelo y, a continuación, brotaban las afiladas púas metálicas del…

Y se quedó dudando, sin recordar la palabra.

—*Tetsubishi* —le indicó Ichiro—. El arma ninja que nos dejó los pies destrozados a Hubert y a mí.

—Exacto —dije asintiendo—. Pero ¿qué se escuchaba antes de que se produjera cada golpetazo y salieran las púas del suelo?

—¿Se escuchaba algo? —inquirió Odette, desconcertada.

Oliver sonrió de oreja a oreja. Acababa de recordarlo y de caer en la cuenta de que no hacía tanto tiempo que lo había vuelto a oír.

—¡Sí, sí, era una especie de «bip» agudo! ¡Un «bip»!

Ichiro, Odette y Gabriella apretaron los labios y fruncieron el ceño haciendo esfuerzos por recordar. No quise darles tregua, sobre todo porque quería mis galletas.

—¿Y recordáis el maravilloso sonido que hacía la casa ninja —continué— cada vez que sufríamos el ataque de los dardos *fukibari*, los cuchillos colgantes del ático o las estrellas *shuriken*?

—¡El *uguisubari*! —exclamó Ichiro levantando el brazo como si estuviera en una clase—. ¡Los suelos ruiseñor!

—¡El canto del ruiseñor! —dejó escapar Odette con el sonido muy presente en su cabeza y no precisamente por los recuerdos de la casa ninja.

—¿Y qué me decís —seguí preguntando— del desagradable ruido que avisaba de la llegada de las nubes de polvo blanco que nos quemaban los ojos…

—*Metsubushi* —me interrumpió Ichiro.

—…, que nos quemaban los ojos y los pulmones en el templo de Ishiyakushi mientras pintábamos *La habitación de Arlés?*

—¡Uf, aquel horrible y estridente zumbido eléctrico! —resopló Gabriella tapándose inconscientemente la cara con las manos—. ¡Aquel espantoso «bzzzz»!

—¡Exacto! —repliqué—. Y no creo que hayáis olvidado aún el adorable «clic» metálico que anunciaba las furiosas llamaradas y las bolas de fuego que escupían los dragones en el laberinto de las prostitutas del barrio de Yoshiwara. El mismo «clic» metálico que nos dejó caer en el G-Can número dos de Tokio.

—¡El «clic»! —exclamó Odette, descubriendo la relación.

—El «clic» de los *unryū* del kimono de la *oiran* de Keisai Eisen… —añadió Ichiro.

—En realidad, el «clic» de los dragones de piedra del laberinto subterráneo —le corregí, porque los pobres dragones del vestido no habían hecho nada.

—¡Grande Hubert! —dejó escapar Oliver con una carcajada—. ¡Ahora sólo falta que tengas razón!

—Si no la tiene —aventuró Gabriella sacando el paquete de galletas de su saco y entregándomelo—, sufriremos un montón. Y él, más. Yo misma me encargaré de ello.

—¿Tenemos anotados los números de los cuatro sonidos? —preguntó Odette.

—No —denegó Ichiro—. Ayer llegamos hasta el sonido número doscientos diez nada más. Pero me parece que sólo nos falta uno por localizar. Juraría que apunté al menos tres de los cuatro.

—Pues yo estoy segura de haberlos escuchado todos —afirmó Gabriella.

—Yo también —declaré—, pero durante la primera vez, cuando Oliver pulsó todos los botones. Luego, no lo sé.

La pobre Odette soltó un suspiró de resignación y de algún lado sacó de nuevo sus auriculares y se los puso en las orejas.

—Estoy lista —anunció dolorosamente—. Acabemos con esta tortura.

Por desgracia, descubrimos que ninguno habíamos anotado los sonidos tal y como ahora sabíamos que sonaban. No había en nuestras notas ningún «bip», ningún canto de pájaro que fuera exactamente un ruiseñor, ningún «bzzzz» eléctrico ni tampoco ningún «clic». Habíamos escrito cosas parecidas pero, cuando pulsábamos sus números en la consola, el sonido no era ni remotamente parecido. Sin embargo, yo sabía que había escuchado los cuatro sonidos de la clave y que había soñado con ellos; y los demás estaban completamente seguros de haberlos escuchado también. Algo fallaba.

Finalmente, sabiendo con seguridad que nos faltaba por encontrar al menos un sonido, como había afirmado Ichiro, decidimos reanudar la escucha desde el número doscientos diez y llegar hasta el final, porque ahora sí sabíamos lo que estábamos buscando y, en cuanto apareciera, lo detectaríamos.

Y así ocurrió. Unas dos horas después, en el botón número trescientos veintitrés, escuchamos el chirrido inconfundible del roce de las piezas metálicas del *uguisubari*, el suelo ruiseñor que, de no haber tenido ya en mente la clave, habríamos tomado por el gracioso piar de cualquier pájaro desconocido.

No teníamos claro si seguir hasta el final o si volver al principio a por los tres sonidos que nos faltaban, pero la desesperación sónica y la agonía (más el dolor de cabeza) nos volvieron prudentes y, por algún milagro que aún agradezco, decidimos continuar hasta el final. Claro que, al hacerlo, desencadenamos la catástrofe que nos había estado amenazando solapadamente desde el principio.

Resultó que, al seguir pulsando botones, llegó un momento en el que la onda sonora del suelo ruiseñor, que había aparecido en el segundo de los monitores de fósforo verde, desapareció para dejar paso a la onda de otro nuevo sonido. Y en esta ocasión no hubo aviso previo, si descontamos el hecho de que Gabriella sufrió un inesperado sobresalto y puso cara de terror. Pero, para cuando los demás nos volvimos a mirarla, la lluvia ya había comenzado.

Con la potencia de las luces y los picos del material para insonorizar no habíamos visto unos objetos extraños que, por su color gris marengo, se confundían perfectamente con el resto del techo igual que los altavoces se camuflaban en las paredes. Al ponerse en marcha, aquellas cosas hicieron un ruido parecido al de los aspersores que se utilizan para regar el césped pero, en lugar de rociarnos con agua fresca lo hicieron con agua hirviente. Era una lluvia muy fina que nos quemaba vivos allá donde las gotas tocaran la piel.

—¡Los sacos! —gritó Ichiro—. ¡Usad los sacos!

Odette empezó a chillar de dolor mientras Oliver se lanzaba a por su saco de dormir y la cubría con él. Yo no sé cómo lo hice pero tapé a Gabriella con el primer saco que pillé y, luego, la abracé con fuerza para protegerme de la lluvia yo también. Todos teníamos pequeñas marcas rojas, quemaduras, en las manos, los brazos y la cara, y la ropa mojada nos abrasaba el cuerpo porque, por desgracia, aquellos objetos extraños del techo no eran aspersores para regar sino rociadores para apagar incendios y había muchos, tantos que varios de ellos pulverizaban el agua hirviente en los mismos lugares al mismo tiempo, de modo que los sacos de dormir no nos protegían lo suficiente y los colchones hinchables estaban empapados y pesaban como piedras.

—¡Mirad las esquinas! —exclamó Gabriella soltándose de mi abrazo—. ¡Están secas!

Las cuatro esquinas de la habitación, a diferencia del resto, presentaban un pequeño triángulo donde los círculos de agua de los rociadores más cercanos no alcanzaban.

Quemándonos las manos con los sacos mojados nos lanzamos cada uno hacia una esquina distinta y aquello nos salvó. Si el alto volumen de los efectos de sonido terminaba haciéndonos enfermar y volviéndonos locos, aquella fina lluvia de lava volcánica nos estaba acabando de rematar. Me incrusté con desesperación en el ángulo formado por las dos paredes mientras me escurría la lluvia ardiente del pelo y del bigote, y me clavé en la espalda los picos de todas las pirámides puntiagudas aislantes pero no me importó. La punta de mis zapatos tocaba el límite hasta donde llegaba el agua, de modo que todavía me caían algunas gotas aisladas sobre la cara y la ropa pero, afortunadamente, el saco mojado servía de grueso impermeable y me protegió. También a los demás.

—¿Estáis bien? —nos preguntó Ichiro, que se había refugiado en la misma esquina que Odette. Los dos juntos no sumaban el volumen de Oliver o el mío.

Y justo cuando íbamos a responderle, la lluvia cesó. Escuchamos el ruido de los aspersores de riego apagándose y el agua dejó de caer del techo.

—Sabía que esto iba a pasar —exclamó quejumbrosamente Gabriella dejando caer al suelo el saco de dormir del que salía humo caliente—. Lo sabía.

Toda la habitación estaba mojada y salían espesas columnas de vapor de los dos o tres centímetros de agua retenida por el suelo aislante sobre la que flotaban nuestros empapados colchones hinchables. Ahora entendía el porqué de la puerta de submarino.

—Al menos ya sabemos a qué atenernos —farfulló Ichiro enfadado—. En cuanto empiece a llover otra vez, cada uno a su esquina con la esterilla aislante.

Las finas esterillas aislantes, como habíamos usado los colchones hinchables para dormir, habían permanecido en sus bolsas dentro de las mochilas y estaban secas. Las sacamos y las dejamos preparadas para la siguiente inundación.

Por desgracia, el diluvio no había estropeado la consola de sonidos. Mojada y todo, seguía funcionando a la perfección. Y los odiosos altavoces estaban completamente secos. Ahora, eso sí, nuestra ropa húmeda y caliente era un verdadero incordio y resultaba más y más desagradable conforme se iba enfriando, así que, incluso sabiendo que aún nos caerían al menos otras tres o cuatro lluvias más, sacamos la ropa de repuesto que llevábamos en las mochilas y nos cambiamos. Con los pies no tuvimos más remedio que quedarnos descalzos y poner a secar los zapatos y sandalias sobre las mochilas.

—Sigamos —dijo Oliver colocándose delante de la mesa.

—Sí, será mejor que sigamos —asintió Gabriella—, porque el cronómetro de Saito se ha puesto en marcha de nuevo.

Una hora después, más o menos, en el botón número trescientos sesenta y cinco encontramos el «clic» de los dragones del laberinto.

Al principio no estábamos seguros. El volumen era tan alto y estábamos tan cansados y tan hartos que oíamos un «clic» pero también un «cric» y comenzamos a discutir sobre qué era lo que se oía exactamente. Mientras discutíamos, Oliver volvió a pulsar el botón y, en el breve lapso de tiempo en el que se escuchaba el efecto de sonido, empezó a jugar con los cuatro potenciómetros blancos de la parte superior de la consola. Ya habíamos comprobado el día anterior que los potenciómetros no servían para nada pero, extrañamente, esta vez sí que sirvieron. De repente, el volumen bajó hasta un nivel racional y humanitario. Los que estábamos hablando nos quedamos mudos de asombro y, entretanto, Oliver pulsó varias veces más el botón (aunque ahora podía resistirse) y limpió el sonido permitiéndonos escuchar claramente que se trataba de nuestro «clic».

Aquello fue un descubrimiento histórico. Habríamos dado saltos de alegría si no hubiéramos estado tan cansados pero, para quedarnos completamente tranquilos, hicimos que Oliver pulsara otra vez el botón trescientos veintitrés, el del suelo ruiseñor de la casa ninja y, sí, en efecto, con los reguladores blancos logró bajar el volumen y refinar tan perfectamente el chirrido que se distinguía con total claridad que eran dos trozos de metal rozando uno contra otro y no el canto de un pájaro.

En ese momento teníamos dos ondas sonoras de la clave reflejadas en dos de los monitores. No sabíamos si en los lugares correctos (pensábamos que, si había algún orden, sería el de las láminas del cuadro de Van Gogh) pero, al menos, las ondas estaban limpias y afinadas. Aunque teníamos los números, decidimos sacarles fotografías para evitar posibles confusiones.

Pero debíamos terminar, de modo que seguimos adelante y pulsamos dos botones más. El siguiente que pulsáramos quitaría la onda sonora del «clic» de los dragones en el último monitor, de modo que cogimos nuestras esterillas aislantes y nos preparamos para salir corriendo hacia las esquinas de la sala en cuanto escucháramos el nuevo sonido. Fuimos tan rápidos que, en cuanto cayeron las primeras gotas ya estábamos a salvo y a cubierto. El agua hirviente llovió, exactamente, durante dos minutos de reloj, ya que esta vez fuimos capaces de comprobarlo y, a los dos minutos, terminó y pudimos salir, sudando y envueltos en el vapor de aquella sauna. Claro que habíamos tenido que ponernos los zapatos porque el nivel del agua en el suelo ya nos llegaba hasta los tobillos y, aunque se mezclaba con el agua de la lluvia anterior que se había enfriado un poco, seguía estando muy caliente y nos inflamaba y enrojecía los pies.

—Vamos a tener que buscar una solución a esto —dijo Ichiro.

—Pues hagámoslo rápido —se burló Gabriella—, porque el próximo sonido quitará del primer monitor la onda del suelo ruiseñor.

—Es decir —titubeó Odette—, lluvia asegurada.

—Aseguradísima —asintió Gabriella.

—Pues no tenemos nada en las mochilas que nos pueda ayudar —comentó Oliver—. Sólo tenemos el calzado que llevamos puesto y que está encharcado.

—Sólo se me ocurre —comenté inseguro— poner las mochilas en las esquinas, subirnos a ellas como si fueran taburetes y esperar hasta que el agua deje de quemar.

—¡No saldremos de aquí nunca! —se quejó Gabriella—. ¡Perderemos mucho tiempo!

—La idea de Hubert es buena —admitió Ichiro—. Creo que es lo único que podemos hacer. Las mochilas tienen un armazón de aluminio muy resistente.

—La mía no tanto —dije señalando el aluminio doblado por la fuerza de la puerta estanca.

—La tuya también —se molestó Ichiro—. Aguantará tu peso sin problemas y, además, la forma tan rara que tiene te permite estar encima de ella con más comodidad que nosotros sobre las nuestras.

—Eso es cierto —corroboró Oliver, examinándola—. En realidad, parece totalmente una silla.

—Pues sigamos adelante, por favor —suplicó Gabriella—. Cada vez que paramos me pongo nerviosa.

De modo que colocamos las mochilas en las esquinas (yo cambié la mía con Odette, para que ella estuviera más cómoda) y, aunque sobresalían un poco, podíamos ponernos de pie sobre ellas y esperar a que el agua se enfriara. Eso fue lo que hicimos después del siguiente sonido, cuando la desagradable lluvia abrasadora volvió a comenzar. E hicimos bien subiéndonos a las mochilas porque habían sido un par de lluvias muy seguidas y el agua soltaba vapor como si estuviera a punto de ebullición. Sólo le faltaba burbujear. Respirar humedad caliente resultaba agobiante.

Seguimos trabajando toda la tarde, comiendo al mismo tiempo los restos de alimentos que llevábamos. Por suerte estábamos bien hidratados y no necesitábamos beber demasiada agua. Claro que sí necesitábamos desbeberla… Pero dejémoslo aquí. Lo que pasó en aquella sala se quedó en aquella sala para siempre.

Resultó que los potenciómetros sólo funcionaban con los sonidos de la clave, como para demostrar que eran los correctos. Nos costó mucho aceptarlo porque era muy duro aguantar el estruendo inhumano de los otros ruidos sabiendo que sólo cuatro podían modificarse. Aquella tarde del segundo día, después de haber vuelto a empezar desde el principio, casi sordos ya, encontramos, en el número doscientos treinta el zumbido eléctrico «bzzzz» de la habitación de Arlés en 3D y, cuando perdimos la onda, volvimos a sufrir la lluvia caliente, aunque ahora el agua, que ya nos llegaba hasta media pierna, se había enfriado lo suficiente como para que, con la nueva rociada, sólo notáramos que había subido un poco de temperatura (y de altura), pero nada más. Y también se habían acabado las discusiones sobre si un sonido era lo que parecía o si era otra cosa porque, con probar los potenciómetros, sabíamos si formaba parte de la clave o no. Y ya sólo nos faltaba uno que, a la fuerza, se encontraba entre los botones doscientos treinta (el «bzzzz») y trescientos veintitrés (el suelo ruiseñor), así que metimos la quinta y aceleramos a tope, antes dispuestos a perder la audición que a seguir allí dentro otro día más.

Y lo encontramos enseguida, en el botón número doscientos cincuenta y seis. No nos hizo falta discutir ni limpiar el sonido para tener clarísimo que aquel «bip» agudo era nuestro «bip» del reino de la muerte. Con todo, Oliver le bajó el volumen y ya con la clave completa en nuestro poder sólo nos restaba pulsar los otros tres botones para que aparecieran las ondas correspondientes en los monitores. La del «bip» agudo estaba en el tercer monitor aunque había sido el sonido de la primera trampa de Saito, pero decidimos dejarla allí y probar si, poniendo las otras tres ondas en los tres monitores restantes se abría alguna puerta. Pero no pasó nada. Bueno, sí. Recibimos la última de las lluvias ardientes y el agua superó el nivel inferior de la puerta de submarino de manera que, si era ésa la que se tenía que volver a abrir para dejarnos escapar de aquel lugar, el agua saldría a borbotones con nosotros.

Tuvimos claro que, como habíamos supuesto, había que introducir los sonidos en el orden en el que se habían producido las pruebas de las láminas del cuadro de Van Gogh. Pero nada más fácil a esas alturas. Pulsamos los números para que las ondas sonoras quedaran en el orden correcto y, como ya las teníamos en los monitores (aunque desordenadas), no se produjo ningún chaparrón más y, encima, los sonidos ya no trituraban nuestros pobres y castigados tímpanos.

En cuanto pulsamos el último botón, el trescientos sesenta y cinco, y la onda sonora del «clic» de los dragones apareció en la pantalla verde, en mitad de un maravilloso silencio, un trozo de pared con pirámides puntiagudas y forma de puerta se deslizó hacia atrás, provocando que el agua acumulada en la habitación saliera como un torrente hacia donde quiera que fuera.

Agotados, sucios, mojados de la cabeza a los pies y con unas ganas locas de llegar al hotel, recogimos todas nuestras cosas y nos dirigimos a la puerta. Al otro lado sólo había un pequeño cuchitril con rejillas metálicas en el suelo por las que el agua había desaparecido y una gris y larguísima escalera de cemento.

—¿Dónde está la mesa con la lámina y la ficha de madera? —preguntó Odette.

Nos quedamos quietos, aturdidos. ¿Habíamos hecho algo mal? ¿Faltaba por terminar alguna cosa?

De la parte superior de la escalera llegaban sonidos extraños.

—Subamos —dijo Ichiro—. Ya veremos lo que pasa.

—Pero ¿y la lámina y la ficha? —insistió Oliver—. No podemos irnos sin ellas.

—Aquí no están —le dije, cansado— y ahí dentro tampoco. Hagamos lo que dice Ichiro.

Pero Odette y Oliver prefirieron volver a entrar en la cabina de radio para cerciorarse de que no se había abierto alguna otra compuerta o que los objetos ausentes no habían bajado del techo sobre alguna plataforma. Salieron más desanimados que antes.

—No hay nada —murmuró Odette.

Ninguno respondimos. Nos encaminamos lentamente hacia la escalera en pos de Ichiro que ya había comenzado a subir por ella. Como estábamos agotados y rotos, aquella larguísima escalera fue el último martirio de aquella maldita prueba. Para poner el pie en cada siguiente peldaño nos dejábamos caer, agotados, sobre el asidero de la barandilla y nos impulsábamos con las manos. Y al final, cuando por fin llegamos arriba, sólo había otra puerta. Nada más. Una puerta con viejos cerrojos y pestillos desde la parte de arriba hasta el suelo y a través de cuya hoja nos llegaban, apagados, unos sonidos muy raros. Ichiro se puso nervioso.

—No puede ser —murmuró, ayudando a descorrer el montón de pasadores.

Pero, al parecer, sí que era. Cuando abrimos la puerta nos asaltaron sin piedad las luces cegadoras de unos neones de colores chillones y un océano de fuertes sonidos de máquinas tragaperras y músicas estridentes mezclado con un ruido de fondo como de muchas fábricas en plena producción industrial. Aquello parecía un casino de Las Vegas pero a lo bestia y lleno de japoneses sentados delante de las máquinas tragaperras y fumando sin parar (en Japón se puede fumar en el interior de los locales pero no en la calle).

En ese momento se escucharon unas enérgicas bocinas por los altavoces y alguien empezó a gritar como un loco en japonés por un micrófono. Todas las cabezas cercanas se volvieron a mirarnos con indiferencia y un par de tipos con pinta de ser los gerentes del local salieron de algún lado y echaron a correr hacia nosotros.

No podía haber un final más surrealista para una prueba más agotadora. ¿Qué demonios era aquello?

La puerta por la que habíamos entrado se cerró sola rápidamente y nos dimos cuenta de que, una vez cerrada, no se distinguía en absoluto del resto de la pared. De hecho, tenía incluso luces de neón y carteles que encajaron con las luces y los carteles de los lados como si allí no hubiera habido nunca

281

una separación. Los gerentes trajeados ya estaban frente a nosotros y comenzaron a hacernos mil profundas reverencias antes de entregarnos, con los brazos extendidos mientras miraban hacia el suelo con el cuerpo doblado (es decir, con extremo respeto), una bolsa de plástico negro que, al tacto, contenía una lámina de *ukiyo-e* y una ficha de madera.

16

La hermosa dama de la lámina

Habíamos entrado por un templo budista dedicado a una diosa ex comedora de niños y habíamos salido por un local de Pachinko, o eso nos dijo Ichiro una vez que alcanzamos la calle y nos encontramos en mitad de una acera abarrotada de gente buscando diversiones a esas horas calurosas de la noche durante el primer día de las vacaciones por la festividad de los muertos, el *Obon*.

Ichiro había pedido por teléfono que vinieran a recogernos y, mientras esperábamos, con aspecto de fantasmas occidentales mojados y sucios, derrumbados sobre mochilas mugrientas, Ichiro nos explicó que el Pachinko era el juego más popular de Japón desde hacía más de un siglo, más aún que los videojuegos. Después de la II Guerra Mundial, el Pachinko se había convertido en una verdadera adicción para la población derrotada y deprimida, adicción que no había hecho más que crecer imparablemente desde entonces. Y eso a pesar de que, en teoría, no había dinero de por medio ya que en Japón el juego estaba prohibido. Los jugadores compraban, ganaban o perdían sólo bolitas de metal que, luego, podían canjear por regalos completamente legítimos e inocentes. Claro que, como las casas de Pachinko estaban controladas por la *yakuza*, siempre había cerca alguna tienda donde podías intercambiar esos inocentes regalos por yenes contantes y sonantes.

A Gabriella, y en realidad a todos, le llamaba mucho la atención que durante veintitrés años los dueños de aquel local de Pachinko hubieran guardado la bolsa con la lámina y la ficha de madera.

—No es nada extraordinario —declaró Ichiro con indiferencia, mirando de reojo la calle por si veía venir el coche—. En primer lugar los japoneses somos, en general, exageradamente responsables y para nosotros cumplir con los compromisos es algo muy importante, una cuestión de honor. Si hubo un pacto firme o, incluso, un contrato escrito entre Saito y el local de Pachinko, podrían haber esperado pacientemente cien años a que alguien saliera por esa puerta para entregarle la bolsa y cumplir con su parte del trato. Pero, aunque con esta explicación bastaría para entenderlo, lamento tener que admitir que existe otra mucho más… ¿cómo lo diría? Mucho más radical: la *yakuza*, la mafia japonesa. Es la segunda vez que topamos con ella esta semana. Si el contrato fue entre Saito y la *yakuza*, os garantizo que este local de Pachinko habría conservado y entregado correctamente esta bolsa aunque hubiera ocurrido un desastre mundial y la humanidad se hubiera extinguido.

Un microbús se detuvo frente a nosotros y el conductor abrió la puerta sin moverse del asiento mientras nos sonreía e inclinaba repetidamente la cabeza.

—Por cierto —nos dijo Ichiro cuando ya estábamos sentados y el microbús cruzaba las iluminadas calles de Tokio—, no vamos al hotel. Vamos a Shizuoka, a casa.

—¿Por qué? —le preguntó Odette medio dormida.

—Porque estamos demasiado agotados —le respondió él cerrando los ojos—. Esta prueba ha sido demasiado dura. Necesitamos descansar de verdad, reponernos antes de continuar. No os preocupéis por vuestros equipajes. Llegarán a Shizuoka esta misma noche.

—¿Y no vas a abrir la bolsa para ver la nueva lámina? —inquirí a punto de caer yo también a la inconsciencia. Era un placer infinito estar cómodamente tumbado en aquellos dos asientos secos y mullidos teniendo como fondo el suave e hipnótico ronroneo del motor del vehículo.

Pero Ichiro ya se había dormido y no me contestó.

Recuerdo vagamente haber llegado a la casa de los Koga en algún momento. Recuerdo a Kentaro, a Fumiko y a Midori recibiéndonos con alegría y recuerdo una ducha y, después de la ducha, según la costumbre japonesa, un baño de agua caliente en una bañera de madera llamada *ofuro*. Pero lo que más recuerdo es haberme acostado en el cómodo futón arrullado por el silencio. Un silencio absoluto.

Estaba soñando con la casa ninja cuando me desperté sobresaltado. De lo primero que fui consciente fue de que estaba oyendo con toda claridad el canto de los pájaros del jardín y supuse que ese sonido era el que me había llevado, en sueños, hasta la casa de los cuchillos afilados. Cuando regresara a Ámsterdam, a mi vida normal, no sería capaz de creer la cantidad de cosas que estaba viviendo en Japón. Claro que lo mismo cerraba la galería y me trasladaba a Milán…

—No —murmuré levantándome del futón—. De eso, nada. Fuera estos pensamientos absurdos.

Cuando abrí la ventana descubrí que hacía un día espectacular, con una admirable luz dorada y brillante y un sol increíblemente grande en mitad del cielo azul cobalto. ¿Qué hora debía de ser? No tenía la menor idea, de modo que miré el móvil y vi que era casi mediodía. Me llevé un susto de muerte. ¡Los Koga! ¡El desayuno tradicional! ¡Mis compañeros!

Quince minutos después aparecí en el *kyakuma* duchado, afeitado, fresco, bien vestido, y descansado como no lo había estado desde hacía mucho tiempo, ¡ah, y listo para meterme en el primer hoyo que se abriera en la tierra! Me llevé una enorme sorpresa al descubrir a Kentaro en su silla de ruedas, completamente solo, consultando algo en su *tablet*. En el sofá de al lado estaba la bolsa negra (abierta) y la ficha de madera.

—¡*Ohayō gozaimasu*, Hubert! —me saludó alegremente al verme entrar.

—*Ohayō gozaimasu*, Kentaro-san —le respondí acercándome a él—. ¿Dónde está todo el mundo?

—Fumiko y Midori se fueron a la ciudad —me explicó, dejando la *tablet* en el sofá—, de compras. Ichiro y los demás aún no se han levantado. Has sido el primero en bajar. ¿Quieres desayunar?

—No, gracias —repliqué—, aunque sí me tomaría un té matcha con leche.

Puso una educada sonrisa japonesa para ocultar la repulsión que le producía mi mal gusto y pulsó el botón de un mando que tenía en la silla. Una décima de segundo después, uno de esos hombres de negro de la funeraria apareció en el *kyakuma* y Kentaro habló con él en japonés. El hombre desapareció haciendo una reverencia y volvimos a quedarnos solos.

—Ichiro nos contó anoche —empezó a decirme con gesto preocupado— que esta prueba de Iriya ha sido la peor de todas.

—Yo no diría que ha sido la peor —repliqué—, pero sí la más larga y la más agotadora. El volumen allí dentro era insoportable. Nos explotaba la cabeza.

—Parece que ninguno tenéis quemaduras provocadas por el agua caliente.

—¿Agua caliente...? —me reí—. ¡Agua hirviendo, eso es lo que era! Pero no, ninguno tenemos quemaduras. En la línea de Saito.

—Eso es lo que he pensado yo también —me dijo mientras una camarera entraba con mi té y lo servía en la mesa del centro.

Oliver hizo acto de presencia en ese momento.

—Buenos días —dijo alegre—. He dormido mejor que en toda mi vida.

Detrás de él venían Gabriella y Odette charlando animadamente.

—¡*Ohayō gozaimasu*! —les saludó Kentaro.

—¿Dónde está Ichiro? —preguntó Odette.

—Siempre ha sido muy dormilón —se rio Kentaro—. Le gusta quedarse en la cama hasta tarde.

Jamás hubiera dicho algo así de Ichiro «el eléctrico» pero si su padre afirmaba que era un dormilón, ¿quién era yo para llevarle la contraria?

Al final, se sirvió un pequeño desayuno occidental en la mesa donde estaba mi té para que Gabriella, Oliver, Odette e Ichiro, que apareció poco después, pudieran tomar algo también. Y, mientras desayunábamos, Midori y Fumiko regresaron de la ciudad. Fumiko nos saludó con toda cortesía y desapareció mientras que Midori se sentó junto a Ichiro y se dejó caer, agotada, contra el respaldo del sofá. Las normas japonesas de comportamiento les impedían no ya darse un pequeño beso de saludo sino incluso rozarse delante de otras personas aunque estuvieran casados.

—¿Habéis descansado? —nos preguntó Midori amablemente.

Todos afirmamos que el silencio del campo nos había ayudado a dormir como si nos hubiéramos tomado un somnífero. La verdad era que le estábamos cogiendo el tranquillo y que aquéllos de nosotros que, como yo, llevábamos una vida bastante ordenada y tranquila, ya nos íbamos acostumbrando a aquella chifladura vertiginosa. Odette, en cambio, aseguró que, como tenía dos niños pequeños, no notaba ninguna diferencia con su ritmo de vida en Marsella, que era muy parecido al de Japón.

—Echo muchísimo de menos a mis hijos —añadió con una sonrisa— pero, sinceramente, estos diez días han sido como unas vacaciones. De todas formas, quisiera regresar a casa cuanto antes así que me gustaría saber a qué nos vamos a enfrentar ahora.

¿Yo también quería regresar a casa cuanto antes? No, yo no tenía ninguna prisa. Nadie me esperaba. Mi galería estaba cerrada por vacaciones y no quería separarme aún de Gabriella. O quizá lo mejor fuera que me separara de ella cuanto antes. Me dolería menos.

—Sí, yo también quisiera terminar ya con esto —dije—. Me gustaría volver a casa.

—Pues no esperemos más —exclamó Kentaro con entusiasmo—. Mientras termináis el desayuno os cuento lo que he descubierto de la nueva lámina. De la ficha de madera, como ya supondréis, no he podido averiguar nada.

—Estas fichas están siendo un incordio —se quejó Ichiro.

—Estoy de acuerdo —convino su padre—, pero para algo tendrán que servir y en algún momento lo sabremos. De momento, vayamos con la lámina.

Extrajo una carpeta de un gran bolsillo de su silla de ruedas y nos la pasó para que fuéramos cogiendo una reproducción del grabado que habíamos ganado al Pachinko la noche anterior y otra del *Retrato de Père Tanguy* para que pudiéramos comparar el original y la copia de Van Gogh. En esta ocasión, el resultado de la comparación no fue tan doloroso como de costumbre. Mi compatriota se había esmerado y había hecho un buen trabajo pintando a la hermosa dama de la lámina.

—¿Creéis que estáis viendo el retrato de una mujer? —nos preguntó Kentaro muy divertido.

Todos asentimos.

—Pues no, no es una mujer aunque lo parezca —nos informó con una sonrisa aún mayor—. Es el más famoso e importante *onnagata* del teatro *kabuki* del siglo XIX, Iwai Kumesaburō III.

—En el teatro *kabuki* —nos explicó Ichiro— los personajes femeninos eran interpretados por hombres, los *onnagata*, que eran actores especializados en papeles de mujer.

—Porque aunque fueron las mujeres —le interrumpió Midori— las que, en el siglo XVII, inventaron el teatro *kabuki*, un género humorístico y popular, los shogunes Tokugawa prohibieron su participación en las representaciones teatrales para, según dijeron, proteger la moral de la sociedad. Y así aparecieron los *onnagata*, jóvenes actores que representaban los papeles femeninos y que, curiosamente, revolucionaron de la misma manera la moral de la sociedad porque la homosexualidad era una práctica totalmente aceptada en Japón hasta mediados del siglo xix, cuando llegó Occidente con su nuevo concepto cristiano de la sexualidad y terminó para siempre con las grandes historias de amor entre guerreros samuráis.

Kentaro resopló molesto pero Midori no le hizo caso.

—Los *onnagata* eran muy famosos —continuó Ichiro— y tenían verdaderos clubes de fans que les seguían en sus actuaciones por todos los teatros de Edo o Kioto. Por eso los artistas de *ukiyo-e* los pintaban con las ropas, adornos y maquillajes de sus personajes más célebres. La gente compraba miles de láminas de sus *onnagata* favoritos.

—También de los actores que no eran *onnagata* —protestó Kentaro.

—Por supuesto —admitió Ichiro—. Los actores de *kabuki* eran como las estrellas de cine de los años dorados de Hollywood, o incluso como las estrellas de cine de hoy en día. Eran tan famosos que no podían ir por la calle sin que los reconocieran y los pararan. Y como entonces no había móviles para sacar fotografías, la gente compraba láminas de *ukiyo-e*.

—O sea —comentó Gabriella— que la mujer de esta lámina es un actor.

—Efectivamente —asintió Kentaro—. Se trata, como ya os he dicho, del famoso *onnagata* Iwai Kumesaburō III, es decir, del tercer actor llamado artísticamente Iwai Kumesaburō, ya que el nombre pasaba de padres a hijos, aunque no eran padres e hijos de sangre. Los actores adoptaban a otros actores que se convertían legalmente en sus hijos y heredaban el famoso nombre del padre adoptivo. El nombre venía a ser como la marca de un estilo de interpretación o de un linaje especializado en determinados papeles de *kabuki*. Por eso Iwai Kumesaburō III tenía también otro nombre, Iwai Hanshirō VIII, y anoche descubrí que tenía algunos otros pero estos dos son por los que más se le conoce. Incluso hoy día los actores de *kabuki* siguen llevando nombres de famosos actores del pasado con el número al final. La tradición continúa.

—Esta lámina que tenéis en las manos —le cortó Ichiro viendo que se emocionaba hablando— es un retrato hecho por otro importante pintor de *ukiyo-e*, Utagawa Kunisada, y pertenece a la serie de retratos de actores de teatro que pintó en 1861. En concreto, este grabado se llama *Iwai Kumesaburō III en el papel de la cortesana Takao de la Casa Miura*.

—Seguro que Van Gogh —se rio Oliver— no tenía ni idea de que estaba pintando a un hombre cuando copió la lámina del *onnagata* en el cuadro de su amigo Tanguy.

—¡Por eso parece más guapa en el dibujo de Van Gogh! —se rio Gabriella.

—La Casa Miura —siguió diciendo Kentaro mientras sonreía— fue uno de los más afamados y exquisitos burdeles del barrio de Yoshiwara, y la historia de amor y muerte de la cortesana Takao, que trabajaba allí, uno de los mayores éxitos del teatro *kabuki*.

—¿No has dicho que el *kabuki* —le preguntó Gabriella a Midori— era un tipo de teatro humorístico y popular? Porque eso de amor y muerte me ha sonado más bien a drama.

—En su origen, en el siglo XVII —le respondió Midori—, cuando fue creado por mujeres, era un teatro fundamentalmente humorístico y satírico, que empezó siendo una especie de ballet. Era teatro bailado, de ahí los exagerados movimientos posteriores de los actores de *kabuki*, y tenía un componente de crítica social y política muy importante a través, como digo, del humor y de la sátira. Con el tiempo, fueron apareciendo obras cada vez más trágicas y conmovedoras que siguieron siendo tremendamente populares. La historia de amor imposible entre la cortesana Takao y uno de sus clientes era para hacer llorar a mares al público. Y tuvo muchísimo éxito durante más de un siglo.

—De hecho, aún se representa —comentó Ichiro.

—¿Con *onnagatas*? —preguntó Odette curiosa.

—Sí, con *onnagatas* —se rio Kentaro—. Los papeles femeninos siguen siendo interpretados por hombres. Aunque ya no implican ningún problema para la moral social. Lo que pasa es que quedan pocos teatros *kabuki*. Los grandes incendios de Tokio y la II Guerra Mundial arrasaron la mayoría de ellos y los que sobrevivieron han sido reconstruidos una y otra vez. Los japoneses estamos muy orgullosos de nuestro teatro.

—¿Y adónde nos conduce la imagen del *onnagata*? —quise saber yo—. ¿Otra vez a Yoshiwara? ¿A otro burdel?

—No —me respondió Kentaro, girando la lámina y mostrándome, en el reverso, un nuevo mensaje en japonés escrito por Saito—. A un cementerio. Aquí pone «Su tumba». Y, por lo que he podido averiguar, la tumba de Iwai Kumesaburō III, que murió el 19 de febrero de 1882, a los cincuenta y tres años, se encuentra en el cementerio del templo budista Jōshinji de Tokio.

—¿Tenemos que volver a Tokio otra vez? —pregunté. No me apetecía nada volver a aquel horno crematorio.

—Sí, esta misma tarde —asintió Ichiro—, en cuanto terminemos de comer. Lamento haceros viajar tanto pero anoche me pareció una buena idea venir a casa en lugar de ir al hotel.

—Y no sabes cuánto te lo agradecemos, Ichiro —le dijo fervorosamente Gabriella—. Creo que a todos nos encanta esta casa y, desde luego, aquí hemos descansado muchísimo mejor que en el hotel de Tokio. No he necesitado el aire acondicionado para dormir.

Lo cierto era que en la casa de los Koga se estaba muy bien. Me hubiera gustado pasar allí al menos un día entero, pasear por el jardín y conocer la enorme vivienda, pero siempre teníamos que salir pitando hacia la siguiente prueba o descansar de la prueba anterior. Seguro que terminábamos marchándonos de Japón sin haber visto la ciudad de Shizuoka.

—¿Hay algo sobre el cementerio del templo Jōshin-ji que debamos saber? —preguntó Odette, que cada día se mostraba menos tímida delante de los Koga.

—Pues aparte de que estamos en plenas vacaciones del *Obon* —comentó Kentaro—, la festividad de los muertos que se celebra todos los años por estas fechas, y que el cementerio estará lleno de gente, no hay nada especial que saber. Es un cementerio normal de un templo normal. Es bastante grande pero supongo que no os costará mucho encontrar la tumba de Iwai Kumesaburō III aunque muriera hace más de ciento treinta y cinco años. Estará en la parte más antigua. ¡Ah, pero, eso sí! Por favor, llevad mucho cuidado con no molestar a los *kami* de los muertos porque, entonces, os perseguirán fuera del cementerio y os harán la vida imposible.

Lo miré bien por si estaba hablando en broma pero no, lo había dicho completamente en serio. En Japón, hasta la persona más racional y respetable creía profundamente y sin ninguna duda en la existencia de los espíritus, los *kami*.

17

Como si no hubiera un mañana

Al final, nos retrasamos demasiado y llegamos a Tokio al anochecer, sin tiempo para visitar el cementerio del templo Jōshin-ji y buscar la vieja tumba centenaria de Iwai Kumesaburō III, el gran *onnagata*. De modo que, como teníamos tiempo, Ichiro nos invitó a ver una obra de *kabuki*. Pasamos rápidamente por el hotel, nos cambiamos de ropa y el microbús nos llevó hasta el distrito de Ginza, donde, entre callejuelas antiguas llenas de comercios y lujosos edificios modernos dedicados a los negocios se encontraba el teatro Kabukiza, el teatro de *kabuki* más importante de Tokio y, en realidad, de todo Japón. Era un edificio espectacular, con tejados acanalados de pizarra negra y la fachada entera pintada de blanco salvo por la puerta de entrada y los balcones rojos del primer piso. Había unas colas enormes frente a las taquillas pero nosotros pasamos sin problemas por delante de la multitud después de que algunos de los hombres de seguridad de Ichiro hablaran con alguien del teatro.

Por dentro, el Kabukiza era enorme, con un montón de asientos de terciopelo rojo y un escenario el doble o el triple del tamaño normal para Occidente. Estaba tan nuevo que no parecía que hubiera sido inaugurado en 1889. Claro que, por lo que había dicho Kentaro sobre los incendios y la guerra, la última reconstrucción de aquel lugar no debía de tener muchos años. Y estaba abarrotado.

Vimos una obra de *kabuki* titulada *La doncella del templo Dojoji* y, aunque no nos enteramos de nada, la multitud aplaudía a rabiar continuamente y en cualquier momento: cuando aparecía un actor nuevo en el escenario, en mitad de alguna situación incomprensible, cuando los actores se quitaban rápidamente una capa de ropa y se quedaban vestidos de otra forma… Al parecer, la estrella principal de la obra, Bandō Tamasaburō V, era un pedazo de actor adorado en todo Japón no sólo por ser el mejor *onnagata* contemporáneo sino por las muchas películas de éxito que había rodado. Yo sólo recuerdo los tambores, los diálogos interminables de un coro de monjes, el grupo de músicos que tocaba el *shamisen* (ese instrumento japonés que parece un banjo) y que cantaba con voz rota detrás del montón de monjes que, luego, resultaron ser también *onnagatas* haciendo de monjas, y esos extraños figurantes vestidos completamente de negro que aparecían en escena moviendo el atrezo y que se suponía que eran invisibles y que no estaban allí. Bandō Tamasaburō V recibió un aplauso enorme cuando, vestido de mujer y con pasitos cortos y rápidos llegó hasta el escenario recorriendo un largo estrado acompañado por una música estridente de flautas y platillos.

Ichiro, como el resto del público japonés presente en el teatro, aplaudió durante toda la obra de manera incoherente —desde nuestro punto de vista occidental, por supuesto—.

Nosotros cuatro, como no entendíamos nada, aplaudimos como locos cuando la obra terminó, porque la verdad es que nos había gustado muchísimo aunque no tuviéramos ni idea de lo que habíamos visto. Oliver, como un antiguo pintor de *ukiyo-e*, ya hablaba de ponerse a pintar *onnagatas* por todas las paredes de Liverpool y Gabriella quería saber los nombres de los actores de *kabuki* más famosos para pintar sus retratos o hacer algunos bustos. Odette y yo simplemente disfrutábamos del momento.

Cenamos, charlamos y nos lo pasamos muy bien en un lujoso restaurante cercano, y volvimos al hotel con la mente muy alejada del cementerio que debíamos visitar al día siguiente.

Pero, evidentemente, la hora de ir al cementerio llegó. A las siete de la mañana ya estábamos aparcando con el microbús delante del templo Jōshin-ji y bajando las escalerillas cargados con nuestras grandes mochilas para toparnos con el horroroso calor japonés del mes de agosto. Y, como estábamos a día 15, la fecha más importante de la fiesta del *Obon*, el templo parecía el teatro Kabukiza: lleno hasta la bandera a esas horas tempranas de la mañana, cuando se supone que es el mejor momento para ir a limpiar el *ohaka*, lo que sería la tumba o mausoleo.

Las familias, niños pequeños incluidos, se movían de un lado a otro por los grandes jardines del recinto visitando a todos los Budas de todos los templos, estirando de las cuerdas con cascabeles, dejando dinero delante de las estatuas y dando palmadas. Pero la riada humana parcialmente escondida bajo las coloridas sombrillas de las mujeres (sobre todo de las ancianas) se dirigía, en realidad, hacia el cementerio, así que nos mezclamos con los caminantes que iban a rendir homenaje a sus fallecidos y a rezar ante el *ohaka*.

Aquello no tenía nada de fúnebre, era más bien como una fiesta. Los niños reían y la gente charlaba animadamente, cargando con hermosos ramos de flores. Había lugares donde se podían coger cubos de plástico, cazos de bambú de mango largo (los *hishaku*) y agua para limpiar las lápidas.

Cuando ya entramos en lo que era propiamente el cementerio fue cuando a Ichiro se le ocurrió comentarnos que allí no había cuerpos enterrados. Ninguno. En ningún cementerio. Porque en Japón a la gente no se la entierra, se la incinera, y sus cenizas o son entregadas a los templos para que las custodien o se quedan en poder de la familia si ésta dispone de un altar en el hogar. Y nos lo decía un funerario profesional, o sea, que era información de primera mano. En aquel cementerio no había muertos. Era más bien un parque público lleno de *ohakas*, pequeños monumentos vacíos en los que figuraba el nombre del fallecido cincelado en el mármol, el cemento o el granito, que era lo que las familias limpiaban. Punto. Ah, sí, y cada *ohaka* contaba con un altarcillo para quemar incienso, unos jarroncitos para poner las flores y unos farolillos para encender unas pequeñas velas que, con sus luces, guiaban a los *kami* durante su visita al mundo de los vivos en las fiestas del *Obon*.

—Nosotros no sabemos leer japonés —nos recordó Odette mientras miraba con envidia las sombrillas de colores de las japonesas—, así que Ichiro es el único que puede encontrar la tumba de Iwai Kumesaburō III.

—¡Cierto! —replicó Ichiro dirigiéndose hacia un gran panel lleno de microscópicas letras japonesas divididas en columnas. Lo estuvo examinando durante un largo rato y, luego, se dirigió hacia un caminillo de tierra solitario que se internaba en un bosque detrás de uno de los templos—. Por aquí.

—¿Ya sabes dónde está la tumba? —le preguntó Oliver.

—Pues claro —le respondió—. En general, los cementerios están perfectamente organizados. Aquí, la localización de todas las tumbas está anotada en ese panel. Como dijo mi padre, el monumento de Iwai Kumesaburō III se encuentra en la zona más antigua.

Los árboles del bosquecillo en el que entramos nos protegieron del fuerte sol de agosto pero no de la humedad pegajosa ni de los mosquitos. Había tumbas a los dos lados del camino y, desde luego, no eran recientes. Cada vez parecían más y más viejas. Algunas se veían abandonadas y un poco sucias, sin flores, ni luces, ni nada, y estaban pegadas unas a otras, como amontonadas, lo cual nos hacía difícil a veces avanzar por el caminillo cargados con nuestras grandes mochilas de supervivencia.

—Seguramente los monjes las limpian de vez en cuando —comentó Ichiro con pena—, pero como ya no hay familiares que vengan durante el *Obon*, los *ohakas* están muy estropeados.

—¿Y las cenizas de estos muertos? —preguntó Odette.

—Aquí, en el templo Jōshin-ji —le explicó Ichiro mientras seguíamos caminando—. Los templos, tanto budistas como sintoístas, tienen zonas especiales donde guardan las cenizas por encargo de las familias, que pagan una cuota al templo para que las conserve y rece por los *kami* de sus fallecidos. En realidad, actualmente ya no se hacen cementerios tan grandes como éste y mucho menos en medio de la ciudad, dado el precio del suelo. Ahora se construyen modernos edificios de muchas plantas para albergar, también al cuidado de los monjes y con las más modernas tecnologías, las cenizas de muchas generaciones de familias. La verdad es que parecen las sedes de Apple o de Microsoft.

—Y son los auténticos cementerios —se rio Gabriella.

—Tendrías que ver esos edificios —le comentó Ichiro entusiasmado—. Los diseños son impresionantes, realizados por los arquitectos más vanguardistas.

El camino de tierra se había vuelto aún más estrecho y difícil de transitar. Por suerte allí no había nadie. Era la parte más solitaria del recinto, lo cual nos protegía de miradas indiscretas cuando pisábamos —sin querer y, por supuesto, respetuosamente— el terreno de algunos viejos *ohakas*.

—¡Aquí está! —exclamó de repente Ichiro—. ¡Ésta es la tumba de Iwai Kumesaburō III!

Sabiendo ya que no era exactamente una tumba en el sentido occidental de la palabra, podía decirse que era un monumento de piedra bastante bonito. No se parecía a ningún otro de los que habíamos visto hasta entonces. Tenía una ancha y larga base de piedra cuadrada, hecha de una sola pieza, de medio metro de altura aproximadamente y, en el centro, donde se acumulaba un musgo de color verde claro, se apoyaba un cubo también de piedra. Del cubo emergía un polígono como de un metro de alto en el que estaba grabado, en vertical, el nombre del gran *onnagata* en caracteres japoneses y, en la parte superior, el monumento estaba rematado por una figura que podía ser un homenaje a su trabajo en el teatro, pues recordaba ligeramente a la forma del cabello tradicional femenino en Japón. Se notaba que el *ohaka* era muy antiguo. La piedra se veía rota en algunas esquinas y tenía una capa de musgo que no era precisamente de ayer. Delante de la gran base cuadrada se encontraba el altarcillo para el incienso y, delante de éste, una pequeña concha de piedra donde se veían restos muy sucios de cera vieja. Alguien, en los ciento treinta y cinco años transcurridos desde su muerte, había estado allí durante el *Obon* para encenderle una luz. A saber quién y cuándo. Quizá el propio Ryoei Saito, aunque la cera parecía más antigua.

Odette, sin que nos diéramos cuenta, se había puesto a limpiar el monumento. Claro que nosotros no habíamos cogido ni cubo de agua ni cazoleta de bambú para derramarla sobre el *ohaka*, pero ella siempre llevaba una gran provisión de toallitas húmedas con las que le pasó una mano a la tumba de Iwai Kumesaburō III como si se tratara de la cara sucia de alguno de sus hijos. Ichiro sonrió complacido.

—Deberíamos ponerle incienso y encender una vela —comentó Gabriella muy seria—. Por respeto. Acordaos de lo que dijo Kentaro.

—¿Tienes miedo de que el *kami* de Iwai Kumesaburō III te persiga hasta Milán y te haga la vida imposible? —se rio Oliver.

—Supongo que es por educación —respondió ella muy tranquila, apartándose los furiosos mosquitos de la cara—. Cuando era pequeña, iba siempre con mi madre y con mi abuela al cementerio todos los días 1 de noviembre para limpiar las tumbas de la familia. Me lo pasaba muy bien curioseando por allí. Ahora no voy nunca.

Ichiro se acercó hasta ella y le puso en la mano un paquete de incienso y una vela blanca tan fina y corta como un cigarrillo. Como buen profesional, había venido preparado.

—Toma —le dijo—. Estoy seguro de que Iwai Kumesaburō III se sentirá muy honrado por tu gesto y te mostrará su agradecimiento.

—¿Apareciéndose? —se asustó ella. Estar en un cementerio, por muy cementerio *fake* que fuera, te hacía perder la racionalidad y volverte crédulo.

—No —se rio Ichiro—. Bendiciéndote con cosas buenas. Ya lo verás.

Eso también era credulidad y superstición pero no dije nada.

Con un mechero, Ichiro prendió fuego al paquete de incienso por un extremo, sin abrirlo, y se lo entregó a Gabriella. Ella lo colocó sobre la pequeña bandeja del altarcillo donde empezó a humear delicadamente y, cogiéndole el mechero, encendió la vela y, antes de ponerla, dejó caer unas gotas de cera caliente y líquida dentro de la concha de piedra.

Ichiro unió las palmas de las manos a la altura de la cara y comenzó a hacer lentas reverencias delante del *ohaka* doblando el cuerpo entero. O sea, absoluto respeto, el máximo. Los demás le imitamos. Y, sí, inclinarte de esa manera te hace sentir un profundo respeto. Da igual lo que tengas delante. El gesto crea el sentimiento.

Empecé a escuchar el sonido del roce de una piedra contra otra y, sin desdoblar el cuerpo, levanté la cabeza con extrañeza. ¿Qué demonios se estaba moviendo? No me sorprendió ver que el cubo que había en el centro de la gran base del *ohaka* estaba girando sobre una de sus esquinas dejando a la vista un agujero. ¿En una tumba?, pensé con aprensión, ¿de verdad teníamos que entrar esta vez en una tumba? Ya sabía que no nos encontraríamos con huesos ni esqueletos como en París, pero era una tumba y pensar en meterse dentro ponía los pelos un poco de punta. A fin de cuentas tenía relación con un famoso muerto japonés.

Cuando el cubo de piedra (y todo lo que tenía encima) dejó de girar, nos fuimos incorporando lentamente sin decir ni media palabra.

—Después de esta experiencia —murmuró Oliver, al fin—, no pienso bajar al sótano de mi casa durante mucho tiempo. Y eso que usamos el sótano como sala de videojuegos.

—Pues a mí me gusta meterme bajo tierra —le dijo Ichiro sonriendo y entrando en el *ohaka* para subirse a la base de piedra—. Será deformación profesional.

—Deberías hacértelo mirar —le comenté, siguiéndole.

—Llevad cuidado con el musgo —comentó él sin hacerme caso—. No lo piséis.

—¿Ofenderíamos al *kami* de Iwai Kumesaburō III? —preguntó Odette.

—No —rechazó Ichiro mirando dentro del agujero—. Pero es un musgo precioso y antiguo que embellece la tumba. ¿Por qué hacerle daño innecesariamente a un ser vivo?

—¡Pues yo he matado un montón de mosquitos desde que llegamos a Japón! —exclamó Oliver riéndose.

—Los mosquitos no son preciosos ni antiguos —le aclaró Gabriella empezando a bajar por el agujero detrás de Ichiro—. Y no embellecen nada. Son el peor incordio del mundo.

El hueco era muy estrecho. De hecho no cabíamos con las mochilas puestas. Pero, a pesar de las estrecheces, pronto estábamos todos bajando de nuevo por otra larga escalera de cemento donde olía muchísimo a tierra mojada.

—¿Y no fue una falta de respeto por parte de Ryoei Saito hacer esta entrada en la tumba de Iwai Kumesaburō III? —pregunté mientras encendía la linterna.

La voz de Ichiro me llegó desde muy abajo.

—Forzosamente —dijo—, antes de empezar las obras tuvo que traer a varios sacerdotes para que hicieran rituales de purificación y perdón. Y, desde luego, pagar una fortuna al templo Jōshin-ji para que le dieran permiso. Los templos siempre andan escasos de dinero.

Continuamos bajando hacia el centro de la tierra durante un buen rato y, por fin, llegamos al habitual cuartucho con una puerta. Hacía fresco ahí abajo, bastante, y el cambio de temperatura, aún sudados por el calor de arriba, resultaba desagradable. Al menos, esta vez la puerta no era de submarino como en el estudio de sonido. Era una puerta acorazada normal, con un tirador, como en anteriores ocasiones, y que se cerraría detrás de nosotros en cuanto hubiéramos entrado. Deseé de corazón que esta vez no saliéramos demasiado magullados de aquel sitio.

Ichiro no se lo pensó dos veces y, tirando del asa, la abrió, dejando a la vista los agujeros que había en el larguero y el cabezal de la moldura y los pasadores de acero en el borde de la hoja. Nos asaltó un extraño olor metálico y seco pero, como el interior estaba completamente oscuro, no podíamos saber de dónde procedía. La oscuridad de la habitación era absoluta, cerrada, una oscuridad que me pareció bastante tétrica teniendo en cuenta dónde nos encontrábamos. En ese momento se empezó a escuchar cómo se cerraba la entrada de arriba, la del *ohaka,* con un roce de piedra contra piedra. Resultaba todo un poquito espeluznante.

—¿No se enciende ninguna luz? —preguntó Oliver avanzando para entrar.

—No —respondió Ichiro desde el interior moviendo el foco de su linterna en todas direcciones e iluminando una habitación completamente vacía.

La puerta acorazada pesaba un montón y, como la de submarino, trataba de volver a su sitio mientras íbamos entrando. Dado que yo fui el último, fui también quien la soltó para que pudiera cerrarse. De nuevo, tras escuchar el ruido de los pasadores de acero encajando en los agujeros de la moldura, la maquinaria de aquel lugar se puso en marcha y las luces del techo se encendieron mientras, del suelo, emergía una especie de altar de piedra con pinta de ataúd. Tendría unos dos metros de largo por uno de ancho y otro de alto, todo de una pieza de piedra. En la parte superior, hacia el centro, había un montón de agujeros más o menos cuadrados no demasiado profundos ocupando, aproximadamente, una superficie de unos cuarenta centímetros de largo por unos veinticinco de ancho.

—¡Hala, ya estamos otra vez! —protestó Gabriella examinando los agujeros—. Y ahora tenemos que ponernos a adivinar qué es lo que hay que hacer con esto.

Pero Ichiro tenía una extraña sonrisa de felicidad en los labios.

—¡Por fin! —exclamó con un gran alivio dejando caer al suelo su mochila y abriéndola precipitadamente. Le había dado una especie de ataque y con los dos brazos dentro de la mochila revolvía como un loco el contenido—. ¡Ya era hora!

—¿Las fichas de madera? —insinuó tímidamente Odette.

—¡Exacto! —soltó él sin dejar de revolver todas sus cosas—. ¡Sabía que, en algún momento, las íbamos a necesitar!

—Pues es verdad —se admiró Gabriella volviendo a examinar los agujeros—. Creo que las fichas de madera encajarían aquí perfectamente.

—Los agujeros no son todos iguales —observó Oliver.

—Las fichas tampoco lo eran —comenté yo inclinándome también sobre la mesa—. Algunas eran más cuadradas y otras más rectangulares.

—Pero la profundidad de los agujeros sí que es la de las fichas —declaró Odette.

—Sí, cierto —asintió Gabriella.

—¡Aquí están! —exclamó Ichiro levantando en el aire la bolsa de plástico con todos los trozos de madera que habíamos ido encontrando en las trampas anteriores.

—¡Un momento! —les interrumpí señalando las paredes—. ¿Qué es eso?

Estábamos tan entretenidos con el altar y con las fichas que no nos habíamos dado cuenta de que en las esquinas de las paredes había, incrustadas en vertical, unas esferas metálicas del tamaño de pequeñas bolas de ping-pong o de golf que espejeaban bajo las luces. Había seis esferas en cada esquina, colocadas de tal manera que coincidían perfectamente con las seis esferas de la esquina de enfrente. A primera vista, parecían inocuas e inocentes, quizá parte de una excéntrica decoración, pero yo ya no me fiaba de nada.

Y, en ese momento, Oliver, señalando al techo, dijo:

—Pues saludad a nuestros viejos amigos.

Un montón de rociadores de agua contra incendios como los que nos habían disparado agua hirviendo en el estudio de sonido se cernían amenazadores sobre nuestras cabezas. Aquellos rociadores, que esta vez eran de color gris claro, habían conseguido pasar desapercibidos hasta que empezamos a fijarnos en los potenciales peligros de la habitación porque las paredes, el techo y el suelo eran también de color gris claro.

—Vamos a tranquilizarnos —dijo Ichiro acercándose a una esquina y tocando con aprensión una de aquellas esferas metálicas—. Sólo es una bola de aluminio, nada más. Quizá tenga alguna utilidad.

Gabriella soltó una carcajada irónica.

—¡Desde luego que la tiene! —dijo sin dejar de reír—. ¡No te quepa ninguna duda!

—¿Por qué no empezamos con las fichas de madera y la mesa y dejamos los problemas para más tarde? —propuse, sintiendo un nudo extraño en el estómago.

Ichiro sacó las fichas de la bolsa de plástico y las colocó junto a los agujeros de la mesa. Era la primera vez que veía las cinco fichas juntas y, salvo una que no tenía nada por ningún lado, las demás presentaban grabados sin sentido en alguna de sus caras. Uno de esos grabados parecía un relámpago que cruzaba la pieza de madera por la mitad (no sabíamos si vertical u horizontalmente), otro era un trazo irregular como ésos de los índices bursátiles que parecen cordilleras; otro sólo tenía una pequeña línea separando del resto una de sus cuatro esquinas y el último parecía un pecho de mujer dejado caer sobre una colina. O algo así. Todas las fichas de madera medirían unos seis o siete centímetros por cada lado y, como mucho, un par de centímetros de alto.

—¿Cuántos agujeros hay? —pregunté empezando a contarlos.

—Pues muy fácil —me replicó Gabriella—. Si hay tres filas y siete columnas, hay en total veintiún agujeros.

—¿Ponemos las fichas al tuntún o le buscamos antes alguna lógica? —pregunté.

—¿Qué lógica? —se sorprendió Oliver—. Tenemos cinco fichas y veintiún agujeros. No hay ninguna lógica.

—Pues tiene que haberla —murmuró Odette.

—Escuchad —les dije moviéndome alrededor de la mesa—. ¿Se miran los agujeros desde mi derecha o, por el contrario, los miramos desde ese otro lado? ¿Se mirará desde ahí enfrente o desde el punto opuesto al que estoy yo ahora?

—¡No lo compliques, Hubert! —me regañó Gabriella.

—¿Que no lo complique? —me ofendí—. Me recuerdas a Morris con su gran capacidad para incordiar. Creo que no hay nada más lógico que lo que estoy diciendo. Si esto es una especie de puzle en el que tienen que encajar nuestras piezas, ¿desde dónde hay que mirar la imagen?

—¡Pero si no sabemos cuál es la imagen! —se enfadó ella.

—¡Pues eso es lo que estoy intentando decir! —exploté—. ¡Que no tenemos ni idea de qué significan nuestras cinco piezas en este puzle ciego de veintiuna posiciones! ¡Y que aunque pusiéramos las cinco fichas en sus correspondientes casillas por pura casualidad, seguiríamos teniendo dieciséis huecos vacíos!

No sé por qué me enfadé de aquella manera con Gabriella. Supongo que por frustración o por rabia. Intentaba ignorarla todo lo que podía y, luego, perdía los papeles y empezaba a discutir con ella. Bravo, Hubert, me dije, te pareces cada vez más al idiota de Morris.

—¡Calmaos los dos, por favor! —nos ordenó Oliver, desconcertado por nuestra discusión.

—En realidad, sí que conocemos la imagen del puzle —afirmó Odette intentando suavizar el tono de la conversación—. Debemos conocerla porque ninguna trampa de Saito ha sido incoherente hasta ahora. Hemos tenido que ver el grabado o la pintura en algún momento. Quizá se trate de alguna obra muy famosa y aún no nos hemos dado cuenta.

—¿Y si fuera una de las planchas de madera que se utilizaban para los grabados de *ukiyo-e*? —preguntó Ichiro con la enorme satisfacción de haber resuelto el problema.

Nos quedamos todos en silencio, pensativos. En realidad no habíamos visto ninguna plancha de madera para hacer xilografías de *ukiyo-e*, aunque sí habíamos visto muchas láminas de pinturas *ukiyo-e*. Un pensamiento me llevó a otro y de repente me vino a la cabeza que Vincent Van Gogh se había dedicado, además de a pintar sus propios cuadros, a copiar láminas de *ukiyo-e* como si no hubiera un mañana.

—Es evidente que esto tiene que tener alguna relación con Van Gogh —dije en voz alta—. La imagen tiene que ser alguna pintura de Van Gogh o alguna de las muchas láminas de *ukiyo-e* que copió Van Gogh.

Ichiro, dando un paso hacia mí, se me encaró indignado.

—¿Se te ha ocurrido pensar que Van Gogh coleccionó más de seiscientas láminas de *ukiyo-e*? Puede que incluso el doble, pues cientos de ellas se regalaron y se perdieron tras su muerte. En el museo Van Gogh de tu país se conservan exactamente quinientas treinta y una que le pertenecieron. ¿Y sabes cuántas de ellas pudo llegar a copiar como ejercicios de dibujo, como bocetos o como cuadros?

Gabriella, que seguía bastante enfadada, de repente miró a Ichiro de un modo raro. Lo que él había dicho parecía haberle encendido una invisible bombilla sobre la cabeza. Abrió mucho los ojos verdes y exclamó:

—¡La retícula de Van Gogh! ¡Los agujeros de la mesa representan la retícula de Van Gogh! ¡Y la imagen es la de la prostituta vestida de novia del *Paris Illustré*!

18

Absolutamente todo está en internet

De repente, los cinco recordamos la imagen de la *oiran* del pintor Keisai Eisen vistiendo un *uchikake* de boda con un diseño de dragones *unryū*. Claro que no era ésa la imagen que debíamos recordar, sino el boceto que hizo Vincent a lápiz, con las rayas de la retícula como guía, para transformar la pequeña imagen de la *oiran* reproducida en la portada de la revista *Paris Illustré* de mayo de 1886 en un dibujo mucho más grande que ocupara un lienzo completo.

Según nos había explicado Ichiro, para agrandar y copiar a la *oiran* con su precioso kimono de dragones voladores, Van Gogh había enmarcado con un rectángulo vertical dibujado a lápiz la figura de la portada, rectángulo que luego dividió con líneas horizontales y verticales hasta formar una retícula de veintiún cuadrados. Más tarde, trasladó esa matriz de tres columnas por siete líneas a un lienzo grande y copió el contenido de los cuadrados, haciendo antes un ensayo en papel que pudimos examinar en casa de los Koga, cuando Kentaro nos entregó una copia del boceto a cada uno. Y, sí, no cabía duda de que Gabriella había acertado de lleno cuando visualizó aquella retícula de Van Gogh en los agujeros de la mesa de piedra. O quizá en las finas líneas de piedra que los separaban, daba igual, porque, aunque los agujeros eran un poco más grandes que las fichas, la matriz era exactamente la misma.

—¡Madre mía, Gabriella, qué ojo tienes! —dejó escapar Odette con admiración.

—Ojo de pintora —convino Oliver sonriente—. De artista.

—¿Tiene alguien la imagen del boceto en el móvil? —preguntó ella.

Yo, desde luego, no la tenía. Kentaro nos daba continuamente muchas láminas que yo conservaba dentro de una carpeta que guardaba en mi equipaje, que siempre estaba o en la casa de los Koga en Shizuoka o en el hotel de Tokio. Eran unas láminas preciosas que, algún día, serían un recuerdo fantástico de aquella aventura en Japón buscando el Van Gogh perdido. Y, como estaban magníficamente impresas en un papel de gran calidad, ¿para qué quería sacarles fotografías? En foto no valían nada. Habría cientos de copias de esas imágenes en internet. ¿Por qué molestarme en guardarla en el móvil?

—No —respondió Oliver por todos—. Creo que ninguno llevamos en el móvil una copia del boceto. Yo, al menos, no.

—Pues busquemos en internet —propuso Ichiro—. Seguro que la encontramos enseguida.

—¿Tú tampoco la llevas en el móvil? —se extrañó Odette.

—¿Para qué la iba a llevar? —le respondió él con cara de culpabilidad—. Mi padre es quien se encarga de las imágenes y a mí me da, como a vosotros, una copia impresa que dejo en casa o en el despacho de Tokio. No se me ocurrió pedirle los ficheros digitales porque siempre se pueden encontrar en internet.

—Pues me temo que no —silabeó Gabriella con frustración consultando su móvil—. No tenemos cobertura.

—¿No tenemos cobertura? —exclamó Ichiro alarmado, sacando rápidamente su teléfono para comprobarlo.

Al final, parecíamos los viajeros de un vagón de metro a las siete de la mañana: todos mirando obsesivamente las pantallas encendidas de nuestros móviles, ajenos por completo a lo que nos rodeaba. Y, por desgracia, era cierto. Allí, bajo el cementerio, no teníamos cobertura. Ni una pequeña rayita. Nada. Estábamos completamente aislados.

—La pena es que no reconozco en estas fichas —murmuró Odette pensativa acercándose a la mesa para mirarlas de cerca— ninguna parte del boceto de la *oiran*. Y eso que recuerdo perfectamente la imagen, tanto la de Eisen, como la del *Paris Illustré*, que estaba invertida respecto a la de Eisen, y también la de Van Gogh, que era copia de la del *Paris Illustré*.

Sí, pero una cosa es recordar la imagen y otra muy distinta recordar los detalles de la imagen. Y, para eso, hacía falta una buena memoria fotográfica. Empezando a preocuparme por si yo tampoco los recordaba, cerré los ojos con fuerza y recreé en mi mente el dibujo de mi compatriota, aquella burda y desmañada reproducción de la bellísima lámina de Eisen hecha con ayuda de una retícula. Pero sí, respiré aliviado, sí los recordaba. No sólo veía el boceto en mi cabeza sino que era capaz de reconstruirlo con todos sus pormenores. No pude evitar sonreír cuando me di cuenta de que lo que había considerado un pecho de mujer dejado caer sobre una colina se convertía, si giraba la ficha de madera mentalmente, en la punta del pie de la *oiran* sobresaliendo por debajo de la orilla del *uchikake*, el kimono de novia.

Sin decir nada me acerqué a la mesa y cogí la ficha. Todos me habían estado contemplando en silencio mientras mantenía los ojos cerrados porque recordaban que yo hacía exactamente eso cuando tuvimos que pintar en 3D el cuadro de *La habitación de Arlés* y que ésa era mi forma de repasar la imagen al milímetro en mi mente. De modo que, cuando me vieron coger una de las fichas, se abalanzaron sobre la mesa de piedra para saber qué iba a hacer con ella.

El problema era que seguía sin tener ni idea de dónde colocarla exactamente. En mi cabeza, la punta del pie de la *oiran* se correspondía con la esquina inferior izquierda del boceto dividido en veintiún pedazos. Pero ¿cuál era la parte inferior en la mesa? ¿La que daba a la pared de la derecha, mirando desde la puerta, o la que daba a la pared de la izquierda? Porque los lados más cortos de la superficie rectangular de aquella especie de altar de piedra (y, por lo tanto, la parte superior e inferior del boceto y de la rejilla de agujeros) daban a las paredes laterales.

Eso era lo único que tenía claro: había que colocarse en los extremos cortos del altar para formar la imagen de tres largas columnas de siete casillas y de siete filas cortas de tres casillas. Bien, ahora había que poner el pie de la *oiran* en la casilla inferior izquierda, digamos la casilla 1-1, por numerar los agujeros de alguna forma, o bien en la casilla 7-3, el agujero de la esquina superior derecha. Y la diferencia entre ponerla en un sitio o ponerla en el otro podía significar que, si me equivocaba, alguna maldita trampa ninja con rociadores se iba a poner en marcha.

En resumen, que me quedé con la ficha en la mano sin colocarla en ninguna parte.

—¿A qué esperas, Hubert? —se impacientó Gabriella.

Mi primera reacción instintiva fue soltarle un exabrupto por presionarme de aquella forma, pero, sabiendo que era mi propia frustración la que pondría las palabras en mi boca, me limité a esquivar su mirada y a explicarles a todos el problema: que no sabíamos si debíamos empezar a colocar las fichas mirando desde la pared lateral derecha o izquierda porque no sabíamos cuál era la casilla 1-1 y cuál la casilla 7-3.

—Tenemos un cincuenta por ciento de posibilidades —murmuró Oliver encogiéndose de hombros después de pensar un poco.

—Yo voto por arriesgarnos —dijo Gabriella—. No nos queda más remedio.

—Pero recuerda… —empezó a decirle Odette.

—Lo recuerdo perfectamente —la atajó Gabriella— y, además, tengo claro que, si elegimos la opción equivocada, nos vamos a llevar un buen susto que ya veremos cómo acaba. Pero insisto en que no nos queda más remedio que arriesgarnos.

Lo sabíamos. De modo que, como la pared lateral más cercana a mí (siempre mirando desde la puerta como punto de referencia) era la derecha, terminé de dar la vuelta a la mesa de piedra y coloqué la ficha del pie y el borde del kimono en la casilla 1-1 del extremo derecho. Me sorprendió escuchar, en el mismo instante en que la dejé caer, el sonido de los aspersores de riego poniéndose en marcha. Y, sólo entonces, me di cuenta de lo idiota que había sido:

—¡No era esta casilla! —exclamé alarmado, recogiendo la ficha rápidamente.

—¡No hace falta que lo jures! —gritó Oliver que ya se había incrustado en una de las esquinas de la habitación para escapar, como en el estudio de sonido, de la fina lluvia ardiente.

Gabriella había hecho lo mismo y Odette e Ichiro también, compartiendo el mismo espacio. Casi sin darme cuenta me precipité hacia la última esquina libre, la que ellos me habían dejado.

—¡Esta ficha es casi cuadrada —seguí diciendo mientras me clavaba las bolas de ping-pong en la espalda y el agua comenzaba a caer— y el agujero era más bien rectangular!

—¡A buenas horas! —soltó Gabriella enfadada, mirando hacia el techo.

Pero, esta vez, los rociadores estaban dispuestos de manera que las esquinas de la habitación no quedaban libres de la lluvia. No había ningún lugar seco en ninguna parte y, extrañamente, el agua no quemaba. Era agua fría, o sea, agua que te mojaba pero no te hacía daño. La presión también era menos intensa.

Aún estábamos asombrados por el nuevo fenómeno cuando una sorpresa peor nos atacó por la espalda. Lo primero que sentí fueron unos pinchazos enormes en los lugares donde las esferas tocaban mi cuerpo, cabeza incluida, como si me estuvieran clavando unas agujas grandísimas. El dolor fue intenso y noté que me mareaba rápidamente y que me fallaban las piernas. Vi que Oliver, en la esquina enfrente de la mía, se llevaba las manos a la parte posterior del cuello como si hubiera recibido un fuerte golpe en la nuca pero, al mismo tiempo, justo antes de tener que sujetarme a las paredes para no caerme redondo al suelo, vi un arco de intensa luz azul cruzando en diagonal la habitación desde la parte superior de la esquina de Odette e Ichiro, a mi derecha, hasta la de Gabriella, a mi izquierda, golpeando justo por encima de su pelo mojado con un extraño zumbido vibrante.

Quise explicarles que eran descargas eléctricas y que, como estábamos mojados, la electricidad que soltaban las esferas nos atravesaba todo el cuerpo buscando una salida pero, cuando abrí la boca para hablar, sentí unas náuseas tan grandes que la volví a cerrar para evitar el vómito. Vi a Gabriella perder el conocimiento y desplomarse y vi a Ichiro sujetar con fuerza a Odette y, luego, dejarse caer con ella hasta el suelo. Oliver se mantenía en pie a duras penas, como yo y, entonces, en ese momento, Ichiro nos gritó a los dos:

—¡Echaos al suelo! ¡Al suelo!

Una fuerte arcada le impidió seguir hablando mientras tumbaba a Odette boca abajo, pero por suerte no llegó a vomitar. En lugar de eso, mientras contenía una segunda arcada, nos señalaba los rayos de luz azul que cruzaban la habitación en diagonal, de esfera a esfera, indicándonos que las últimas bolas eléctricas de ping-pong, las que estaban más abajo, dejaban un espacio suficiente entre ellas y el suelo para que pudiéramos escapar de las descargas.

El bonito espectáculo luminoso de deslumbrantes rayos de luz azul cruzando la habitación con grandes zumbidos vibrantes apenas duró unos segundos más. Pero, aunque se interrumpió pronto y el agua dejó de caer, ninguno de nosotros se incorporó. Nos sentíamos realmente enfermos, con fuertes dolores musculares y un extraño hormigueo por todo el cuerpo. Tumbado boca abajo con la mejilla apoyada contra la piedra mojada del suelo me pregunté cómo estaría Gabriella, a la que no podía ver por culpa del altar de piedra. Me sentía débil y agotado, bastante mareado e inestable, pero me levanté lentamente para buscarla. No había nada que me importara más en el mundo en aquel momento que saber cómo estaba ella.

Apoyándome en la mesa conseguí llegar hasta el otro lado y la vi derrumbada sobre el suelo, inconsciente. Su cuerpo delgado se había llevado las descargas eléctricas de cinco esferas y no había podido soportarlo. Me agaché junto a ella y lo primero que hice fue comprobar si respiraba. Sentí un enorme alivio al descubrir que seguía viva y, levantándole la cabeza, la atraje hacia mí y la abracé.

—Gabriella, despierta —le pedí en voz baja mientras la mecía entre mis brazos y le quitaba el pelo mojado de la cara—. Despierta, despierta, Gabriella.

Oliver se había acercado a Ichiro y a Odette y, desde donde me encontraba, no podía ver a ninguno de los tres.

—¿Cómo están, Oliver? —le pregunté en voz alta.

—Odette inconsciente —me respondió—. Ichiro bien, aunque muy mareado. ¿Tenemos bolsas de plástico por si alguien vomita?

—En mi mochila hay bolsas —le dije—. Arriba, en el bolsillo de fuera, a la izquierda.

Cuando miré de nuevo hacia abajo, hacia Gabriella, choqué de pronto con sus preciosos ojos verdes muy abiertos.

—Te escuché, ¿sabes? —murmuró volviendo a cerrarlos lentamente.

—¿Me escuchaste? —no tenía ni idea de lo que hablaba y pensé que desvariaba, que se le había ido un poco la cabeza con las descargas—. Bien. ¿Puedes incorporarte?

—El otro día —siguió diciendo sin moverse—, en el estudio de sonido, cuando nos despertamos.

¿De qué demonios estaba hablando? Empecé a preocuparme.

—Escuché… —continuó en susurros—. Escuché lo que dijiste: «Maldita sea, Gabriella, creo que me he enamorado de ti».

Si ha habido algún momento en mi vida en el que he deseado que la tierra me tragara para siempre fue aquél. Me quedé petrificado.

—Eres bastante torpe para estas cosas, ¿sabes? —me soltó sin cortarse abriendo los ojos de nuevo y sonriéndome de una manera seductora—. Por favor, repítelo.

Yo no podía hablar. En realidad, no podía ni respirar, no podía ni moverme.

—Está bien —concluyó decepcionada mientras se incorporaba y se separaba de mí mostrando una sonrisa burlona—. Esperaré a que reúnas el valor suficiente para decírmelo a la cara. Pero no me hagas esperar mucho. Total, sólo estaríamos perdiendo tiempo.

En ocasiones, los pensamientos van tan rápidos que acaban convirtiéndose en una línea plana, tan plana como la de un electroencefalograma plano, es decir que no hay pensamientos. Algo así me pasaba a mí. Me quedé en blanco, en un blanco plano que borró para siempre los siguientes minutos de mi vida. No recuerdo nada, absolutamente nada hasta el momento en el que, aturdido y con las manos sudorosas y el corazón a mil, mis compañeros me estaban diciendo que pusiera la ficha de madera en la casilla correcta porque corríamos el riesgo de que el cronómetro de Saito volviera a disparar aquellas malditas bobinas de Tesla que se escondían detrás de las esferas metálicas.

—¿Estáis seguros —balbucí desorientado— de que son bobinas de Tesla?

—Estoy seguro, Hubert —me repitió Oliver con tono de cansancio, como si ya me lo hubiera explicado—. Las he usado muchas veces en la discoteca de Liverpool donde trabajo porque quedan genial en las fiestas. Coordinas el ritmo de la música con los arcos de las luces de las bobinas y la gente se vuelve loca. Claro que son bobinas de Tesla de baja potencia, sólo para espectáculos, y vienen con muchas medidas de seguridad. Nunca había recibido una descarga, y mucho menos como las de hoy.

—Venga, Hubert. Pon la ficha —me urgió Gabriella.

Gabriella… Mi corazón volvió a dispararse a mil por hora y la garganta se me secó en ese mismo instante, provocándome una punzada y un ligero ataque de tos. Ichiro se acercó a mí y empezó a darme palmaditas en la espalda.

—Vamos, Hubert —me dijo animoso—, sé valiente y dile a Gabriella que la amas.

—¿Qué has dicho? —le grité en la cara, muy enfadado.

Él se sobresaltó por mi reacción.

—Que pongas la ficha en la casilla —tartamudeó—. ¿Qué habías entendido?

—¡Nada! —exploté. Me estaba volviendo loco por momentos.

Nos habíamos desplazado hasta la pared izquierda, de manera que la casilla que desde el otro lado era la 7-3 ahora se había convertido en la 1-1 y, desde luego, aunque más grande que la ficha de madera, se veía mucho más cuadrada que la otra, es decir, más congruente con la ficha. No es que me diera miedo dejarla caer, es que no podía controlar un pequeño temblor de manos y sabía que, al menos para una de las personas presentes, resultaría bastante ridículo y patético.

—¡Venga, Hubert! —me ordenó Gabriella.

Alargué el brazo y puse la ficha en la nueva casilla 1-1. No pasó nada. Los rociadores continuaron en silencio e inmóviles.

—¡Bien! —exclamó Ichiro contento—. ¡Ahora ya estamos en la posición correcta! ¡Vamos a por otra ficha!

Pero las cuatro que quedaban no resultaban tan evidentes como el pecho-zapato. Teníamos una ficha vacía, sin marcas, un poco rectangular; la del rayo que también era un poco rectangular y que, viendo ahora la disposición de los agujeros, ya no cabía duda de que iba en posición vertical; la de la esquina separada del resto vacío por una raya; y la del índice bursátil de picos redondeados.

—¡Vamos, Hubert, concéntrate! —me pidió Ichiro poniéndome en la mano la ficha vacía—. Cierra los ojos y visualiza el boceto de Van Gogh. ¿Dónde cabría la ficha vacía? ¡Busca un hueco!

Ya lo estaba intentando. En la parte de arriba de la imagen, los palos que salían del enorme peinado de la *oiran* no dejaban espacio libre. Tampoco en la zona inmediatamente inferior, la de la cara y el enorme cuello ancho del *uchikake*. Y, después de eso, venía el cuerpo del kimono, que era grueso por arriba y que se iba estrechando hasta la cola y el zapato con un medio giro en el cuerpo de la *oiran*. ¡Eh, eh, un momento! ¡Había algo en la parte gruesa del kimono, bajo el cuello y los hombros!

Dejé la ficha vacía otra vez sobre la mesa y cogí la del rayo vertical.

—¿Dónde va ésa? —quiso saber Odette.

Pero yo aún no lo tenía del todo claro. Sabía que iba en la columna de la derecha, la tercera, porque era la espalda del kimono. Lo que no terminaba de ver era si iba en la casilla 5-3 o un poco más abajo, en la casilla 4-3, porque no sabía a qué altura... Cerré los ojos de nuevo, apretándolos con fuerza. Si la cola del kimono era tan grande como yo la recordaba, entonces debía ocupar por lo menos las dos casillas inferiores de la tercera columna. O sea, las que yo numeraba mentalmente como 1-3 y 2-3. Así que sólo me quedaban tres opciones para el rayo que era la tela arrugada de la espalda del *uchikake*: o la casilla 3-3, o la 4-3, o la 5-3.

Abrí los ojos y volví a dejar la ficha del rayo sobre la mesa y a coger la ficha vacía.

—Pero ¿qué estás haciendo? —inquirió Oliver sorprendido.

—Tiraos ya al suelo por si me equivoco —les dije y antes de que terminara de hablar ya se habían pegado todos contra la piedra mojada sin pensárselo dos veces.

Lo que iba a hacer era colocar la ficha vacía en el único hueco posible que había en todo el boceto: sobre la cola del kimono, en la fila de agujeros donde las finas piernas de la *oiran* y el medio giro que tenía su cuerpo dejaban un único espacio vacío en la tercera columna, en la casilla 3-3. Dejé caer la ficha con aprensión y me comprimí rápidamente contra el suelo en el hueco que mis compañeros me habían dejado. Pero tampoco pasó nada. Silencio y quietud total, como en un cementerio. Claro que no duró mucho tiempo por culpa del entusiasmo habitual de Ichiro.

—¡Ya tenemos dos fichas colocadas! —gritó levantándose de un salto, pletórico de felicidad—. ¡Sólo nos faltan tres!

—Yo creo que sé dónde va otra —apuntó Gabriella desde el suelo.

—¿Cuál? —le preguntó Oliver.

—La que tiene una raya y la cuarta parte de unos círculos.

Yo no conocía esa ficha, me dije asombrado. ¿A cuál se estaba refiriendo Gabriella? Gabriella… De nuevo el corazón se me disparó a mil por hora. A ese paso iba a sufrir un infarto. Qué suerte que sólo tenía un soplo de nacimiento en la aorta y ya estaba compensado. ¿Cómo le puede dar a uno un ataque tan grande por alguien a quien conoce desde hace menos de quince días? El virus me infectó en París, desde el mismo momento en que la vi, y desde entonces no había hecho otra cosa que ponerme más y más enfermo.

Nos levantamos todos del suelo y Gabriella cogió la ficha en la que yo sólo veía una pequeña raya separando una esquina del resto vacío. La tomé de su mano llevando la precaución de no rozar su piel ni por casualidad y la examiné mejor. Era verdad, en la parte que yo veía vacía se podían distinguir, en la esquina de al lado y fijándote mucho, las suaves marcas de una cuarta parte de lo que debían ser unos cuantos círculos. ¿Dónde había círculos en el boceto? Apreté los ojos otra vez y vi con toda claridad unas espirales tenuemente dibujadas a lápiz dentro de la cola del elegante *uchikake*. En realidad, esas volutas era todo lo que Vincent había dejado del hermoso dragón volador. Calculé que, por la posición en el boceto, la raya de la esquina era la parte de arriba de la cola del kimono, que caía en diagonal y, así, aquella cuarta parte de las volutas encajaba en la casilla 2-2.

No me dio tiempo a abrir los ojos antes de empezar a escuchar el sonido de los malditos rociadores poniéndose en marcha. Gabriella había colocado la ficha de madera en un agujero de piedra equivocado.

—¡Al suelo! —gritó Ichiro.

No hacía falta que nos lo recordara. Mientras una fina lluvia fría nos caía desde el techo, el festival de rayos de color azul llenaba el aire de la habitación impactando de vez en cuando con la mesa de piedra sin hacerle, aparentemente, ningún daño (también es verdad que la mesa no se podía quejar). Los rayos más bajos nos pasaban pocos centímetros por encima pero, aunque alguno se nos pegaba como si fuera adhesivo y nos encrespaba el pelo a lo *afro*, luego se despegaba sin problemas buscando otro lugar dónde impactar. Misteriosamente, aquellos rayos no nos hacían nada. No dolían ni provocaban náuseas ni hormigueo.

—Tenemos toma de tierra —se burló Oliver dando palmadas con una mano en el suelo mojado.

Con tanta agua, no me fiaba yo mucho de aquella toma de tierra pero, al parecer, funcionaba porque, cuando el pasatiempo por fin se detuvo, todos nos levantamos sanos y salvos aunque bastante empapados de los pies a la cabeza. Por suerte, la adrenalina no nos permitía sentir el frío.

—¿Dónde pusiste la ficha de los trozos de círculos, Gabriella? —le pregunté, mirándola directamente por primera vez.

Ella me miró con sus preciosos ojos verdes de una forma que me volvió a provocar una arritmia espantosa.

—¡En mal sitio, desde luego! —me replicó, riéndose.

Me fijé bien y vi que la había colocado en lo que para mí sería la casilla 3-2, donde estaba la parte del vestido que se iba estrechando, una más arriba de la casilla en la que yo había calculado que empezaba la cola. Cogí la pieza de madera y, antes de probarla, les dije a los demás:

—Quedaos en el suelo y no os levantéis. Voy a poner dos fichas, quizá las tres que faltan, así que no vale la pena que os mováis. ¿De acuerdo?

—Cuando coloques la última avísanos, ¿vale, Hubert? —me rogó Odette, tumbándose.

—Si todo sale bien, te avisaré —le dije—. Si ves que tenemos lluvia con rayos y truenos, preocúpate.

Todos se rieron y se echaron sobre la piedra. Me quedé solo frente a la mesa de piedra. Había dos fichas en sus lugares correspondientes. La tercera estaba en mi mano y, con alguna vacilación, la puse en la casilla 2-2, una por debajo de dónde la había puesto Gabriella. Y esta vez no pasó nada.

—Ya he colocado la tercera ficha —les anuncié, pasándome nerviosamente la mano por la perilla.

La felicitación fue unánime. Ya teníamos más de la mitad. Sólo faltaban dos. Pero de las dos que faltaban una era la del rayo, que ahora ya la tenía casi perfectamente localizada. Sólo podía ir en las casillas 4-3 o 5-3. Si la ficha vacía había ido en la casilla 3-3 eso quería decir que en el agujero superior, el 4-3, no podía ir un rayo vertical porque sobre aquel vacío de la 3-3 tenía que haber, por lo menos, un poco más de vacío. De modo que tampoco iba en la casilla 4-3, que tendría alguna diagonal para ir estrechando el vestido hacia la zona de las piernas, pero sí podía ir en la 5-3, que era donde estaba la parte más ancha del kimono y ahí sí tenía sentido que la arruga de la tela, o sea, el rayo, fuera completamente vertical.

Cogí la ficha y, más seguro que nunca, la puse en la casilla 5-3. Y no pasó nada. ¡Había acertado!

—Sólo nos queda una —les dije a mis compañeros—. Ya tenemos cuatro bien colocadas.

—¡Grande Hubert! —me felicitó Oliver mientras Ichiro soltaba exclamaciones de júbilo en inglés y en japonés.

Bueno, me quedaba una última ficha pero también había diecisiete agujeros vacíos y dicho así no me sonaba muy bien. La última era la del índice bursátil redondeado. Cerré los ojos y contemplé de nuevo el boceto de Van Gogh. ¿Dónde demonios había una forma como ésa? No la veía por ninguna parte. Decidí no jugármela. Abrí los ojos, giré la ficha una vez y la memoricé. En esa posición sí que parecía formar parte del *uchikake*, pero a saber qué parte. Cerré los ojos y la busqué. No, no la vi. Volví a abrir los ojos y volví a girar la ficha otra vez. Ahora parecía de nuevo un índice bursátil redondeado pero en caída libre. Cerré los ojos y la busqué en el boceto. No la encontré. Abrí los ojos de nuevo y giré una vez más la ficha. Volvía a parecer un desconocido trozo del kimono. Cerré los ojos. Allí estaba. La había encontrado. Era parte de la manga izquierda del *uchikake*, la que quedaba justo debajo de la nariz de la *oiran*, una manga ancha elevada hacia arriba por un brazo invisible. Un poco más abajo se veía la mano de la *oiran* sujetando la tela del traje de boda, por eso el brazo estaba levantado. Por eso la manga tenía ese ángulo. Era una ficha de la primera columna del boceto, la de la izquierda.

Abrí los ojos y conté: última fila, la superior, el peinado y su extraña decoración; siguiente fila, la cara y los hombros; tercera fila por arriba, la manga y la parte ancha del kimono.

O sea, la imagen de la ficha estaba en la primera columna en el extremo opuesto del rayo, en la casilla 5-1.

—Vale —avisé—, voy a poner la última ficha.

—¡No te equivoques, Hubert! —me advirtió Gabriella muy seria.

Levanté el brazo, volví a contar las casillas para no equivocarme, y dejé caer la ficha de madera en el sitio que le correspondía. Mi cuerpo, inconscientemente, amagó el gesto de echarse al suelo pero no hizo falta. Había acertado con todas las piezas. Empecé a sentirme muy orgulloso de mis nuevas habilidades (quizá no nuevas pero, hasta ese momento, totalmente desconocidas). Me estaba ganando de verdad el dinero que los Koga nos iban a pagar.

El altar de piedra empezó a emitir crujidos antes de que a mis compañeros les diera tiempo de ponerse en pie. Los sonidos les atrajeron como un imán y se dieron prisa por llegar a la mesa, rodeándome. Menos las cinco casillas en las que estaban las fichas de madera, que no se movieron, el fondo de las otras se hundió ligeramente, giró y volvió a subir, mostrándonos la imagen completa del boceto de Vincent Van Gogh. Me pareció espectacular (y eso que estaba troceado). Era algo que venía desde el pasado, cruzando el tiempo gracias a los ojos y las manos de dos genios, dos grandes artistas, Eisen y Van Gogh. No sabía si aquella *oiran* habría existido en la vida real alguna vez pero, si lo hizo, desde luego no pudo llegar a sospechar jamás que había alcanzado la inmortalidad en el momento en el que se vistió para posar con aquel traje de novia.

Un suave chirrido en nuestra espalda nos hizo apartar los ojos de la mesa, girarnos y contemplar cómo se abría un trozo de pared como si fuera una puerta. Teníamos vía libre. Ya podíamos marcharnos. Recogimos nuestras cosas y salimos buscando con la mirada la mesa con la nueva lámina de *ukiyo-e* (la última ya del cuadro de Van Gogh, la de la esquina superior izquierda). Por supuesto, en esta ocasión no había ninguna ficha de madera, sólo la lámina dentro de una sucia bolsa de plástico. Y no estaba sobre una mesa sino directamente en el suelo. ¿Por qué? Ni idea.

Ichiro se agachó para recogerla y yo me di cuenta de que nos encontrábamos en un apretado cuartucho vacío en el que había un pomo misterioso sobresaliendo de una pared. Al tirar de él, descubrí que se trataba de una puerta disimulada que nos transportaba directamente al recibidor donde estaba la escalera por la que habíamos bajado. Por el otro lado, la puerta era tan indistinguible de la pared como por éste, de modo que, en mitad de la penumbra, resultaba invisible.

Con la linterna encendida de nuevo en las manos, volví junto a mis compañeros que se inclinaban sobre los hombros de Ichiro para contemplar la lámina. Yo también me asomé y me quedé de piedra. Por primera vez no se trataba de una antigua lámina de *ukiyo-e*. Era el propio dibujo de Van Gogh en el *Retrato de Père Tanguy*, ese paisaje nevado de cielo azul, casas amarillas y tierra verde con dos figurillas cercanas dándose la espalda en un camino blanco.

—¡Qué extraño! —murmuró Ichiro—. ¿Adónde nos puede llevar un dibujo hecho por Van Gogh si desconocemos el grabado original?

Le dio la vuelta a la hoja y leyó con atención y en voz alta el mensaje escrito a mano por Saito.

—*Unkai Momijiyama teien chashitsu Sunpu-jō kōen.*

—¿Qué significa eso? —le preguntó Odette.

Pero Ichiro parecía haberse quedado como dormido, ajeno a todo. Tras leer lo que fuera que había leído, su gesto se había congelado.

—Ichiro —le llamé, zarandeándole por un hombro—, ¿qué significa lo que has leído?

—«Mar de nubes —tradujo como atontado—, casa de té del jardín Momijiyama en el parque del castillo Sunpu».

—¿Dónde está ese castillo Sunpu? —le preguntó Gabriella, extrañada.

Ichiro la miró desconcertado, saliendo a duras penas del extraño sueño en el que se había sumido, y tardó un poco en procesar la pregunta.

—En Shizuoka —respondió, al fin, aturdido—. Sunpu es el antiguo nombre de Shizuoka.

19

El mayor refinamiento es la mayor simplicidad

No habíamos comido nada en todo el día. Se nos había olvidado por culpa de las dichosas bobinas de Tesla y de las fichas de madera. Así que, en cuanto subimos al microbús de los Koga y tomamos rumbo al hotel, nos comimos el contenido de los *bentōs* que llevábamos en las mochilas aun sabiendo que íbamos a cenar pronto.

—¿Por qué no volvemos a Shizuoka? —propuso Gabriella, que se había sentado con Oliver y parecía que me rehuía—. Total, la siguiente prueba parece que va a ser allí.

—¿Queréis volver esta noche? —nos preguntó Ichiro mirándonos por encima de los asientos. Aún tenía el pelo completamente mojado y con pinta de gorro de goma para piscinas. Por suerte, el aire acondicionado del microbús no estaba muy fuerte ya que, si no, hubiéramos acabado todos con una pulmonía.

—Tendríamos que recoger el equipaje —señalé, recordando mi pobre y zarandeada maleta que no había llegado a deshacer ni una sola vez desde que salí de Ámsterdam.

—Por eso ni te preocupes —objetó él, siempre más que dispuesto a volver a Shizuoka—. Eso se arregla con una simple llamada.

—Pues, por mí, mejor dormir allí que en el hotel —añadió Oliver sonriente.

Nos encantaba estar en casa de los Koga, no cabía duda. Hacía mucho menos calor que en Tokio, el paisaje era impresionante, te sentías como en casa y la familia era súper acogedora. Incluso la silenciosa Fumiko, siempre preocupada por si comíamos bien o si estábamos cómodos, era una presencia protectora y amable.

De modo que, en mitad de una gran avenida del centro de Tokio profusamente iluminada con neones de colores y abarrotada de tráfico, Ichiro habló con el conductor para que diera la vuelta y se dirigiera a Shizuoka, y también llamó a alguien para que se encargara de nuestros equipajes.

El resto del trayecto, mientras los demás charlaban animadamente, yo me dediqué a pensar en las cosas que tenía que hacer, en cómo hacerlas y en cuándo. Jamás en mi vida había sido espontáneo y no me parecía posible empezar a serlo en esos momentos, así que estaba un poco asustado.

Como habíamos matado el hambre con la comida de los *bentōs*, cuando llegamos a Shizuoka no teníamos ganas de cenar, pero nos quedamos charlando en el *kyakuma* con Kentaro y Midori, disfrutando de la brisa nocturna que entraba desde el jardín por las puertas correderas abiertas, las *shōjis*. Les contamos lo de las fichas y Kentaro cogió la nueva lámina con manos ávidas. Puso la misma cara que su hijo cuando leyó el texto escrito por Saito en la parte posterior.

—¿En Unkai, la casa de té del castillo Sunpu...? —exclamó sin poder creérselo.

—¿Es una casa de té absolutamente normal? —preguntó Oliver con voz relajada contemplando el jardín—. Quiero decir... ¿Es igual que las demás casas de té o se diferencia por algo en especial?

—Es una casa de té totalmente normal —nos informó Kentaro con un indudable tono de perplejidad en la voz—. Es decir, no es una *sukiya*, una casa de té para la ceremonia del té, sino un *chashitsu*, un salón de té o, para que lo entendáis mejor, un lugar para tomar un té con algún dulce como en una cafetería occidental. De todas formas, tenéis que saber que ningún té, por rápido que sea, puede ser malo en Shizuoka.

—Aquí se cosecha casi la mitad de toda la producción nacional del llamado té verde, el té matcha —nos explicó Midori—, y nuestro té es el más importante de Japón desde hace más de ochocientos años por su gran calidad. La industria del té matcha en Shizuoka proporciona más de cien mil puestos de trabajo y nuestras *sukiyas* y *chashitsus* son mucho más que simples casas o salones de té.

—Es decir —comenté—, que lo de tomar el té en un *chashitsu* de Shizuoka no es casualidad. Pero, aunque para Ryoei Saito tuviera mucho sentido, sigo sin ver la relación con la lámina de Van Gogh.

—Tenemos que investigarlo más —dijo Midori apretando los labios.

—Mañana por la mañana podremos deciros algo —añadió Ichiro mirando a su padre, que asintió—. En este momento sabemos lo mismo que vosotros.

Odette, que había salido un momento para llamar a su casa y hablar con su marido y sus hijos, volvió al *kyakuma* con cara triste.

—¿Ha pasado algo? —se alarmó Gabriella.

—¡Oh, no, están perfectamente! —dijo Odette sonriendo con pena—. Pero les echo muchísimo de menos. Me gustaría volver a casa pronto.

—Ya no falta mucho, Odette —la animó Oliver—. Estamos a punto de encontrar el cuadro. Esta lámina misteriosa de Van Gogh es la última del *Retrato de Père Tanguy*.

Todos sonreímos orgullosamente. Habíamos hecho un buen trabajo y lo sabíamos. Sólo nos faltaba superar la última trampa y el cuadro sería nuestro. Bueno, de los Koga. Pero nosotros volveríamos a casa con un enorme seguro de vida en el banco. Aquella aventura en Japón, por muy confidencial que fuera, formaría parte de los mejores recuerdos de mi vida para siempre. Especialmente si conseguía encontrar la forma de atraer a Gabriella. Me giré con disimulo para mirarla y me quedé de piedra cuando descubrí que también ella me estaba mirando. El corazón se me paró en el pecho. ¿Por qué me asustaba tanto algo que, al mismo tiempo, deseaba tanto? Aprovechando que nadie nos veía, ambos sonreímos. Era un milagro que yo le gustara a aquella preciosa mujer pero todo el mundo decía que, a veces, los milagros ocurren. ¿Por qué no a mí? Yo también tenía derecho a que me pasaran cosas extraordinarias. Ya me estaban pasando. ¡Vaya si me estaban pasando! La tristeza y la depresión con las que llegué a París se habían esfumado en algún momento de las últimas dos semanas sin que me diera cuenta. Aquella noche, en el *kyakuma* de los Koga, me sentí feliz, conscientemente feliz y esperanzado, por primera vez en mucho tiempo.

Midori nos mandó a todos a la cama (al futón) un rato después. Ella sabía que su marido, Ichiro, estaba agotado y, por extensión, sabía que nosotros cuatro también. Además, Kentaro y ella tenían mucho trabajo por delante esa noche, así que se puso en plan madre y nos ordenó retirarnos a nuestras habitaciones para ducharnos, tomar un baño japonés relajante y dormir, al menos, ocho horas seguidas.

—¿Quién sabe en qué consistirá la última prueba? —nos dijo mientras nos despedía sin miramientos—. Tenéis que descansar.

Pero no era eso lo que yo tenía planeado. Ni muchísimo menos.

Cuando salí del baño, que no me había relajado en absoluto, me vestí de nuevo y abandoné mi habitación silenciosamente. El pasillo estaba oscuro y tranquilo. No sé por qué me vino a la mente el recuerdo de los *uguisubari*, los suelos ruiseñor de las casas ninja. Cuando di el primer paso hacia la habitación de Gabriella, mi subconsciente reprodujo de manera muy realista, aunque sólo en mi imaginación, el odioso ruido del supuesto ruiseñor. Me paralicé en seco, asustado. Tuve que recordarme a mí mismo que allí no había *uguisubari* y que nadie escuchaba mis pasos sobre aquella tarima de madera.

Cuando llegué ante su puerta, llamé con los nudillos suavemente. Oí movimiento al otro lado y leves pasos de pies descalzos que se acercaban. Gabriella me abrió. Su cara se iluminó al verme. Supongo que yo también sonreía.

—Hubert… —murmuró al fin, sin moverse.

Me miraba, supongo que intentando admitir que yo estaba de verdad allí. Al cabo de un momento hizo un gesto divertido con la cara y me abrió la puerta del todo, invitándome a entrar. Fingiendo seguridad, pasé junto a ella y seguí avanzando hasta el centro de su cuarto. Oí cómo cerraba la puerta con cuidado y sólo entonces me volví. Ella estaba en camisón, un ligero y muy corto camisón de verano con tirantes. No podía ser más hermosa ni más seductora ni más mágica para mí. Ninguno de los dos nos movimos, sólo nos mirábamos. En algún momento, empecé a acercarme a ella despacio, muy despacio, como si temiera que fuera a echar a correr en cualquier momento. Pero, aunque Gabriella hubiera echado a correr, yo ya no podía detenerme porque, en realidad, caminaba hacia ella como el hambriento hacia la comida o el sediento hacia el agua. Nada hubiera podido detenerme.

Cuando la tuve delante, cuando noté el calor que irradiaba su cuerpo y percibí por primera vez su olor, me incliné sin poderlo evitar y la besé. Sus labios eran cálidos, tiernos al mismo tiempo que posesivos e imperiosos. Su sabor despertaba el ansia y el deseo, igual que su aliento, tan nuevo y tan atrayente que me perdí en él. Lo bueno es que yo no fui el único que se perdió. Aquél era un baile de dos, una coreografía cada vez más intensa en la que tanto ella como yo nos íbamos precipitando hacia la excitación más fuerte que había sentido en mi vida. Pero allí había más, mucho más que deseo. Había… Bueno, supongo que había amor. Nunca en toda mi vida me había sentido tan feliz y nunca, nunca, me había sentido como me sentía a su lado. Gabriella era una droga y yo me había hecho adicto a ella.

Por supuesto acabamos en su futón, tras varios accidentes, tropiezos y errores de cálculo entre prenda y prenda de ropa (mía, porque la suya era muy escasa). Pasamos toda la noche juntos. No dormimos ni un minuto, disfrutando también de largos momentos de susurros, caricias, ternura y silencio. Su piel era increíblemente blanca pero también increíblemente suave. Gabriella era perfecta. Como en el día a día, su placer era impetuoso, largo y ardiente; su sabor era pura vida para mí. Nuestros cuerpos encajaban como si fueran dos partes de una única pieza partida por la mitad y no había nada en el mundo que yo deseara más que seguir allí con ella para siempre.

Pero, como en los cuentos, el sol salió al amanecer para recordarnos que debíamos volver a la realidad. No sabíamos cuándo podríamos volver a estar juntos pero, antes de que yo me marchara para darme otra ducha y bajar a desayunar, ella decidió que no debíamos ocultarnos, que no tenía sentido fingir ante los demás que no había pasado nada. Había pasado algo muy importante y, según Gabriella, esconder algo así era de cobardes.

—Te veo abajo —me dijo en la puerta, antes de despedirnos—. Vamos a necesitar mucho café hoy para mantenernos en pie.

—¿Ya no te acuerdas de que vamos a ir a una casa de té? —le dije riendo y dándole un beso rápido antes de marcharme—. Cafeína y teína en vena.

—Son lo mismo —me dijo ella con una sonrisa, cerrando la puerta de su habitación.

La vida me sonreía, el sol brillaba, el mundo era un lugar maravilloso y había vivido la noche más fantástica de mi vida. ¿Qué más podía pedir? Sólo podía pensar en Gabriella y en estar de nuevo a solas con ella.

Cuando bajé a desayunar ya estaban todos en la mesa. Gabriella también. Nos miramos, sonreímos y…

—¡Eh, vosotros dos! —exclamó Oliver sin quitarnos el ojo de encima—. ¿Qué ha pasado esta noche? Estáis radiantes y hacéis daño a la vista con tanta felicidad.

—¡Oh, cállate ya Oliver! —le ordenó Odette partida de la risa—. No pretendas que no has oído nada porque sería una mentira muy grande.

Gabriella se puso totalmente roja y yo, visto que la cosa era pública y, además, también notoria, me acerqué hasta ella y le planté tranquilamente un suave beso en los labios.

—¡Ya era hora, Hubert! —me dijo Oliver cuando me senté a su lado.

—¡Cállate! —le soltamos al mismo tiempo Gabriella, Odette y yo.

Tuvimos que aguantar un montón de bromas y risas por culpa de las malditas paredes japonesas que, aunque no sean de papel, como era el caso, seguían siendo demasiado delgadas para la privacidad occidental. Pero no me importó y a Gabriella, por como respondía a las bromas, tampoco.

Ichiro llegó casi al final y estaba aún tan atontado de sueño que no se enteró de nada. Sólo cuando llegamos al *kyakuma* y su mujer y su padre nos vieron a Gabriella y a mí llegar cogidos de la mano y estallaron en alegres felicitaciones, Ichiro se percató de que algo había pasado entre nosotros.

—¿En serio…? —nos preguntó mirándonos sorprendido—. ¿Cuándo ha ocurrido? Porque yo no me había enterado de nada.

—Tú estás demasiado obsesionado con el cuadro —le replicó su mujer, Midori—. ¡Pero si se veía a la legua, hombre!

Kentaro, por primera vez, nos dijo algo en japonés a Gabriella y a mí y su nuera y su hijo se rieron con ganas.

—Mi suegro, con un dicho japonés, os desea una larga vida juntos y muchos hijos —nos tradujo Midori, secándose las lágrimas de risa de sus ojos orientales.

—Es un poco pronto para eso —gruñó Gabriella alejándose de mí y sentándose en el sofá del *kyakuma*.

—Gracias, Kentaro-san —repuse yo haciendo una gran reverencia al anciano porque me pareció lo más correcto. Lo de los hijos me había dado un susto de muerte.

Algo curioso brilló en la mirada de Kentaro, pero desapareció en cuanto me di cuenta de que estaba. ¿Qué le había pasado por la cabeza? En cualquier caso, como para apartar de mi mente lo que fuera que yo hubiera visto, Kentaro entró de lleno en materia inmediatamente.

—Los expertos del museo Van Gogh de Ámsterdam —empezó a decir— dan por seguro que la última imagen que Vincent pintó en el *Retrato de Père Tanguy* no fue copiada de ninguna lámina de *ukiyo-e*. Nunca se ha podido encontrar ningún grabado japonés parecido, así que se supone que el dibujo es original del propio Van Gogh. Por supuesto, tiene ciertas influencias que señalan dónde pudo inspirarse.

Y, mientras decía esto, sacó el habitual montón de carpetas del bolsillo de su silla de ruedas y se las pasó a uno de sus funerarios porteadores para que nos las repartiera. Siempre tenía a dos de esos tipos pegados como una sombra, como si en lugar de ser empleados de su negocio fueran guardaespaldas. Claro que llevar a los funerarios le volvía mucho más independiente de su familia, ya que podía hacer lo que quisiera e ir donde quisiera sin molestar a su mujer, Fumiko, o a su nuera.

En la carpeta que recibimos había, como siempre, una reproducción de la lámina encontrada por nosotros que, en este caso y por lo visto, no era una reproducción de un grabado japonés sino una idea original de Van Gogh. Y lo cierto era que, si te fijabas un poco, tenía todo el sentido del mundo: las dos figurillas del centro de la imagen estaban torpemente dibujadas y aquellos tejados blancos separando el cielo en dos pedazos… digamos que no tenían mucho sentido.

Dentro de la carpeta había también otra reproducción pero esta vez sí que era una copia de un auténtico grabado de *ukiyo-e*. En la imagen destacaba una enorme luna blanca (lo que ahora llamaríamos una superluna) iluminando un cielo nocturno que se dejaba caer sobre unos largos tejados rojizos de los que no se veían las casas que había debajo porque quedaban ocultas por las copas negras de unos árboles. En primer plano había un elevado terraplén dibujado en diagonal que servía de camino a las pequeñas figurillas que lo transitaban y que aparecía lleno de puestos de venta de té pintados de amarillo. Y, justo en la esquina inferior derecha, de un azul más verdoso que el cielo, se veía el agua contenida por el alto terraplén.

—La segunda imagen —siguió diciendo Kentaro— es un grabado de Hiroshige, el gran pintor de *ukiyo-e* que tanto influyó en los impresionistas y postimpresionistas, especialmente en Van Gogh que, como ya sabéis, lo admiraba profundamente.

Gabriella me miró a hurtadillas en aquel momento y, luego, su mirada se quedó pegada a mí y se dulcificó. Los recuerdos de aquella noche estaban aún muy presentes en nuestra memoria.

—La obra de Hiroshige —dijo Midori levantando la lámina y agitándola un poco en el aire para llamar discretamente nuestra atención— se llama *Yoshiwara Nihonzutsumi*, que significa «El terraplén Nihon de Yoshiwara». Pertenece a la serie *Kotō meisho*, «Famosas vistas de Edo» pintada por Hiroshige entre 1856 y 1858. Como podéis ver no tiene nada que ver con el dibujo de Van Gogh pero los expertos dicen que quizá se inspiró en este grabado.

El único parecido entre ambas imágenes, si es que podía considerarse un parecido, eran los largos tejados de la parte superior, que en Van Gogh eran blancos y dividían extrañamente el cielo nevado en dos partes mientras que en Hiroshige eran rojizos. Por lo demás, las dos láminas eran completamente diferentes. Yo no veía la fuente de inspiración por ningún lado.

—La cuestión —intervino Ichiro, abandonando con indiferencia su carpeta sobre la mesa del *kyakuma*— es que no nos importa dónde se inspiró Van Gogh para pintar esta imagen. Y no nos importa porque tenemos el mensaje escrito a mano por Saito.

—A tu padre y a mí —le dijo Midori con suavidad— nos pareció ver anoche un reflejo de los campos de té de Shizuoka en la imagen de Van Gogh.

Ichiro puso cara de sorpresa. Creo que yo también. E igual los demás.

—¿Dónde habéis visto los campos de té? —quiso saber, escéptico.

—El dibujo representa un entorno rural —le replicó Kentaro un poco picado—. Pese a que Vincent pinta un paisaje en el que está nevando se ve perfectamente el verde de la hierba del suelo y el verde del camino que desaparece en esa franja azul que hay debajo de los tejados blancos. Como si fueran campos de té en el horizonte.

Gabriella no pudo contenerse.

—Disculpa, Kentaro-san, pero eso es mucho imaginar —le dijo con respeto—. Creo que Midori y tú os habéis ofuscado buscando una relación entre la imagen de Van Gogh y los campos de té de Shizuoka.

Kentaro hundió la cabeza entre los hombros, asintiendo.

—No digo que no —admitió a regañadientes.

—Seguramente nos pasamos buscando esa relación —convino Midori haciendo un gesto de resignación—. Nos sentíamos muy frustrados por tener que trabajar con un material tan pobre y resignarnos a seguir sólo las indicaciones de Ryoei Saito.

—Si no hay, no hay —les consoló Odette con una sonrisa—. Lo importante, como dice Ichiro, es que sabemos lo que debemos hacer.

—En efecto —concluyó él firmemente—. Tenemos que ir a tomar el té al castillo Sunpu, a Unkai.

—¿Qué significa *Unkai*? —pregunté yo porque ya no recordaba lo que había dicho Ichiro cuando leyó el mensaje la primera vez y lo tradujo.

—«Mar de nubes» —me respondió Kentaro.

Era un nombre bonito, desde luego, pero el salón de té Unkai no estaba en la cima de ninguna montaña desde donde poder observar las nubes a nuestros pies, flotando y moviéndose lentamente. El salón de té Unkai estaba en el centro de la ciudad industrial de Shizuoka, dentro de un parque que, siglos atrás, había pertenecido al desaparecido castillo de la antigua ciudad de Sunpu, donde se alojaban los shogunes Tokugawa cuando iban de cacería o se retiraban del gobierno (o, aún mejor, cuando los retiraban del gobierno). Ahora sólo quedaba el parque, dividido en varios jardines, uno de los cuales, el de la esquina noreste, era el jardín Momijiyama, que más que jardín podía considerarse un pequeño bosque de pinos con caminos de musgo verde.

Aunque los cinco avanzábamos en grupo entre los árboles en dirección al salón de té, escondido entre la vegetación como un pabellón de caza, Gabriella y yo íbamos juntos, tratando de no aislarnos de los demás por mucho que lo deseáramos. Debíamos terminar aquel trabajo para el que habíamos sido contratados por los Koga y, luego, seríamos libres de hacer lo que nos diera la gana.

Los Koga habían estado dudando si llamar a Unkai para pedir un reservado, pero, al final, decidieron que no, que mejor sería dejar que las cosas discurrieran conforme Saito las hubiera organizado. De modo que allí estábamos los cinco, cruzando un bosquecillo urbano y avanzando de nuevo hacia lo desconocido cargados con nuestras mochilas.

Antes de entrar en el salón de té, Ichiro nos advirtió:

—El té se toma en silencio. Si tenéis que decir algo, hacedlo en voz baja. ¿De acuerdo?

—¿No podemos hablar? —me sorprendí.

—Sí, pero poco. Hay que mantener una actitud de respeto. En una ceremonia del té tradicional se considera que la actitud adecuada es la de meditación y, por tanto, el silencio debe ser absoluto. El complejo ritual de la ceremonia busca alcanzar la pureza, la armonía, el respeto y, finalmente, la tranquilidad. El maestro del té buscará la pureza limpiando cuidadosamente todos los utensilios con los que va a preparar el té y, luego, lo hará de la mejor manera que sepa hacerlo, demostrando así su profundo respeto por ti, su invitado, y tú le agradecerás que te haya ofrecido una bebida tan excelente por el mismo motivo. De ese modo, juntos en armonía, maestro e invitado se expresan respeto mutuo en completo silencio, en actitud de meditación. Ésta es la forma correcta para alcanzar la tranquilidad y la paz interior. Por eso, aunque no estemos en una ceremonia tradicional, los japoneses siempre tomamos el té en el mayor silencio posible.

—¿Y si nos suena el móvil? —preguntó Odette mientras yo recordaba nuestros ruidosos desayunos con té matcha en casa de los Koga. Estaba claro que nos habían permitido ser todo lo occidentales que quisiéramos pero, fuera de su hogar, las cosas eran distintas.

—Pues apagad los teléfonos ahora o ponedlos en modo silencio antes de entrar —respondió Ichiro—. Beber té siempre es un momento solemne. Todos los grandes maestros del té fueron siempre importantes monjes Zen. Tenéis que sentiros en calma y estar pendientes de los colores, de los olores, de la decoración, de la luz, de los sabores y de los sonidos porque todo es importante, todo forma parte de la experiencia del té. Y debéis empezar desde ahora mismo, ya que estamos en el *roji*, el camino que conduce hasta el lugar donde vamos a tomar la bebida. Observad cómo caminamos bajo la sombra de los árboles sobre un suelo húmedo y fresco a pesar del gran calor de esta hora de la tarde, y fijaos en las hermosas linternas de granito recubiertas de musgo que se encuentran a un lado y a otro del camino. Mientras se atraviesa el *roji*, uno debe ir preparándose para la experiencia que va a vivir.

—La filosofía japonesa es complicada de verdad —comenté pensando en lo tremendamente amargo que era el té verde japonés.

—No estoy de acuerdo —objetó Ichiro—. Los japoneses creemos que el mayor refinamiento consiste, precisamente, en la mayor simplicidad. En todo. Y eso también es un principio Zen. De modo que, para ser educados, hablad lo menos posible o en voz muy baja.

Y todo lo que había dicho era cierto. En Unkai había varias mesas ocupadas por grupos de dos o tres personas que bebían té pero, efectivamente, hablaban entre sí en voz tan baja que se podía escuchar perfectamente el canto de los pájaros del jardín que entraba por las grandes ventanas cubiertas con papel translúcido. Todo el edificio era de madera, al viejo estilo japonés, y muy sencillo, sin ornamentaciones especiales, pero por dentro tenía un aire más desenfadado, más de establecimiento público. El maestro del té que lo preparaba era un hombre joven vestido con la ropa tradicional en tonos oscuros y negros, como los ninjas. Una joven se arrodillaba junto a él para recoger cada cuenco de cerámica con la caliente y espumosa bebida verde que el hombre había preparado y, luego, se levantaba graciosamente sin ayuda de las manos (que tenía ocupadas con el cuenco) y lo acercaba hasta la mesa donde lo habían pedido. También servían una especie de bandejas con dulces extraños que no me llamaron nada la atención. El color morado no es exactamente mi favorito para los pasteles.

Como no podíamos entrar con las mochilas, otra mujer joven, ataviada con un kimono exactamente igual al de su compañera de los cuencos, nos indicó que avanzáramos por una galería hasta la parte posterior del edificio y que las dejáramos allí en un pabellón más pequeño. Después, regresamos al interior y nos sentamos en torno a una de las mesas. Ichiro habló con la camarera y ella le hizo muchas reverencias antes de marcharse con el pedido.

Estaba pensando en pedir a Ichiro que trajeran un azucarero —no había ninguno a la vista en todo el local— cuando Gabriella, que estaba sentada a mi lado, me clavó suavemente el codo en el costado para llamar mi atención.

—Mira —me susurró, señalando con la barbilla una habitación al fondo del local en la que se veía un suelo de *tatamis*, un rollo desplegado con una preciosa caligrafía japonesa colgando de la pared y, debajo, sobre un pequeño estrado como de un palmo de altura, un precioso jarrón alto de cerámica blanca con una gran rama verde y nudosa de cerezo en flor. La luz tamizada por el papel que entraba por las ventanas le daba un suave tono dorado al interior de aquel sencillo y solitario cuarto.

—El mayor refinamiento es la mayor simplicidad —le respondí en un murmullo, apreciando con una sonrisa la belleza de la estancia que me señalaba.

—No, no es eso —me dijo al oído—. No estamos en primavera. Ahora no hay ramas de *sakura*. Ni de *sakura* ni de nada. Esa rama debe de ser falsa.

La sola idea de que fuera falsa ya chirriaba en el cerebro a la vista de la sencilla y elegante belleza de aquella habitación de *tatamis*. Volví la cabeza para mirar de nuevo el jarrón con más detenimiento. De repente me di cuenta no sólo de que Gabriella tenía razón y que la rama no podía ser natural dadas las fechas del año en las que nos encontrábamos, sino también de que era de un verde muy raro con unos más raros tonos azules. Las pequeñas flores blancas no eran blancas ni rosadas sino de color beige mezclado con algo de verde turquesa. Empezó a resultarme muy familiar pero no podía recordar por qué. Mirándola me sentía como se hubiera sentido Neil Armstrong durante su paseo por la luna si se hubiera encontrado, abandonado sobre la superficie lunar, uno de sus juguetes de la infancia y no pudiera decir cuál era. Yo conocía esa rama. Y, además, la conocía mucho. Pero ¿cómo podía yo conocer una rama? Era la cosa más tonta del mundo.

La camarera puso un cuenco con té verde caliente delante de Ichiro, que lo agradeció con una ligera inclinación de cabeza.

—¡Eh, escuchad! —les dije a todos en susurros—. Gabriella ha encontrado algo. Mirad la habitación del fondo. Dentro del jarrón blanco hay una rama de cerezo en flor que no encaja. No estamos en época de cerezos en flor, ¿verdad, Ichiro?

Ichiro la estaba observando atentamente.

—No, ya no hay cerezos en flor y esa rama no es de cerezo —respondió él.

—¿Acaso es de otro árbol que florece en agosto? —susurró Odette.

—No creo —replicó Ichiro—. No sé de qué árbol se trata, sin embargo la rama en sí me resulta conocida, como si la hubiera visto antes muchas veces.

—Esa misma sensación he tenido yo —apunté—. Y sólo puede haber una explicación para eso: esa rama aparece en algún cuadro de Vincent Van Gogh. Me apuesto lo que queráis.

Cero segundos después ya estábamos todos consultando en nuestros móviles los cuadros de Van Gogh. No nos costó demasiado tiempo dar con la solución. Se trataba de la rama que aparecía en el maravilloso cuadro *Almendro en flor* que Vincent pintó en febrero de 1890 para regalárselo a su sobrino, el hijo de Theo y Jo Bonger, que acababa de nacer. Claro que lo más destacado de esa preciosa pintura era el intenso y profundo azul turquesa del cielo, un cielo que ocupaba todo el fondo del lienzo. Si quitabas ese fondo y dejabas sólo la vieja y bulbosa rama verde del almendro con sus pequeñas flores, el cuadro se volvía irreconocible. Y si, además, le añadías un jarrón japonés y una habitación japonesa, todavía resultaba más irreconocible. Por suerte, ese cuadro estaba en el museo Van Gogh de Ámsterdam y lo había visto de cerca un millón de veces. Por eso la rama me resultaba tan familiar.

—¡Vamos a por las mochilas! —susurró Ichiro poniéndose en pie.

Con una previa inclinación de cabeza empezó a hablar con la camarera que traía el siguiente cuenco de té a nuestra mesa mientras nosotros nos íbamos levantando y dirigiéndonos hacia la salida. De reojo vi que entregaba a la joven un fajo de yenes.

—La habitación es privada —nos explicó—. Es para el uso exclusivo de la familia del dueño del *chashitsu*, el salón de té. Pero nos dejan visitarla un momento si entramos por el *genkan* de la parte posterior, sin que nos vean los otros clientes.

Recogimos las mochilas del pequeño pabellón en el que las habíamos dejado y nos dirigimos a la puerta de atrás del edificio. Atravesamos un pequeño almacén lleno de estantes con cientos de botes de té matcha y cajas de dulces morados, y entramos en la bonita habitación con suelo de *tatamis*. Desde el local público no habíamos podido ver que, en el centro de la habitación, había un agujero cuadrado de unos cuarenta o cincuenta centímetros de profundidad alrededor del cual se disponían los cuatro grandes *tatamis* hechos con paja de arroz trenzada. En el interior de este agujero había un extraño utensilio que Ichiro describió como el brasero para calentar el agua del té.

La camarera se asomó un momento por la puerta para vigilar que no hiciéramos nada incorrecto y rápidamente desapareció para atender a los clientes del local. En cuanto nos vimos libres de vigilancia, los cinco nos acercamos a la tarima en la que se encontraba el jarrón con la rama de Vincent para examinarla de cerca. Y, tal y como pudimos comprobar, la rama era falsa. Estaba hecha de cerámica pintada y colocada de tal forma que, desde el exterior, se veía como la del cuadro.

En cuanto Ichiro la cogió para examinarla de cerca, el *tatami* que había bajo nuestros pies se soltó por tres de sus lados con un chasquido y se hundió hacia abajo haciéndonos caer abruptamente por una especie de rampa que nos deslizó con suavidad hasta el sótano del salón de té. Ichiro aún llevaba la rama en la mano cuando la trampilla del piso superior se cerró de nuevo con un golpe seco dejándonos a oscuras.

—Bueno —masculló Oliver cabreado desde dentro del montón revuelto que formábamos nosotros cinco y nuestras cinco mochilas—. Empezamos de nuevo.

20

Sien y Gordina

—Pero, vamos a ver, Hubert —me preguntó Gabriella muy seria—. ¿Por qué no usas lentillas? ¡Todo el mundo usa lentillas! O, ¿por qué no te operas los ojos con laser? ¡Todo el mundo se opera los ojos con laser!

Mis gafas habían ido a parar a una de las esquinas del sótano y me estaba agachando para recogerlas ayudándome con la luz de la linterna. Por suerte, se encontraban en perfecto estado ya que se habían deslizado suavemente sobre aquel suelo metálico y pulido.

—Me gusta llevar gafas —repuse colocándomelas y mirándola risueño—. Y también me gusta escuchar música en viejos discos de vinilo.

Los ojos de Gabriella se abrieron desmesuradamente ante el horror que le produjeron mis espantosas declaraciones y yo me eché a reír sin poderlo evitar porque me pareció que, además de guapa, estaba muy graciosa. Una cosa era evidente: ella era totalmente digital y yo profundamente analógico. Es decir, que nos complementábamos.

Los demás ya se habían incorporado y habían encendido sus linternas. Los trozos rotos de la rama del *Almendro en flor* de cerámica se veían esparcidos por el suelo. Hacía frío en aquel sótano pero debía de ser por el cambio de temperatura ya que, arriba, el calor agobiante de la tarde era húmedo y pegajoso.

—¿Y ahora qué? —preguntó Oliver.

Ichiro hizo un gesto hacia mí y todos se volvieron a mirarme, extrañados.

—Apártate, Hubert —me pidió Ichiro—. Estás ocultado el tirador de la puerta.

Me giré rápidamente y sí, allí estaba. Esta vez se trataba de una manivela normal, de las que hay que empujar hacia abajo para abrir la puerta. Era gruesa y larga y tan metálica como todo lo que había en aquel sótano: el suelo, el techo, las paredes y la propia puerta, que apenas se diferenciaba de lo demás.

—¿Esto es de aluminio o de acero inoxidable? —preguntó Odette poniendo una mano sobre la pared.

—Por el tono mate —respondió Gabriella— yo diría que es acero inoxidable, pero no estoy segura.

—Acero —confirmé yo dando unos golpecitos sobre la pared cercana. Pero si era acero inoxidable como parecía, los muros debían de ser muy gruesos y fuertes porque los golpes apenas se escucharon. Como si fuera todo una increíble pieza maciza.

—Estamos en una especie de cámara acorazada —comenté—. Algo muy valioso se esconde detrás de esa puerta.

—Quizá sea, por fin, el *Retrato del doctor Gachet* —sonrió Ichiro esperanzado.

—Abre, Hubert —me pidió Oliver, que ya estaba a mi lado.

—Abre tú —le dije—. Yo voy por mi mochila.

Por mi mochila y por Gabriella.

Oliver ya había abierto la puerta y dentro sólo se veía la más negra oscuridad. Pero lo que nos dejó realmente sin habla no fue la oscuridad, sino la maldita puerta. Aquella hoja de acero era enorme, tendría unos veinte centímetros de grosor y, por supuesto, estaba tan reforzada como todas las que habíamos visto hasta entonces en las trampas de Saito: agujeros en las molduras y pasadores de acero en la hoja, ambas cosas muy gruesas en esta ocasión. Ahí había algo raro y no me gustaba lo que veía.

Con los focos de las linternas intentamos iluminar el interior pero sólo distinguimos una pared a la izquierda de una sala gigantesca que se extendía hacia la derecha y que parecía recubierta también con acero por todas partes. En la larga pared donde estaba la puerta podía verse el principio de un largo estrado, una especie de asiento cuadrado que se perdía en la oscuridad del fondo de la sala. Era todo muy extraño, grande, frío y metálico.

—Hasta que no cerremos la puerta las luces no se encenderán —nos recordó Odette iluminando con su foco un plafón plano y translúcido pegado al techo.

—Hubert —me susurró Gabriella al oído mientras cogía mi mano—, este lugar me asusta, no sé por qué.

—Da muy mal rollo —convine—. Pero no tiene por qué ser peor que los otros.

Pero sí era peor que los otros, sin duda. Demasiado gris y metálico, demasiado frío y austero, demasiado opresivo y blindado. Parecía un matadero industrial.

La puerta también se vencía por su peso para cerrarse de modo que, en cuanto estuvimos dentro de la sala, la dejamos caer. Por supuesto no había manivela ni asa ni pomo ni nada parecido por la parte de dentro. Se cerró y clausuró aquel extraño lugar al mismo tiempo que una tira de luces blancas brillantes se encendían en el centro del largo techo. Ahora parecía el quirófano de un cirujano loco.

Al mismo tiempo que se encendieron las luces se escuchó un cercano chasquido metálico y todos nos sobresaltamos: un trozo como de medio metro del asiento del estrado de la pared se destapó como si fuera la caja de un malvado juguete mecánico. Menos mal que no salió ningún malvado juguete mecánico dando botes porque me hubiera llevado el susto de mi vida.

—¿Qué es eso de ahí? —escuché preguntar a Oliver cuando ya me inclinaba para mirar dentro de lo que ahora parecía una caja abierta.

Me giré para mirar la pared que quedaba enfrente de la puerta y me pareció distinguir algo que ya había visto en las películas de naves extraterrestres: paneles incomprensibles, signos raros, diseños enigmáticos y un largo etcétera de cosas preocupantes. Claro que no era exactamente así. Lo que había en la pared era mucho más sencillo pero, con todo, no dejaba de ser extraño: habían repujado en el acero formas rectangulares de unos veinticinco centímetros de largo por cinco o seis de alto y como de un centímetro de profundidad. Estas hendiduras estaban unidas por líneas verticales u horizontales también rebajadas, formando, como he dicho, un diseño extraterrestre o, más probablemente, una especie de cuadro sinóptico con muchas ramas que se extendían y ampliaban hasta el final de la pared, al fondo de la larga habitación.

—Parece un gráfico —dijo Gabriella—. Cuando estudiaba me hacía esquemas parecidos.

—¿Y qué se supone que hay que hacer con estos huecos rectangulares? —preguntó Ichiro confuso.

—Creo que poner esas cosas —dije señalando con el dedo el contenido de la caja abierta que antes creía que era un asiento.

Exactamente del mismo tamaño que las formas rectangulares recortadas en la pared de acero, dentro del hueco había tres placas metálicas con algo escrito en ellas. Me agaché y cogí la primera que pillé.

—«Anna Cornelia Carbentus» —leí en voz alta, quedándome de piedra.

Ichiro me miró con los ojos muy abiertos por la sorpresa.

—¿«Anna Cornelia Carbentus»? —balbuceó.

Un neerlandés como yo conocía perfectamente a Anna Cornelia Carbentus. Incluso a la familia Carbentus en general, «Encuadernadores de la Casa Real» con tienda en La Haya. Pero Anna Cornelia Carbentus, o Anna Carbentus, como se la conocía mundialmente, era sin duda la más famosa de toda su familia.

—¿Quién es esa tal Anna Cornelia Carbentus? —preguntó Gabriella.

—La madre de Vincent Van Gogh —le respondí.

Se hizo el silencio mientras todos mirábamos de nuevo el cuadro sinóptico de la pared.

—¿Será el árbol genealógico de Van Gogh? —preguntó Odette.

—No, no puede ser —replicó Gabriella—. Fíjate bien en la forma que tiene aquí, al principio. Dos rectángulos, uno sobre otro, unidos por una raya vertical de la que sale, desde el centro, otra horizontal que se conecta con el rectángulo que, si te fijas bien, es el origen de todas las ramificaciones posteriores y Van Gogh no tuvo hijos.

—Eso no es… —empezó a decir Ichiro sin que ninguno le hiciéramos caso.

—Quizá sea el árbol genealógico al revés —insinuó Oliver—. De Vincent hacia atrás. Sus antepasados.

—Quizá… —murmuré, aunque me parecía un poco raro. De momento, sólo teníamos tres placas metálicas para encajar en el gráfico y, por lo que podía ver, la cosa se iba a complicar bastante.

—¿Qué pone en las otras placas? —me preguntó Oliver viendo que yo las tenía en las manos.

—«Theodorus Van Gogh» —leí— y «Vincent Willem Van Gogh».

—¿Theodorus era el padre de Vincent? —preguntó Odette—. ¿El marido de Anna Carbentus?

Ichiro y yo asentimos con la cabeza. Ichiro llevaba más de veinte años estudiando e investigando a Van Gogh y yo, como neerlandés, llevaba toda mi vida.

Lentamente me acerqué hasta la pared y coloqué la placa de Theodorus arriba, la de Anna abajo y la de Vincent en el rectángulo que estaba unido por una línea a la línea que le conectaba a sus padres. Claramente, las líneas verticales unían a las parejas y las horizontales que salían de ellas representaban a los hijos de cada pareja.

—Supongo que habréis visto —comentó Ichiro mientras yo ponía las placas— que desde Vincent Van Gogh salen dos líneas verticales, una hacia arriba…

¡Clac! Un segundo pedazo de asiento se soltó y golpeó contra la pared de atrás en cuanto puse la placa de Vincent, dejando abierta la segunda caja.

—… y otra hacia abajo —concluyó Ichiro, sorprendido.

Gabriella se acercó a la caja y sacó dos placas.

—«Sien Hoornik» —leyó— y «Gordina de Groot».

El nombre de Sien Hoornik no me sonaba pero el de Gordina de Groot lo conocía bastante bien. Los miembros de la familia De Groot eran los personajes de uno de los cuadros más feos y famosos de Vincent, *Los comedores de patatas*, considerada su primera gran obra maestra. En 1885, cuando realizó este cuadro, estaba muy de moda pintar campesinos gracias al éxito de las obras de Millet y Breton. El cuadro, por supuesto, se encontraba hoy día en el museo Van Gogh de Ámsterdam, donde la gente, para mi sorpresa, se apiñaba para verlo. Vincent, que aún no había descubierto los colores complementarios que le hicieron póstumamente famoso, realizó una obra oscura y lóbrega, mezclando todos los colores de los tubos al mismo tiempo en una paleta que todavía no controlaba. Gordina de Groot era la mujer que aparecía de frente en el cuadro, a la izquierda; y asimismo la que podía verse en otra obra del museo Van Gogh, *Cabeza de mujer*, realizada también en 1885. Y, además, era de mi pueblo, Nuenen.

—¡Exacto! —exclamó Ichiro dando un puñetazo en el aire—. ¡A eso me refería con las dos líneas que salen desde Vincent hacia arriba y hacia abajo! ¡Esas mujeres fueron las dos únicas madres conocidas de sus hijos!

—¡Pero si Van Gogh no tuvo hijos! —profirió Gabriella escandalizada.

—¡Sí los tuvo! —insistió vehemente Ichiro—. ¡Tuvo, al menos, dos! ¡Puede que más!

—¿Te has vuelto loco? —le pregunté yo muy en serio. Siempre había habido rumores, es cierto, pero nunca se había podido confirmar nada.

—No, no me he vuelto loco —soltó envalentonado—. Hay pruebas más que suficientes para tener la certeza de que, al menos estas dos mujeres, Sien Hoornik y Gordina de Groot, tuvieron cada una de ellas un hijo de Van Gogh. ¡Pero si hasta la madre de Vincent, Anna Carbentus, lo sabía! Lo sabía toda su familia. Por eso, en julio de 1888, cuando murió el hermano rico de Theodorus, al que conocían como tío Cent, éste dejó en su testamento una cláusula especial específicamente dedicada a su sobrino Vincent en la que le excluía por completo de la herencia, a él «y a toda su progenie», textualmente.

—Pero… Pero la familia Van Gogh —balbuceé estupefacto— sólo reconoce como heredero al hijo de Theo, el hermano de Vincent. Todos los descendientes actuales de Van Gogh son descendientes de Theo y de su mujer, Jo Bonger. Para el único hijo de éstos, su sobrino, pintó Vincent precisamente *Almendro en flor*. Él nunca admitió haber tenido un hijo.

—¡Claro que no! —se enfureció Ichiro—. ¡En aquellos tiempos los hijos nacidos fuera del matrimonio no existían, no se reconocían, eran una vergüenza! ¿Crees que la convencional y religiosa Anna Carbentus y su marido, el conservador ministro de la Iglesia Reformada de Holanda, hubieran aceptado que su desagradable hijo Vincent había tenido descendencia con una prostituta como Sien Hoornik o con una campesina como Gordina de Groot? ¡Ni en sueños! Las buenas familias de los Países Bajos del siglo XIX procuraban con todas sus fuerzas que sus descendientes ilegítimos se perdieran en el olvido y mucho más con madres como ésas. Esas mujeres, las prostitutas y las campesinas, estaban para que los hombres se desahogaran con ellas. Si de la relación nacía algún niño, sencillamente se le abandonaba y se ignoraba su existencia.

Gabriella seguía sosteniendo en sus manos las placas con los nombres de Sien y Gordina. Noté que no sabía qué hacer con ellas porque en su cabeza había un choque de trenes entre lo que siempre había creído y lo que estaba diciendo Ichiro. También había un choque de trenes en la mía, y aún mayor si cabe. Como he dicho, siempre había habido rumores. En los últimos años, incluso, alguna persona había solicitado la prueba del ADN para demostrar que era descendiente de Vincent Van Gogh, pero la familia Van Gogh se negaba en redondo a realizarla y la justicia holandesa no es que les obligara precisamente. Había una herencia muy importante en juego, mucho más importante que encontrar a un descendiente directo de Vincent Van Gogh.

—Vale, muy bien —dije, aún confuso—. Admitamos que Vincent tuvo hijos con Sien Hoornik y Gordina de Groot. ¿Tanto le interesaba el asunto a Ryoei Saito?

—Ya os lo dije en París, Hubert —me respondió Ichiro, aflojando los hombros—. Saito era un excéntrico, un tipo extravagante al que le encantaba divertirse. Me imagino que disfrutó como un loco investigando la supuesta «progenie» de Van Gogh.

—No tan supuesta, al parecer —le recordó Gabriella alzando las dos placas que tenía en las manos y haciéndolas bailar irónicamente.

—A ver, dejadme hacer memoria —replicó Ichiro frunciendo el ceño y mirando el panel de la pared—. Hubo una mujer desconocida en 1872 que se quedó embarazada de Vincent. Nunca se supo su nombre. Al parecer era una prostituta del Geest, el barrio de los burdeles de La Haya. Sabéis que el tío Cent, el hermano rico del padre de Vincent, era propietario de Goupil, la famosa cadena de tiendas en las que se vendían tanto materiales para artistas como reproducciones impresas de obras de arte. Vincent dejó los estudios muy pronto y sus padres hablaron con Cent para que lo contratara. Éste lo puso a trabajar en la tienda de La Haya. Cuando estalló el escándalo de la chica desconocida embarazada, el tío Cent transfirió a Vincent a la sucursal de Goupil en Londres. Historia terminada.

—Ichiro... —le llamó la atención Gabriella agitando en el aire las placas.

—¡Vale, vale! —repuso él con una sonrisa—. Es que estoy haciendo memoria para saber quién fue antes, si Gordina o Sien.

Odette se echó a reír.

—Por mí puedes seguir contando esas historias, Ichiro —dijo divertida—. Me parecen muy interesantes.

Ichiro le devolvió la sonrisa.

—Veamos —murmuró pinzándose el puente de la nariz—. Sí, creo que la siguiente mujer que aparece como embarazada en la vida de Vincent fue Sien Hoornik. Vincent ya tenía veintiocho años y se fue a La Haya después de una pelea terrible con sus padres tras la que su padre le echó de casa para siempre. En ese momento ya quería ser pintor. Era el año 1882. Escribió que había contratado a una modelo muy complaciente —Ichiro se rio pero Gabriella le echó una mirada asesina—. Era una prostituta enferma y, según le dijo a su hermano meses después, embarazada. El caso es que vivieron juntos desde el principio y que Sien tuvo un niño, al que llamaron Willem, el segundo nombre de Vincent, durante el verano de 1882.

—O sea, que pongo a Sien Hoornik en el rectángulo de arriba —concluyó Gabriella.

—Sí, ponla arriba —asintió Ichiro—, porque Gordina de Groot aparece en la vida de Vincent más tarde, en 1884. A pesar de haber sido expulsado, Vincent volvió dos años después al nuevo hogar de sus padres en la miserable y pobre parroquia de Nuenen. Supuestamente volvió sólo para pasar la Navidad pero se quedó. Se impuso, mejor dicho. Nada más llegar provocó la primera pelea con su padre y ya no paró hasta la muerte de Theodorus en marzo de 1885. Por eso la familia siempre creyó que la muerte de Theodorus había sido culpa de Vincent, que le hizo la vida imposible.

Yo ya había oído muchas veces esa historia en Nuenen. Era una historia sabida y comentada en la «miserable y pobre parroquia» que era mi pueblo, donde aún se conservaban en perfecto estado tanto la capilla en la que había predicado el padre de Vincent como la casa en la que vivió la familia y en la que, al parecer, se pelearon una barbaridad. Pero oír el nombre de mi pueblo en boca de Ichiro y, encima, calificándolo de «miserable y pobre», me molestó un poco. Nuenen era un pueblo muy agradable y moderno, lleno de recuerdos de Vincent Van Gogh. Sin duda, Ichiro debía de creer que yo había nacido en Ámsterdam.

—Durante esos años en Nuenen —siguió contando—, conoció a Gordina de Groot y a su familia, a los que pintó en varios cuadros, el más famoso de los cuales fue *Los comedores de patatas*. Todo el pueblo conocía su relación con Gordina aunque antes hubo otra mujer, Margot Begeman, también de Nuenen, una rica heredera de edad avanzada que se enamoró de Vincent. Pero las familias se opusieron a la relación. Y, después de Margot, en octubre de 1884, empezó su relación con la campesina Gordina de Groot, que tuvo un hijo en agosto de 1885 al que pusieron el nombre de Pieter. El escándalo en Nuenen, que era un pueblo muy pequeño, fue mayúsculo. Todo el mundo sabía que él era el padre del hijo de Gordina, incluso su propia madre, Anna Carbentus, que, ya viuda, sólo quería que Vincent se fuera de casa de una vez por todas.

Gabriella, deseosa de avanzar, se acercó hasta el panel y colocó en la parte superior, justo encima de Vincent, la placa con el nombre de Sien Hoornik, y, en el rectángulo inferior, debajo de Vincent, la placa de Gordina de Groot. Dos líneas verticales unían el nombre de Vincent con las mujeres y de esas dos líneas verticales salían otras dos horizontales que terminaban en otros tantos rectángulos.

Cuando Gabriella terminó de colocar las placas, otro pedazo de asiento se abrió con un chasquido seco. No fue ninguna sorpresa encontrar sólo dos nombres. Fue Oliver quien los leyó:

—«Willem van Wijk» —dijo— y «Pieter van Rooijses».

—El hijo de Sien Hoornik es Willem van Wijk —comentó Odette—. Pero no entiendo por qué lleva otro apellido. ¿No debería llamarse Willem Hoornik?

—Y el hijo de Gordina, Pieter —añadió Oliver—, ¿no debería ser Pieter de Groot en lugar de Pieter van Rooijses?

Ichiro se rio.

—Mis conocimientos sobre la progenie de Vincent Van Gogh sólo llegan hasta estos dos muchachos —admitió con una sonrisa—. Pero puedo explicaros esos cambios de apellidos. Un año después de que terminara la relación de Sien Hoornik con Vincent, ella se casó con un marinero apellidado Van Wijk y pasó a llamarse Sien van Wijk. Su hijo, entonces, adoptó también el apellido del padrastro. Y un año después de que terminara la relación de Gordina de Groot con Vincent, ella se casó con un primo apellidado Van Rooijses y ocurrió exactamente lo mismo. El segundo hijo de Van Gogh pasó a llamarse Pieter van Rooijses.

Oliver colocó en la parte superior la placa con el nombre de Willem van Wijk en el rectángulo unido por una línea horizontal con la vertical que vinculaba los nombres de Vincent y Sien y, luego, puso la placa de Pieter van Rooijses en la parte inferior, unida a la línea vertical que conectaba a Vincent y a Gordina. Willem y Pieter, a su vez, tenían líneas verticales que se unían a rectángulos vacíos. De momento.

Otro chasquido y una nueva caja abierta. Ahí debían de estar las parejas de los dos hijos de Vincent Van Gogh. Oliver sacó dos placas.

—«Maria Elisabeth Roelofs» y «Hendrina Wisselingh» —dijo.

Todos miramos a Ichiro esperando que nos diera la solución pero, esta vez, Ichiro se encogió de hombros.

—No sé más de lo que os he contado —repuso—. Los nombres de estas mujeres no me resultan familiares. No sé quiénes son.

—Es evidente que fueron las mujeres de Willem y Pieter —señaló Odette—. ¿Pero cuál de ellas fue la de cada uno?

—Aquí nos la jugamos —declaró Gabriella con preocupación—. Hasta ahora nos hemos librado de lo que sea que Saito ingenió esta vez para castigar los errores de los inspectores de Hacienda. Pero si nos equivocamos, me temo que lo vamos a descubrir muy pronto.

Nos quedamos en silencio, preocupados. Nuestros ojos recorrieron la fea sala metálica buscando alguna pista de por dónde podía venir la amenaza pero no había nada. Techo, suelo y paredes (excepto por las luces del techo) eran completamente lisos.

—¡Venga! —dijo Ichiro cogiendo las tablillas de las manos de Oliver—. ¡No lo pensemos más! ¡Lo que tenga que pasar que pase! ¿Dónde pongo a Maria Elisabeth Roelofs?, ¿con Willem o con Pieter?

—Ponla con Willem —aventuró Gabriella—. Ahora nos vendría muy bien la aplicación de John para tirar una moneda al aire.

—La tienes —le dije—. Pregúntale a tu móvil y verás cómo te contesta.

—No, no le va a contestar —objetó Ichiro—. Los asistentes inteligentes de los móviles sólo funcionan con internet. Y no tenemos internet. Aquí dentro no hay cobertura.

Hice un gesto de frustración. La maldita cámara acorazada metálica en la que nos encontrábamos debía bloquear la señal.

Ichiro ya había puesto la placa de Maria Elisabeth Roelofs bajo la de Willem van Wijk y estaba a punto de poner la de Hendrina Wisselingh bajo la de Pieter van Rooijses cuando se escuchó una especie de ronroneo lejano. Nos quedamos petrificados y, en lo que se tarda en beber un trago de agua, la sala metálica se había convertido en un congelador. La temperatura descendió rápidamente quince o veinte grados. El cambio fue brutal.

—¡Invierte las placas, Ichiro! —le pidió Gabriella.

Pero una vez encajadas en los rectángulos ya no eran tan fáciles de sacar. Quedaban perfectamente ajustadas, de modo que Ichiro clavaba las uñas en los bordes intentado, sin éxito, quitar la de Maria Elisabeth Roelofs.

Viendo que Ichiro no podía, Gabriella, que tenía las uñas más largas que él, le apartó ligeramente y comenzó a intentarlo. Por fortuna, lo consiguió. Por un momento creí que la temperatura subiría de nuevo hasta volverse soportable, pero no fue así. No siguió bajando, es verdad, pero no subió. Debíamos de estar a cero grados, pero no podíamos saber exactamente qué temperatura había en realidad.

—Necesitamos alguna herramienta para sacar rápidamente las placas si nos volvemos a equivocar —dije empezando a buscar la navaja multiusos en el interior de mi mochila.

—Saca también la manta térmica para emergencias —me recomendó Odette abriendo la suya—. Está dentro del botiquín.

Todos dejamos las mantas térmicas formando un montón en el suelo y, como ya empezábamos a sentir que el frío se nos estaba metiendo en los huesos porque íbamos vestidos de verano, nos colocamos la ropa de repuesto encima de la que llevábamos. Los cortavientos térmicos aún no eran necesarios. Podíamos aguantar de momento. Luego, comprobamos los objetos que habíamos encontrado para extraer las placas: reunimos cinco navajas multiusos, tres destornilladores pequeños y dos limas de uñas.

Una vez tomadas todas las medidas de prevención, regresamos al panel genealógico. Gabriella puso a Hendrina Wisselingh con Willem van Wijk y a Maria Elisabeth Roelofs con Pieter van Rooijses. No supimos si fue porque nos habíamos abrigado y nos estábamos aclimatando al frío o porque realmente la temperatura subió algunos grados, el caso es que, al poner bien las placas y abrirse de golpe la siguiente caja, nos sentimos menos congelados.

Gabriella se me acercó y me abrazó por la cintura. Yo le pasé el brazo por los hombros y la estreché contra mí.

—¿Tienes frío? —le pregunté.

—Tengo las orejas, las manos y la punta de la nariz congeladas —me susurró—. Cuando esto termine nos iremos unos días a algún lugar cálido y soleado.

—Prometido —le dije yo—. Muy cálido y muy soleado y muy lejos de Japón.

Ella se echó a reír y se apartó de nuevo.

—¡Trato hecho! —dijo mientras se alejaba.

Oliver, que había sacado cinco placas metálicas del estrado, empezó a leer los nombres tras poner algún tipo de orden en ellos.

—«Hendrina van Wijk» y «Liselot van Wijk» por un lado —dijo—. Y «Wilhelmina van Rooijses», «Gerrit van Rooijses» y «Jan van Rooijses» por otro.

—Tenemos la mitad de probabilidades de equivocarnos con las dos hermanas Van Wijk —calculé en voz alta—. Y bastantes más con los tres hermanos Van Rooijses.

Odette empezó a reírse.

—¡Me encanta cómo pronuncias esos espantosos apellidos, Hubert! —comentó.

La miré desconcertado.

—¡Ni siquiera te has dado cuenta —siguió diciendo partida de la risa— de lo mal que los pronunciamos los demás!

Entonces yo también me reí.

—Los neerlandeses estamos acostumbrados a que nuestros nombres se pronuncien mal —respondí—. Yo he estado pronunciando el apellido Van Gogh como lo hacéis vosotros para no parecer pedante pero ¿sabes cómo se pronuncia en realidad? «Fan Joj».

Todos se echaron a reír al oírlo.

—¿Sabéis cómo lo pronunciamos los japoneses? —preguntó Ichiro—. «Fu-a-n Go-jo».

—En italiano decimos «Van Gogue» —bromeó Gabriella—, pero deberíamos hacer todos el esfuerzo de decir «Fan Joj». Estaría bien que lo pronunciáramos como lo pronunciaba el propio Vincent y como se pronuncia de verdad.

—¿Por qué crees que firmaba sus cuadros como «Vincent» y no como «Van Gogh»? —añadí yo—. Porque en Francia nadie era capaz de pronunciar su apellido correctamente. En realidad, no importa. Cada uno que lo diga como quiera. De verdad que en mi país estamos más que acostumbrados.

—Ya sé que no os apetece recordarlo —apuntó Oliver—, pero tenemos cinco placas por poner.

—Pon como quieras a las hermanas Van Wijk —le dijo Odette—, las hijas de Willem. Total, tenemos las mismas posibilidades de acertar que de equivocarnos.

Todos estuvimos de acuerdo y Oliver colocó a Liselot arriba y a Hendrina debajo. Sus dos líneas horizontales partían de la línea vertical que unía a sus padres. Eran las dos nietas mayores de Vincent Van Gogh.

No pasó nada, así que Oliver había dado a la primera con el orden correcto. No tuvimos tanta suerte con los nietos de Vincent por la rama de Gordina de Groot. Eran tres: dos chicos, Jan y Gerrit, y una chica Wilhelmina. Optamos por combinarlos (Jan-Wilhelmina-Gerrit) de manera que la chica quedara en el centro pero, en cuanto pusimos a Jan arriba, la temperatura de la cámara se disparó hacia abajo otro montón de grados y empezamos a rechinar los dientes y a buscar como locos los cortavientos térmicos para ponérnoslos. Por suerte, también teníamos un buen par de guantes cada uno en la mochila. Debíamos de estar muy cerca de los menos cinco o menos diez grados porque echábamos un montón de vaho por la boca al hablar. Mi bigote estaba empezando a quedarse más tieso que aquellas placas metálicas. Cuando pusimos a Wilhelmina arriba, de nuevo nos pareció que hacía menos frío, pero al poner a Gerrit debajo, el frío nos hizo encogernos de nuevo y apiñarnos unos junto a otros buscando el calor. De modo que la mayor era Wilhelmina, el segundo Jan y el pequeño Gerrit.

¡Clac! Otra caja abierta en el estrado y un poco menos de frío, cosa que agradecimos de todo corazón. Yo notaba que hablábamos menos y que también nos movíamos menos pero no pensé que estuviera relacionado con el frío. Aunque sí lo estaba.

La mujer de Gerrit van Rooijses resultó ser una italiana llamada Grazia Ortese, y la de Jan van Rooijses una tal Rosie Ward. El marido de Liselot van Wijk resultó ser Daniël Koopman, el de Wilhelmina van Rooijses se llamaba Frederik Schafrat y el de Hendrina van Wijk fue un francés llamado François Bouyer.

Para ese momento el frío en la cámara era espantoso. Ya nos habíamos puesto las mantas térmicas por los hombros, los gorros de lana y todos los calcetines de repuesto, lo que nos obligó a cortar con la navaja los zapatos de verano porque no nos cabían los pies. Ahora echábamos vaho tanto por la boca, al hablar, como por la nariz al respirar y nos costaba un gran esfuerzo cualquier pequeño movimiento. Y aún nos quedaba un montón de panel por completar. Nos sentíamos muy cansados y muy confusos, con sueño. Por eso, cuando pusimos la última placa, la del marido de Hendrina van Wijk, el francés François Bouyer, y se abrió la siguiente caja del estrado, nadie se fijó en Odette, que avanzó muy despacio hasta el panel y se quedó mirándolo fijamente sin moverse y sin hablar.

Sólo al cabo de unos segundos la oímos decir muy despacio:

—Mi abuela materna no era francesa, era del norte de Europa.

Y unos instantes después añadió:

—Mis abuelos maternos se llamaban François y Hendrina Bouyer.

21

El artista en su obra

Tiritábamos bajo las mantas térmicas, nos apretábamos los unos contra los otros para darnos calor, los dientes nos castañeteaban, sentíamos el hormigueo de la congelación tanto en los dedos de las manos como en los de los pies, y no teníamos las cabezas demasiado claras. Aun así, las palabras de Odette nos dejaron aún más confundidos.

Gabriella, muy despacio, se despegó de mí, avanzó hacia el panel y se colocó silenciosamente junto a Odette, que lloraba unas lágrimas que se congelaban y secaban instantáneamente sobre sus mejillas.

—Creía que sólo era yo —masculló lentamente—, pero veo que no es así. Mi abuelo paterno tampoco era italiano. Sé que se cambió el nombre después de llegar a Milán tras la II Guerra Mundial. Mi abuelo se llamaba Gerardo Ruise y mi abuela, de soltera, Grazia Ortese, como la mujer de Gerrit van Rooijses.

—Gerrit es Gerard en inglés y Gerhard en alemán —murmuré yo, aturdido.

371

—Y Gerardo en italiano —recalcó ella—. Y el apellido Ruise, que es de la zona de Milán, guarda cierto parecido con Rooijses.

A todos se nos había puesto la misma palidez en la cara y no era por el frío. El corazón me latía a mil.

—¿Esto… Esto es una extraña coincidencia —preguntó Ichiro alarmado— o es que nos estamos volviendo locos?

—Sé que mi bisabuelo paterno tampoco era inglés —tartamudeó Oliver—, y que mi abuelo cambió el apellido extranjero de su padre por Roos cuando empezó a irle bien con el comercio marítimo, antes de casarse con mi abuela. Pero puede que no tenga nada que ver. Quizá sólo sea una estupidez.

Quizá sólo era una estupidez, en efecto, y quizá estábamos alucinando por el frío, un frío gélido que nos bloqueaba el cerebro y nos impedía pensar con claridad pese a la enorme ansiedad que sentíamos. Los párpados nos pesaban demasiado, sufríamos una gran confusión mental y nos costaba mucho mantener los ojos abiertos y no tumbarnos a dormir sobre el suelo gélido. En un estado así, ¿cómo podíamos llegar a pensar…? Seguramente alucinábamos.

Pero aquellas coincidencias empezaban a detonar dentro nosotros como bombas incendiarias. ¿Qué significaba todo aquello? Odette, aún en estado de *shock*, reunió la fortaleza suficiente como para acercarse hasta el estrado y sacar la siguiente tanda de placas de la caja que ya estaba abierta. Cuando empezó a leerlas su voz sonaba lejana, débil y, sobre todo, asustada:

—«Clasina Koopman», «Oliver van Rooijses», «Gerarda Schafrat», «Gabriella Ruise» y… sí, «Odette Bouyer». Así se llamaba mi madre antes de casarse.

El nombre de Gerarda Schafrat me resonó por dentro con una vibración aguda. Recordé a mi abuela Gerarda, la madre de mi padre. Yo siempre la había conocido como Gerarda Kools, mi apellido. ¿Sería ella esa tal Gerarda Schafrat? Dejé de sentir el frío. ¿Era aquélla una de las ramas de mi propio árbol genealógico…?

Gabriella volvió junto a mí y se escondió entre mis brazos, pegándose a mi cuerpo debajo de mi manta térmica. Podía notar su inquietud, su nerviosismo. Lo que sospechábamos tenía unas enormes implicaciones.

—Empecemos de una vez —murmuró Oliver muy despacio saliendo de nuestro círculo de calor—. Clasina Koopman fue, evidentemente, la hija de Daniël Koopman y de Liselot van Wijk, una de las nietas de Vincent. Odette Bouyer es hija de Hendrina van Wijk y de François Bouyer. Odette ya ha puesto la placa.

Le costaba un montón razonar como lo estaba haciendo y se le notaba el esfuerzo, pero Oliver, al igual que todos nosotros, quería llegar hasta el final de aquella extraña historia.

—Gerarda Schafrat —siguió diciendo mientras ponía las placas en sus correspondientes rectángulos— es, obviamente, hija de Frederik Schafrat y de Wilhelmina van Rooijses, otra de las nietas de Vincent. Oliver… Oliver van Rooijses puede ser hijo tanto de Jan van Rooijses como de Gerrit van Rooijses, nietos de Vincent, pero visto que Gerrit es, probablemente, Gerardo Ruise, el abuelo de Gabriella, Oliver sólo puede ser hijo de Jan.

—Ése es tu antepasado —murmuró Gabriella sacando lentamente la cabeza de mi hombro y mirándole.

Oliver, muy despacio y sin destaparse ni un milímetro de su manta térmica puso las dos placas que faltaban, la de su antepasado y la de Gabriella Ruise, sin duda la madre de Gabriella. No hubo ningún error. La siguiente caja del estrado se abrió de golpe y empezamos a notar que la temperatura estaba subiendo. A menos frío, más capacidad de pensar.

—¿Qué sabes tú de todo esto, Ichiro? —le pregunté entre densas nubes de vaho y con varias estalactitas en mi bigote—. Y no me digas que nada porque no te creeré.

Pero Ichiro estaba como anonadado. Como si hubiera recibido un puñetazo en pleno estómago. A penas pudo levantar la mirada del suelo para contestarme.

—Te aseguro, Hubert, que estoy tan desconcertado como tú —masculló y su voz, para mi sorpresa, sonaba sincera—. No tengo ni idea de lo que está pasando pero empiezo a preguntarme si alguno de mis abuelos también se cambió el nombre y se operó los ojos para parecer japonés. ¡Es una locura!

—¿Una locura? —repitió Oliver alterado—. ¡Es más que una locura! ¿Significa que todos nosotros somos descendientes directos de Vincent Van Gogh? ¡Maldita sea, Ichiro, a la fuerza tenías que saber algo de esto!

—¡Que no, Oliver! —exclamó Ichiro con gesto de grave preocupación—. ¿Cómo iba a saberlo? ¡He pasado toda mi vida investigando a Van Gogh y resulta que he estado buscando uno de sus cuadros y pasando mil penalidades al lado de sus descendientes! ¿Crees que podría saber algo así y que no se me notara nada?

Oliver hizo un gesto de rabia y de impotencia.

—¡Acabemos de una vez! —soltó.

Por supuesto, los nombres de las placas que vinieron a continuación ya no eran los de unos completos desconocidos, más bien todo lo contrario. Cuando, entre las nuevas cinco placas, las de las parejas de los descendientes de Vincent Van Gogh, salió el nombre de mi abuelo paterno, las rodillas empezaron a flaquearme.

—Johannes Kools era mi abuelo —anuncié en voz alta—, el marido de Gerarda Schafrat.

Oliver colocó la placa con el nombre de mi abuelo debajo del de mi abuela.

—Mi madre, Odette Bouyer, se casó con mi padre, Maximilien Blondeau, en 1985 —explicó Odette. Oliver puso en el lugar correcto el nombre de Maximilien Blondeau.

—Mi abuelo, Oliver Roos… Oliver van Rooijses, se casó con Emily Jones, mi abuela Emily —musitó Oliver, deteniéndose y colocando delicadamente la tablilla metálica con el nombre de su abuela. La temperatura de la cámara iba subiendo más y más conforme poníamos las placas correctamente, pero aún teníamos el frío dentro.

—Renzo Amato es mi padre —declaró Gabriella. Y Oliver puso la placa de Renzo Amato debajo de la de Gabriella Ruise.

—Nos queda una —comentó él—. Pero como sólo queda un hueco, no nos podemos equivocar. Es la de Joos Kam, que debió de ser el marido de Clasina Koopman, la hija de Liselot y Daniël.

—Estoy seguro de que ésa es la línea genealógica de John Morris —afirmé. Para mí, a aquellas alturas, resultaba evidente que los Koga estaban detrás de todo. El panel era demasiado específico, eran nuestras cinco líneas genealógicas, las de los cinco que habíamos sido contratados y convocados en París. Ichiro parecía no saber nada, pero ¿hasta que punto era creíble? Allí había algo muy extraño y no era precisamente nuestra ascendencia, que también.

—¿Y tenemos que completar la línea de John? —preguntó Gabriella con desgana.

—Me temo que sí —le respondí—. Pero no será difícil.

—Hay algo que está muy claro —señaló Odette en ese momento. Tenía mejor color de cara conforme mejoraba la temperatura—. Nosotros cuatro, o nosotros cinco si contamos a John, no somos los únicos descendientes de Van Gogh. Y conste que no puedo creer que yo haya dicho algo así. ¡Cielo Santo, mis hijos son descendientes de Vincent Van Gogh! —se detuvo un momento, impresionada por la idea—. Pero lo que quiero decir es que, supongo que como vosotros, yo también tengo hermanos y hermanas, y mi madre tuvo un hermano y él también tuvo hijos, mis primos. Todos ellos también son descendientes de Vincent Van Gogh.

—¡Debemos de ser un montón! —exclamó Oliver, fascinado.

Pero yo no podía pensar en esas cosas en aquellos momentos. Sólo quería salir de allí para volver a la realidad, para terminar con aquella extraña situación que trastornaba de repente todo cuanto conocía y cuanto me rodeaba. El mundo se había vuelto inestable y cambiante. Necesitaba tiempo para acostumbrarme a la idea de ser descendiente de Vincent Van Gogh y de que los Koga, de algún modo, habían organizado todo aquello o mi cabeza explotaría. Estaba claro que cada uno de nosotros reaccionaba como podía y se sorprendía de cosas distintas. A Oliver y a Odette parecía impresionarles especialmente la cantidad de descendientes directos de Van Gogh que debía de haber por el mundo. A mí, comprender de repente de dónde había salido yo.

Con la siguiente caja abierta, tras poner a Joos Kam en la rama de Morris, Odette leyó en voz alta los nombres de las nuevas placas:

—«Johannes Kools»… —empezó a decir.

—Ése es mi padre —la corté.

Odette le pasó la placa a Oliver para que la colocara en su sitio.

—«Gabriella Amato» —dijo Odette con una sonrisa mirando a Gabriella.

—Ésa soy yo, sin duda —admitió Gabriella con un cabeceo de conformidad. Su rama genealógica terminaba ahí. Ya no habían más líneas ni verticales ni horizontales.

—«Odette Blondeau» —leyó Odette—. Toma, Oliver, ponme en la pared, por favor.

Algunas ramas, como las de Odette y Gabriella, ya habían terminado. Ellas eran tataranietas de Vincent Van Gogh.

—«Oliver Roos» —leyó Odette a continuación.

—Podría ser yo —se rio Oliver—, pero es mi padre porque me quedan tres huecos por rellenar. El suyo, el de mi madre y el mío.

—«John Morris» —terminó de leer Odette.

—¿John Morris…? —se extrañó Gabriella—. ¿Clasina Koopman y Joos Kam tuvieron un hijo llamado John Morris?

—Debieron cambiar sus nombres cuando emigraron a Estados Unidos —dedujo Ichiro—. Como hicieron vuestros respectivos antepasados cuando cambiaron de país.

—Los míos no —objeté con cierto orgullo tonto.

—Porque los tuyos carecían de valor y de ambición —se burló Gabriella—. Hay que ser muy valiente para emigrar y tener la voluntad firme de prosperar y mejorar en la vida. No todos se atreven.

En eso tenía razón. Mis abuelos había sido pobres agricultores en Nuenen durante toda su vida, y mi padre también. Mi hermano Johannes seguía trabajando en el campo y era fácil llegar a la conclusión de que todos mis antepasados —salvo uno, a quien, al parecer, le debía el ser distinto al resto de mi familia— habían tenido el mismo oficio durante siglos.

Al poner la placa de la rama de John se abrió una nueva caja en el estrado. Ya no debían de quedar muchas pero por la perfección del bruñido del acero inoxidable era imposible saber cuántas faltaban por abrirse. Esta vez, en lugar de cinco, sólo había tres placas con tres nombres.

—«Grace Campbell» —dijo Odette.

Oliver se acercó a ella para coger la placa de sus manos.

—Es mi madre —murmuró mientras la llevaba hasta su cavidad en el panel, debajo del nombre de su padre.

—«Margaret Relish».

—Ponla en la rama de Morris —le dije a Oliver—. Margaret Relish no tiene nada que ver conmigo.

—«Anna Hoeben».

—Ésa sí tiene algo que ver conmigo —afirmé.

Cuando Oliver insertó la placa con el nombre de mi madre en el hueco debajo del nombre de mi padre, al panel de la pared ya sólo le quedaban tres huecos por rellenar y todos teníamos claro, una vez colocadas Gabriella y Odette, qué nombres iban a aparecer dentro del compartimiento que se terminaba de abrir.

—«Oliver Roos», «Hubert Kools» y «John Morris» —recitó Odette con una sonrisa.

Después de que Oliver colocara nuestros nombres en los huecos se hizo un gran silencio en la cada vez menos gélida cámara frigorífica.

—De modo… —empezó a decir Ichiro mirándonos fijamente a los cuatro—. De modo que… ¡Sois descendientes de Vincent Van Gogh!

No me cupo la menor duda de que, al tiempo que la temperatura se volvía más agradable, Ichiro recuperaba su habitual y vigoroso entusiasmo.

—Según este panel, sí, lo somos —asintió Gabriella sonriente.

—Odette y John proceden de la rama de Sien Hoornik —exclamó Oliver volviendo la vista hacia el principio del árbol genealógico—. Hubert, Gabriella y yo descendemos de Gordina de Groot.

—Sí, pero como dije antes —añadió Odette—, nosotros cinco no somos los únicos. Debe de haber muchos descendientes de Vincent Van Gogh por todo el mundo, en vista de cómo se dispersaron sus nietos y bisnietos en torno a la II Guerra Mundial.

No le habíamos oído entrar, aunque tampoco resultaba tan extraño dado el excepcional estado de ánimo en el que nos encontrábamos. Éramos descendientes directos de Vincent Van Gogh y la idea resultaba alucinante. Nosotros cuatro éramos Van Goghs (familia, no cuadros). Van Goghs ilegítimos, eso sí, pero auténticos Van Goghs. Y con el sentimiento de sorpresa y de secreto orgullo, ¿quién se iba a dar cuenta de que se había abierto una pequeña puerta en la pared de las cajas, y de que alguien había entrado sigilosamente hasta colocarse en silencio detrás de nosotros?

—Yo tengo registrados —dijo en ese momento Kentaro, que era la misteriosa figura que se había colado en la cámara— más de setenta descendientes directos de Vincent.

Nos dimos un susto de muerte. Como los demás, yo giré de golpe sobre mis talones para encontrarme frente a frente con un sonriente Kentaro Koga sin silla de ruedas, sin hombres de negro para atenderle, sin su nuera Midori y sin Fumiko, su mujer. Él solo, de pie, elegantemente vestido y perfectamente peinado y afeitado. Eso sí, se apoyaba en un largo bastón de lustrosa madera, pero nada más recordaba su antigua parálisis.

Nos quedamos mudos de asombro, perplejos, incapaces de reaccionar.

—Por supuesto —continuó diciendo él con una sonrisa divertida—, ninguno de esos setenta descendientes, entre los que os encontráis vosotros, tiene la menor posibilidad de ser legalmente reconocido por la actual familia Van Gogh, los descendientes de Theo, que no permiten que se haga ninguna prueba de ADN. Pero os gustará saber que la investigación sobre vuestros antepasados ha sido rigurosa, profesional y contrastada. La realizó un equipo occidental de expertos genealogistas.

Aún paralizados por la súbita aparición de Kentaro, vimos a Ichiro dejar caer en el suelo la manta térmica, alejarse de nosotros con paso firme y colocarse al lado de su padre, como si no le sorprendiera nada verle de pie ni que estuviera allí.

—Ante todo —murmuró Ichiro haciendo una profunda y larga reverencia—, quiero pediros humildemente perdón por haber estado fingiendo ignorancia desde el principio.

Se incorporó y nos miró con afecto. No había remordimiento alguno en su rostro, había otra cosa que no supe identificar, quizá satisfacción. Antes de que me diera cuenta, había vuelto a inclinarse.

—Os pido perdón de nuevo —manifestó con voz firme—. Me vi obligado a engañaros pero, en compensación, consideré mi deber sufrir las mismas torturas que vosotros durante las pruebas y me dejé clavar los *tetsubishi* en los pies, los *fukibari* en las piernas, sufrí los cortes y pinchazos de los *kyoketsu shoge* y de las estrellas *shuriken*, me dejé rociar de *metsubushi*, fui el primero en recibir la bola de fuego de los dragones del laberinto de Yoshiwara, soporté los trescientos setenta y cinco sonidos a todo volumen de la prueba del templo Iriya Kishimojin así como la fina lluvia de agua caliente que nos quemó la piel y he soportado las gélidas temperaturas de la cámara frigorífica. Por último —suspiró sin levantarse—, espero que os sintáis más inclinados a perdonar mi farsa cuando sepáis que serví de conejillo de indias para calibrar todas las máquinas de manera que no os causaran daños importantes. Es decir, que he sufrido los pinchazos, los cortes, los golpes y todo lo demás en diferentes ocasiones.

Cuando, en medio de nuestro sorprendido y alarmado silencio, Ichiro por fin se incorporó, fue Kentaro quien intervino:

—Mi hijo y yo… —y, en cuanto empezó a hablar, ambos se inclinaron otra vez ante nosotros con una lenta reverencia sincronizada que casi les hizo tocar el suelo con la cabeza. Temí por el equilibrio de Kentaro y, de hecho, Odette hizo el amago de precipitarse hacia él para sostenerle pero, a pesar de su inestabilidad y del bastón, el anciano tenía toda una vida de práctica y mantuvo el equilibrio—. Mi hijo y yo queremos expresaros toda nuestra consideración y nuestro más profundo respeto.

A continuación, ambos se incorporaron pausadamente, con mucha elegancia, pero sólo por poco tiempo porque, para nuestra ya enorme sorpresa, volvieron a inclinarse.

—Y daros las gracias —añadió Ichiro desde allá abajo—. Habéis demostrado ser dignos herederos de uno de los mayores artistas de la historia de la humanidad.

Gabriella me cogió la mano y me lanzó una mirada sorprendida pero yo estaba tan desconcertado como ella por aquella extraña escena de reverencias. Ni siquiera nos habíamos atrevido a quitarnos alguna de las capas de ropa de abrigo que ya nos estaban haciendo sudar a mares y que empezaban a achicharrarnos vivos.

—Por favor —nos pidió Kentaro—, acompañadnos.

Ichiro dejó pasar a su padre y éste, con paso débil y dejándose caer sobre el bastón al caminar, retrocedió y salió por la pequeña puerta por la que había entrado. Luego, Ichiro nos hizo señas para que siguiéramos a Kentaro. Al otro lado había una cálida sala de techos altos, con suelo de *tatamis* y paredes de madera, en cuyo centro se veía, suavemente iluminado, un robusto caballete que sostenía un pequeño cuadro de unos setenta por sesenta centímetros cubierto por un grueso cristal y enmarcado con unos discretos listones de madera oscura.

Desde la parte alta de la pintura, un poco a la izquierda, unos profundos y tristes ojos azules nos miraron desde debajo de una gorra de tela color crema. La figura se inclinaba hacia la izquierda y el rostro se apoyaba en un puño cerrado que, a su vez, descendía hasta un codo apoyado sobre la esquina de una mesa cubierta por un mantel rojo. El pelo de la figura, que se escapaba por los lados de la gorra, era de un azafranado chillón, mientras que la cara estrecha y alargada y el puño en el que se apoyaba lucían distintos tonos de naranja. El centro del lienzo, casi el lienzo completo, lo ocupaba una levita azul oscuro abrochada con grandes botones de color verde lima y contorneada, al estilo *ukiyo-e*, por líneas negras. Dos libros de un amarillo deslumbrante (*Germinie Lacerteux* y *Manette Salomon*, de los hermanos Edmond y Jules de Goncourt) descansaban sobre la mesa junto a un vaso de cristal con agua del que salían dos tallos verdes llenos de pequeñas flores de dedalera.

—¡El *Retrato del doctor Gachet*! —exclamó Odette fascinada, acercándose—. ¡El auténtico *Retrato del doctor Gachet*!

Todos dimos varios pasos hacia el cuadro, hipnotizados. Cuanto más te acercabas más podías notar que las furiosas y viscerales pinceladas de la impresionante obra parecían haber sido hechas con angustiosa rapidez, con mucha prisa, sin boceto previo y sin planteamiento alguno, como si nuestro antepasado supiera que le quedaban pocos días de vida. Oliver, que debía de estar pensando lo mismo que yo, dijo:

—Seguramente, hoy día Vincent sería un fantástico grafitero, un gran artista de *street art*. La velocidad del spray se ajusta mucho más a su forma de pintar que la lentitud del pincel.

—Él no pintaba con lentitud —le aclaré—. Quienes le vieron pintar aseguraron que lo hacía febrilmente, a un ritmo convulso y violento, usando tanta pintura que los colores, literalmente, goteaban sobre el suelo. Podía empezar y terminar un cuadro en una sola mañana.

Gabriella, que seguía cogida de mi mano, tiró de mí para acercarse más a la obra.

—Ahora que sé que fue mi tatarabuelo —afirmó con cierto orgullo familiar— veo su trabajo de otra manera. Además, puedo comprender mejor por qué he salido pintora.

—Vosotros tres estáis relacionados con el arte de una u otra manera —protestó Odette—. Pero, John y yo no. Él es contratista de obras y yo soy enfermera.

—¿Sabes que Vincent Van Gogh quiso ser médico? —le preguntó Kentaro con una sonrisa—. ¿Y sabes que su padre, Theodorus Van Gogh, sentía una fuerte vocación por estudiar medicina? Pero el padre de Theodorus, que era ministro de la Iglesia Reformada de Holanda, se lo prohibió y le obligó a ser pastor como él. De modo que Vincent y su padre fueron, los dos, médicos frustrados. A Vincent siempre le interesó mucho el tema de la salud aunque, como abandonó los estudios muy joven, la medicina quedó fuera de su alcance. En una carta que escribió a su hermano Theo desde Auvers-sur-Oise, después de pintar este cuadro —y señaló con la mano el *Retrato del doctor Gachet*—, le decía que haberlo pintado le consolaba, hasta cierto punto, de no haber podido ser médico. De modo que ya sabes de dónde has salido tú también.

Ella se quedó pensativa unos segundos, aunque no del todo conforme, y enseguida replicó:

—Vale, pero ¿y John? ¿Acaso John no ha sacado nada de nuestro antepasado común? ¿Será porque John y yo descendemos de Sien Hoornik y no de Gordina de Groot?

—¡Eso es una tontería, Odette! —le reprochó Gabriella.

Pero Kentaro parecía un gato relamiéndose los bigotes a punto de lanzarse sobre un trozo de queso.

—John Morris —empezó a decir saboreando las palabras en su boca— es, entre los más de setenta descendientes de Vincent, el que más se le parece. No físicamente, aunque también con ese pelo y esa barba pelirroja, pero sí en el carácter. Si pudiéramos creer que el *kami* de Van Gogh se ha reencarnado en un nuevo cuerpo, sería sin duda en el de John Morris.

Creo que el gesto de profundo desprecio que sentí por Morris en ese momento se pintó en mi cara de manera evidente. Kentaro, rápido como el rayo, me leyó la cara y el pensamiento.

—Lo que tú sientes hacia John es lo mismo que sintieron multitud de personas hacia Vincent —me regañó el anciano—. Incluso su propia familia no le soportaba. ¿Y qué tiene eso que ver con sus cuadros? El problema es que, si pretendemos descubrir al artista en su trabajo, a nadie le gustarían las pinturas de Van Gogh porque él no le gustaba a nadie. Actualmente, hay una tendencia general a valorar sólo lo que hace la gente absolutamente ejemplar. Por eso la familia Van Gogh procura transmitir una imagen positiva y edulcorada de él, ocultando o disimulando cómo fue en realidad. Temen que si el público descubre el verdadero carácter de Vincent, deje de acudir en masa a los museos para ver sus obras sin darse cuenta de que son sus obras, precisamente, las que definen a Vincent como el gran genio de la pintura que fue, no su desagradable personalidad. Hay muy poca gente en el mundo que no admire profundamente todos y cada uno de sus lienzos, los colores complementarios que utilizaba, sus gruesas pinceladas, la brusquedad de sus trazos... Probablemente, las casas que construye John Morris sean de las mejores de Michigan.

—Quizá no de las mejores todavía —murmuró Gabriella con humor—, pero en el futuro, cuando sean antiguas, desde luego que sí. Siempre que no deje la construcción para abrir una funeraria, como dijo que haría.

Oliver se adelantó hacia Kentaro con cierta inseguridad.

—Y, ahora que ya sabemos que somos descendientes de Vincent Van Gogh y que, por lo visto, el *Retrato del doctor Gachet* no estaba perdido —empezó a decir hablando poco a poco con mayor seguridad—, ¿podríais explicarnos a qué demonios ha venido toda esa historia de Ryoei Saito y todas esas pruebas que hemos tenido que soportar?

22

Los antiguos samuráis

Kentaro, de repente, pareció sentirse muy cansado. Odette se acercó rápidamente hasta él e hizo que le pasara el brazo sobre los hombros (a ella, tan menuda), obligándole de esa forma a descargar completamente su peso sobre ella. Al mismo tiempo, Ichiro salió de la sala y desapareció de nuevo en la cámara para reaparecer a toda velocidad acompañado por los dos funerarios forzudos que acompañaban habitualmente a Kentaro y que traían, plegada y como si no pesara nada, su enorme silla de ruedas.

Ichiro se dirigió a su padre en japonés y éste sacudió la cabeza, denegando, mientras Odette le ayudaba con habilidad a tomar asiento. Los forzudos se marcharon por donde habían venido sólo para reaparecer inmediatamente cargados con sillas plegables de madera que dispusieron en círculo, dejando espacio tanto para la silla de Kentaro como para el propio cuadro, como si el doctor Gachet fuera uno más en el corro. Luego, desaparecieron.

—Esta situación me recuerda a París —me susurró Gabriella al oído—, a la primera reunión que tuvimos en el cuartucho aquel de la galería Père Tanguy.

Yo asentí. Parecía que había pasado un siglo desde entonces, una vida completa y, sin embargo, sólo habían transcurrido quince días. Era todo tan raro como el propio Van Gogh, nuestro antepasado. Mi tataratatarabuelo.

Odette, liberada de la carga de Kentaro, se acercó a nosotros y lo mismo hizo Oliver. Estar juntos, pegados como cuando teníamos frío, parecía haberse convertido en una necesidad frente a los Koga, que ya no nos parecían tan honestos y agradables como antes.

Mientras Kentaro recuperaba el color y salía de la extenuación a la que le había llevado estar de pie tanto tiempo, Ichiro abarcó el círculo de sillas con un gesto de la mano.

—Por favor —nos pidió—, tomad asiento. Mi padre y yo hemos estado esperando este día desde hace muchos años.

En cuanto estuvimos sentados (Ichiro también), Kentaro levantó la cabeza que tenía hundida entre los hombros y nos miró de uno en uno. Sus ojos reflejaban tristeza y una profunda pena, una pena de la que no le hubiera supuesto capaz viéndole siempre tan optimista, culto y activo.

—Creo que mi hijo, en París —empezó a decir muy despacio—, os contó que sufrí un derrame cerebral el año pasado que me dejó atado a esta silla de ruedas y que, por esa razón, por no poder continuar él y yo la búsqueda del *Retrato del doctor Gachet*, fue por lo que os contratamos a vosotros.

Los cuatro asentimos y Oliver murmuró un «sí» casi inaudible.

—Ésa fue la primera de las mentiras —se lamentó Kentaro—. Es cierto que sufrí un derrame cerebral y que quedé paralizado. Pero no fue el año pasado. Ocurrió en septiembre de 1996, seis meses después de la muerte de Ryoei Saito, hace ya casi veintidós años.

Ichiro miró compasivamente a su padre y, para no perder la costumbre, en cuanto vio que iba a seguir hablando, se metió rápidamente por en medio:

—Ya os conté que nuestra funeraria, la única que había por aquel entonces en Shizuoka, fue la que se encargó de los ritos ceremoniales en el sepelio de Ryoei Saito. Toda aquella parte era cierta —se detuvo un momento, nervioso, y, luego, continuó—. En realidad todo era cierto. Toda la historia que os conté sobre Saito y el *Retrato del doctor Gachet* se corresponde fielmente con la verdad.

—La mentira empieza a partir de mi salto a la parte posterior del coche fúnebre para abrir el ataúd de Ryoei y coger el tubo de cartón que contenía el cuadro.

Se hizo un pequeño silencio.

—Tenéis que entenderlo —nos rogó Kentaro con voz ahogada—. No podía permitir que una obra de arte como ésta —y señaló el *Retrato del doctor Gachet*— desapareciera para siempre. Entendía las razones y el derecho legítimo que tenía Ryoei de hacerse quemar con ella pero algo dentro de mí me urgía a salvarla, a rescatarla del fuego. Sabía que el espíritu de Ryoei me perseguiría y se tomaría venganza pero no pude frenarme, no pude impedirme a mí mismo dar aquel salto hasta la parte posterior del coche, abrir el ataúd y coger el cuadro.

—La intención de mi padre no era robarlo para quedárselo —nos aclaró Ichiro por si estábamos pensado mal de Kentaro—, era robarlo para salvarlo. Salvarlo aun temiendo y sabiendo lo que le esperaba: la venganza del espíritu de un hombre humillado en el momento de su muerte.

—Mi hijo estuvo avergonzado de mí durante mucho tiempo —siguió contándonos Kentaro serio y triste—. Dejó de hablarme y de mirarme. Fumiko, su madre, estaba horrorizada, pero él no le contó nada. Ichiro, que era muy joven por aquel entonces, pasaba fuera de casa la mayor parte del día y yo sabía que estaba en el templo rezando al *kami* de Ryoei para que me perdonara. Yo vivía aterrorizado, esperando que ocurriera alguna horrible desgracia en cualquier momento. Mi miedo no era que el espíritu de Saito se vengara de mí, ya que sabía que eso iba a ocurrir antes o después, sino que tomara venganza contra mi hijo o contra mi mujer. Yo había deshonrado a mi familia y a la familia Saito, había cometido un crimen espantoso, así que yo merecía el castigo, pero ellos no. Al no saber lo que podía ocurrir, vivía angustiado noche y día. Llegué a ver al *kami* de Ryoei en cada esquina de mi casa, enfadado y resentido. Caí en una terrible depresión que me destruyó.

—Nuestro hogar se oscureció y se apagó —terció Ichiro—. Mi padre se fue consumiendo poco a poco por la culpa y el miedo. Parecía un cadáver.

—Fue entonces cuando sufrí el derrame cerebral —concluyó Kentaro—. Estuve ingresado mucho tiempo. No sólo perdí la movilidad de las piernas, como os dijo Ichiro. Tampoco podía hablar, ni comer, ni mover los brazos o las manos... Nada. La venganza de Ryoei fue tremenda pero yo me sentía realmente contento porque, a fin de cuentas, ya había pasado lo peor y su espíritu se habría quedado, al fin, tranquilo viéndome enfermo e inmovilizado en aquella cama de hospital. Tenéis que entender que, si ya me había hecho todo el daño que necesitaba para sentirse desagraviado, su venganza había concluido y mi familia estaba libre de peligro. Ryoei y yo estábamos en paz. Aun así, sabía que mi culpa y mi vergüenza no habían terminado.

—Tardó dos años en volver a hablar y otros dos en poder comer con normalidad. Había que alimentarle por sonda nasogástrica porque no recordaba cómo se tragaba y se ahogaba hasta con un sorbo de agua. Durante aquellos años yo me encargué de la funeraria y la verdad es que nos fue bastante bien. Mi padre había hecho un gran trabajo y yo sólo tuve que seguir sus pasos. Japón, además, se iba modernizando y nuestro trabajo, que desde siempre había llevado el estigma de la impureza, empezó a ser respetado y considerado como algo bueno y positivo.

—Ichiro lo hizo estupendamente —afirmó Kentaro orgulloso—. Pero el tubo de cartón con el cuadro seguía estando escondido en mi despacho. Y no era una falsificación, como os dijimos. Era el verdadero *Retrato del doctor Gachet* de Vincent Van Gogh. Lo de la falsificación y todo lo demás también fue cosa nuestra.

—Eso no fue exactamente así, *otōsan*... —le corrigió Ichiro.

—Bueno, no importa —aceptó Kentaro a regañadientes—. La cuestión era que yo seguía enfermo, recuperándome muy lentamente, y que el verdadero y auténtico *Retrato del doctor Gachet* de Vincent Van Gogh continuaba en nuestro poder sin que tuviéramos ningún derecho para poseerlo o para conservarlo. Si devolvíamos el cuadro a la familia Saito, ellos se verían obligados a quemarlo de acuerdo a los deseos de Ryoei, que ya creían cumplidos. Entregarlo a las autoridades japonesas, que no habían adquirido el cuadro y no eran sus propietarias, significaba humillar por segunda vez al *kami* de Ryoei y ofender gravemente de nuevo a su familia. No sabía lo que podíamos hacer.

—Y, entonces —dijo Ichiro con tono divertido—, intervino mi madre.

—¿Fumiko? —pregunté sorprendido. Parecía tan sumisa, tan dócil, que me extrañaba que hubiera podido tener algún papel en aquella historia. Creo que todos pensamos lo mismo y que se nos notó en la cara porque Kentaro, con el pecho hinchado de orgullo, nos dijo:

—Mi mujer procede del noble clan samurái Takeda, uno de los cinco clanes samuráis más importantes de la historia de Japón. Tuve mucha suerte de que me aceptara por marido.

Ahora entendía un poco más algunas cosas. Por ejemplo, cómo era posible que Fumiko hubiera podido sobrevivir a la experiencia de estar casada con el enérgico Kentaro mientras criaba al hiperactivo Ichiro. O por qué Midori había consultado con la mirada a su suegra (y no a su suegro o a su marido) antes de ofrecerle a Morris y a todos nosotros el doble de dinero para que nos quedáramos después de la prueba de la casa ninja. Todo resultaba mucho más lógico cuando sabías que aquella aparentemente dulce mujer era de pura casta guerrera.

—Mi madre es increíblemente inteligente —afirmó Ichiro, también muy orgulloso—. Ella adivinó que algo pasaba desde el mismo día del funeral de Ryoei Saito. Cuando vio cómo se marchitaba mi padre y me vio a mí todo el día rezando en el templo, empezó a atar cabos y se imaginó la razón. Cuando ingresaron a mi padre en el hospital, comprendió que todo era un asunto de espíritus, de *kamis*, y sumando dos más dos terminó por arrinconarme contra las cuerdas y por sacarme la verdad. Mi padre, en aquel momento, seguía en coma y yo era demasiado joven para oponerme a la fuerte voluntad de mi madre o para faltarle al respeto contándole una mentira. De modo que le dije la verdad, hasta el último detalle.

—Yo no supe que ella lo sabía —aseguró Kentaro— hasta cinco años después, cuando volví a ser una persona independiente y fuerte. En silla de ruedas para siempre pero, al menos en gran medida, con mi cuenta saldada con Ryoei. Entonces ella nos reunió a los dos y nos dijo, punto por punto, lo que teníamos que hacer. Y lo hemos hecho —se rio—. Todo esto fue idea suya hace muchos años. Y también fue idea suya, tiempo después, incluir en el plan y mandar a París a mi sobrino Kazuhiko, el mejor amigo de Ichiro, que trabajaba por aquel entonces en nuestra funeraria. Hemos esperado pacientemente hasta tener la información precisa, hasta aprender y estudiar todo lo que íbamos a necesitar, hasta poder buscaros y encontraros, ya que debo admitir que fuisteis estrictamente seleccionados entre todos los descendientes de Vincent Van Gogh.

—¿Nos seleccionasteis? —se sorprendió Gabriella, que parecía un poco molesta por haber sido «seleccionada» como un animal de granja—. ¿Cómo nos seleccionasteis exactamente?

—Bueno, el primer criterio fue la edad, por supuesto —replicó Ichiro rascándose la frente—. Los descendientes de Vincent que necesitábamos debían estar en un rango de edad que les permitiera llevar a cabo las pruebas, no podían ser ni niños pequeños, que hay muchos, ni ancianos, que también los hay. Luego, vuestro dominio del inglés, para que la comunicación pudiera ser siempre fluida entre todos. El tercer criterio fueron vuestros trabajos, vuestra relación con el arte o, directamente, con la vida de Vincent. John Morris fue todo un descubrimiento por tener un carácter tan parecido al del pintor. Hubiéramos deseado que se quedara con nosotros pero, igual que Vincent, se marchó sin despedirse en cuanto se sintió agobiado y harto. Su parecido con él era tan impresionante que hasta en eso salió igual. Lamentamos muchísimo que nos abandonara a mitad de la búsqueda pero no hubo forma de hacerle volver.

—Ésos fueron los criterios principales —le cortó Kentaro para que dejara de hablar de Morris—. Aun así nos encontramos con veinte descendientes posibles que podrían pasar las pruebas que propuso mi mujer. Para reducir el número escogimos a los más diferentes entre sí, aquellos que por su origen y nacionalidad no pudieran adivinar que existía alguna relación entre ellos. Y, finalmente, nos quedaron ocho.

—¿Ocho? —exclamó Odette—. ¿Y dónde están los tres que no hemos conocido?

Kentaro e Ichiro cruzaron rápidamente una mirada de inteligencia. Por fin, Ichiro dijo:

—Hay otro criterio más de selección que no os hemos mencionado. Buscamos también a aquellos que más necesitaran el dinero. Mandamos la propuesta a ocho personas, a cada uno a través del medio que mejor le pudiera encajar. A vosotros, Gabriella, Hubert y Oliver, os teníamos localizados a través de Kamidana, la empresa de materiales artísticos que os vendía a precios muy bajos todo lo que necesitabais para vuestros trabajos.

—¿Kamidana es vuestra? —pregunté incrédulo. Yo había comprado a Kamidana casi todo lo que tenía actualmente en mi galería, desde marcos a focos de luces, decoraciones…

—Por supuesto —me respondió Kentaro—. La compramos precisamente para poder utilizarla con vosotros. Hace dos años os mandamos un email para ofreceros materiales, ¿lo recordáis?

Gabriella, Oliver y yo asentimos, sobrecogidos por el alcance de la trama de los Koga, por las cosas que habían llegado a hacer para pescarnos como a peces en un estanque lleno de descendientes de Vincent Van Gogh.

—A John —nos explicó Ichiro— le contactamos a través de otra empresa, una de materiales de construcción, con el mismo tipo de oferta.

—Y a mí —intervino Odette con el ceño fruncido—, a través del representante de la firma que surte a mi hospital de material quirúrgico, guantes y otros utensilios sanitarios básicos. ¿También es vuestra esa empresa?

Kentaro e Ichiro asintieron, un poco avergonzados al estilo japonés.

—Los tres seleccionados que no habéis conocido rechazaron las propuestas que les hicimos —murmuró Ichiro—. Supongo que eligieron no participar.

—Y todo esto, ¿para qué? —saltó Oliver, a quien se veía un poco alterado, como a Gabriella—. ¿Para qué las pruebas, para qué la selección?

—Las pruebas han sido para comprobar vuestro carácter —nos dijo Kentaro—. Ya habéis visto cómo John no pudo con ellas.

No pudo con nosotros, pensé yo. Morris no se había marchado por las pruebas, se había marchado porque no era el centro de atención, porque se sentía injustamente maltratado y porque le faltaba no un hervor, no, sino varios.

—Pero no sólo para eso —añadió Ichiro rápidamente—. También eran una protección para nosotros y, además, un cronómetro, una manera de comprobar con tiempo y sacrificios vuestra capacidad para aguantar y guardar un secreto tan importante. Podíais haberos ido, como hizo John, pero también podíais haber publicado algo en las redes sociales o en algún medio de comunicación, con lo que habríamos excluido de inmediato al delator y enterrado rápidamente toda la historia.

—Además —agregó Kentaro—, las pruebas también eran una forma indirecta de acercaros poco a poco a Vincent Van Gogh y a quienes sois vosotros de verdad. Si simplemente os lo hubiéramos contado, sin más, no habríais podido valorar la enorme importancia del asunto. Teníais que superaros a vosotros mismos, familiarizaros con vuestro antepasado, manteneros firmes frente a las adversidades, someteros a duras pruebas como los antiguos samuráis y conocer vuestro propio valor e inteligencia. O, al menos, eso dijo mi mujer, Fumiko. Los que llegarais hasta el final seríais merecedores no sólo del dinero de vuestros respectivos contratos sino también de conocer la verdad sobre vuestros orígenes.

—Como occidentales —declaré hablando por los cuatro— nos cuesta mucho comprender estas extrañas explicaciones.

Ichiro pareció disgustado.

—Lo sé, Hubert —admitió con voz preocupada—. Pero, como os dije en París, por muy raro que os suene, aceptadlo sin más. Es algo parecido a las ideas cristianas de pecado, culpa y redención pero desde la perspectiva oriental.

—Por favor, aceptad el *Retrato del doctor Gachet* como regalo —murmuró Kentaro en ese momento, inclinando nuevamente la cabeza desde la silla.

Ninguno de nosotros cuatro pronunció una sola palabra. Entre otras cosas porque no podíamos.

—El *Retrato del doctor Gachet* es vuestro si lo queréis —repitió Kentaro lentamente—. Nos haríais un gran honor aceptándolo. Las pruebas también las pensamos para seleccionar a los merecedores de proteger para siempre esta maravillosa obra de arte. Si la familia Saito no puede recuperarlo porque lo tendría que quemar y si entregarlo a las autoridades japonesas sólo provocaría una nueva venganza del *kami* de Ryoei, ¿quién mejor que los descendientes directos para conservar el cuadro? De algún modo, os pertenece y nosotros podemos quedarnos tranquilos dejándolo en vuestras manos. Como dijo mi mujer, si ella o yo no podíamos esperar con serenidad y paz el día de nuestra muerte, ¿de qué nos servía seguir viviendo?

—Aceptándolo, no sólo salvaríais el honor de nuestra familia —intervino Ichiro viéndonos paralizados por la sorpresa—, sino que, al mismo tiempo devolveríais la paz a mi padre, que fue quien lo robó.

—Su valor de mercado a día de hoy —masculló Kentaro, un poco molesto por las últimas palabras de Ichiro—, ronda los trescientos millones de dólares, más o menos. Quizá más. Nosotros construimos una cámara secreta bajo la casa para tenerlo a buen recaudo durante todos estos años. Si vosotros queréis venderlo, os ayudaremos a conseguirlo. No será difícil, dado que tanto la familia Saito como el estado japonés se han esforzado mucho tratando de encubrir el vergonzoso hecho de que el cuadro ardió con Ryoei y, además, esparciendo por todas partes los rumores que podéis leer por ahí sobre la supuesta venta privada y secreta a un millonario austríaco o australiano o de Las Vegas. Será fácil hacer reaparecer el cuadro de manera legal ya que ellos siempre han negado categóricamente que ardiera en nuestra incineradora y han sostenido que fue vendido. Seguro que las casas de subastas más importantes no pondrán ningún reparo en echaros una mano con la documentación.

—Los grandes museos están llenos de falsificaciones —se rio Ichiro— y se venden sin pudor cuadros de alumnos de las escuelas y talleres de pintura haciéndolos pasar por auténticas obras de los grandes maestros. No habrá ningún problema con un Van Gogh genuino.

Ellos hablaban y hablaban y nosotros seguíamos como estatuas de hielo, incapaces de movernos o de articular palabra alguna. Finalmente, miré a Gabriella y ella me hizo un gesto muy claro: quería salir de allí y necesitaba tiempo para pensar. Ni ella ni yo habíamos dormido demasiado durante las últimas cuarenta y ocho horas y acusábamos ya el enorme cansancio. Odette y Oliver también estaban saturados y abrumados y querían exactamente lo mismo que Gabriella y yo. No hizo falta que habláramos.

—¿Podríamos volver esta noche al hotel de Tokio? —preguntó Gabriella.

—Sólo nosotros cuatro, por favor —agregué yo.

El padre y el hijo enmudecieron al fin y nos miraron con comprensión. Ichiro miró su reloj de muñeca.

—Son las doce de la noche, Hubert —me advirtió.

—No queremos quedarnos en vuestra casa en estos momentos —le expliqué—. Tenemos mucha información que procesar, mucho que hablar entre nosotros y estamos terriblemente cansados.

—¿Queréis quedaros en un hotel en Shizuoka? —nos ofreció Ichiro, apenado.

Consulté a Gabriella, a Oliver y a Odette con la mirada y, luego, le dije:

—Sí, gracias.

—Sólo tardaré un momento —comentó, poniéndose en pie y abandonando la sala. Se le veía triste, igual que a Kentaro, pero de ningún modo podíamos quedarnos esa noche en casa de los Koga. Nos resultaba física y mentalmente imposible.

Una vez a solas, Kentaro nos observó detenidamente, con afecto.

—Gracias por todo —murmuró—. Ha sido una de las mejores experiencias de mi vida y me siento profundamente honrado de haber podido conoceros y de haber compartido vuestro tiempo durante estas últimas semanas. Decidáis lo que decidáis, los Koga estaremos siempre en deuda con vosotros. No lo olvidéis.

¿En deuda con nosotros y nos estaban regalando un Van Gogh de tropecientos millones…? La cabeza me iba a explotar si no salía de allí, respiraba aire de la calle, cenaba y dormía.

Una hora después, todos mis deseos se habían cumplido menos el último. El microbús de los Koga nos dejó en la puerta del hotel Associa donde nos recibieron con todas las atenciones del mundo, nos asignaron habitaciones, abrieron la cocina y el restaurante sólo para nosotros y nos dieron de cenar, si es que a tomar algo a la una y pico de la madrugada se le puede llamar cenar. Teníamos unas pintas espantosas pero la cena nos reanimó lo suficiente como para cruzar unas pocas palabras, o frases, entre nosotros. Las palabras, o frases, fueron:

—¿Os dais cuenta de que somos descendientes directos de Vincent Van Gogh?

Esto lo preguntó Oliver y todos asentimos y continuamos cenando en silencio. Al cabo de un largo rato, Gabriella dijo:

—Por supuesto, nos quedamos la pintura, ¿verdad?

Todos asentimos con rotundidad y continuamos cenando.

Creo que empecé yo. De pronto se me escapó una carcajada. Y, luego, otra. Y otra. Mis carcajadas contagiaron a Gabriella, que empezó a partirse de risa sin poder evitarlo. Los cuatro nos miramos, radiantes, y Oliver y Odette se echaron también a reír como locos. Y aquellas carcajadas de felicidad duraron mucho, mucho tiempo.

Epílogo

Los Van Goghs de Vincent

Fue fantástico volvernos a encontrar los cuatro meses después. Sólo faltaba una semana para la Navidad y decidimos no posponer más el viaje. Aunque en ningún momento habíamos perdido el contacto, aquélla era la primera vez que nos íbamos a reunir en persona desde que descubrimos el *Retrato del doctor Gachet* en Shizuoka. La verdad fue que, al vernos, tuvimos la sensación de habernos despedido el día anterior, como si aún pasáramos los días juntos y no hubieran transcurrido casi cuatro meses desde que abandonamos Japón en aviones diferentes.

Llegamos por distintos medios a primera hora de la mañana para encontrarnos en la puerta del Auberge Ravoux, el hostal donde vivió y murió Vincent un 29 de julio de 1890. En realidad, se trataba de una mera atracción turística. Muchos de los que esperaban a nuestro alrededor para comprar la entrada ni siquiera sabían que había muerto allí, en la habitación que iban a visitar. Para nosotros fue muy emocionante. Kentaro había tenido razón cuando nos dijo que pasar por todo lo que pasamos para encontrar el cuadro nos había acercado de una forma mucho más personal y profunda a nuestro famoso antepasado.

Después de visitar la miserable habitación donde agonizó durante dos días, desde el 27 hasta el 29 de julio, emprendimos el camino hacia el cementerio de Auvers. Avanzábamos en silencio por una carretera rural completamente vacía, entre despojados campos de trigo y afiladas rachas de viento helado. El día había salido plomizo, con un cielo gris oscuro que se comía la luz. Odette se apretaba con fuerza el cuello de su abrigo de piel para protegerse del frío que le enrojecía la nariz y las mejillas. Oliver, Gabriella y yo estábamos bien con nuestros chaquetones. Los siete grados de temperatura de aquella mañana de mediados de diciembre en Auvers-sur-Oise, al norte de París, no eran algo inusual para nosotros. Gabriella y yo caminábamos cogidos de la mano mientras que Oliver hundía las suyas en los bolsillos con guantes y todo. Cada pocos metros encontrábamos señales indicadoras que mostraban la dirección a seguir para llegar hasta las tumbas de Vincent y Theo.

Durante aquellos cuatro meses la relación entre Gabriella y yo había ido creciendo y haciéndose más fuerte. Coger un avión a Milán todas las semanas se había convertido en parte de mi rutina y verla aparecer a ella en Ámsterdam un martes por la tarde o un lunes por la mañana era lo más normal del mundo. Nos iba muy bien y nos sentíamos felices. Disfrutábamos de cada momento que pasábamos juntos y estábamos empezando a plantearnos que quizá sería buena idea que ella, que no tenía ataduras como yo y que con su ordenador llevaba su negocio encima, se mudara definitivamente a Ámsterdam. Incluso la decisión de mantener abierta mi galería y poner en sus manos la parte digital había sido una gran idea. Gabriella se encontraba inmersa en el proyecto y todo parecía estar avanzando y cambiando para bien gracias a ella.

Mientras caminábamos en silencio, yo pensaba que, además de que Gabriella y yo estuviéramos juntos, Oliver y Odette se habían convertido también en mi familia. Es verdad que ellos tenían las suyas propias con las que se llevaban fenomenal pero la aventura que habíamos vivido en Japón había estrechado nuestros lazos de una forma inesperada y poderosa. Aunque genéticamente ya no compartiéramos más que algunos pobres cromosomas procedentes del lejano Vincent, los cuatro formábamos ahora un grupo inseparable: WhatsApps, videoconferencias, llamadas, fotos, correos…

En cuanto al cuadro del *Retrato del doctor Gachet*, seguía en Japón. Finalmente, habíamos decidido venderlo, ya que no encontramos otra solución mejor, y los Koga, que también se habían convertido para nosotros en una especie de familia, se estaban encargando de ello. Al parecer, tenían más contactos con la *yakuza* de lo que les gustaba reconocer pero Oliver afirmaba con rotundidad que, si ellos mismos no fueran de la *yakuza*, no habrían podido disponer y organizar las pruebas como lo hicieron, ni la de Yoshiwara, ni las de los templos ni muchísimo menos aquélla de la que emergimos por un local de Pachinko en el centro de Tokio.

Por fin, llegamos hasta el cementerio de Auvers. Era un recinto sencillo, rodeado por un antiguo muro de piedra. Por lo visto, allí se encontraban también los restos de otros muchos pintores, aunque la verdad es que a ninguno nos sonaron los nombres que aparecían en el cartel con el mapa del cementerio y la localización de sus tumbas. Las únicas que a nosotros nos interesaban eran las de los hermanos Van Gogh y, eso, porque estaban juntas porque, en realidad, sólo queríamos visitar la de Vincent. La de Theo nos daba bastante igual. Nosotros éramos «los Van Goghs de Vincent» y los miembros de la familia Van Gogh, la *otra* familia Van Gogh, se habían convertido en «los Van Goghs de Theo». La diferencia era abismal aunque ellos fueran los únicos oficialmente reconocidos. Harían bien en no permitirnos hacer nunca las pruebas de ADN porque se iban a enterar de quiénes éramos «los Van Goghs de Vincent».

Odette miró su reloj.

—No nos queda mucho tiempo —nos anunció sonriente—. Deberíamos darnos prisa.

Entre dos robustos y altos pilares se abría una gran puerta de hierro pintada de blanco. La cruzamos y entramos en el pequeño cementerio. Allí no había ningún gran mausoleo ni nada parecido. A ambos lados del camino sólo se veían tumbas pequeñas de un mármol tan limpio y reluciente que parecían nuevas. Eso sí, todas con sus lápidas y sus cruces y sus flores. Aquello era un verdadero cementerio, un cementerio como tiene que ser, y no aquella cosa *fake* que visitamos en Japón para encontrar el monumento funerario de Iwai Kumesaburō III, el gran actor *onnagata*. En este auténtico cementerio occidental había muertos y esqueletos de verdad, huesos y calaveras debajo de aquellas losas de mármol. Y por eso estábamos allí. Si Vincent hubiera tenido sólo un *ohaka* vacío como Iwai Kumesaburō III, no nos hubiéramos tomado la molestia de hacer aquel viaje.

Torcimos a la izquierda en la primera intersección y avanzamos hacia el muro del fondo. No había nadie en el cementerio. Ni siquiera un turista. Quizá llegaran después pero, como nos habíamos esperado hasta casi la hora de comer para tener un poco de privacidad, habíamos conseguido estar completamente solos. Al llegar hasta el final del camino, torcimos a la derecha y, pocos metros adelante, pegadas al muro, se destacaban dos sencillas tumbas cubiertas de hiedra, mucho más bajas que las que se veían a su alrededor. Ahí estaba Vincent, el tatarabuelo de Gabriella y de Odette y el tataratatarabuelo de Oliver y el mío. Nuestros pasos se hicieron más lentos, como si caminar nos costara más, pero era por la impresión, por la fuerza de las emociones que nos desbordaban. En realidad, los cuatro habíamos heredado muchos parecidos con aquel hombre que yacía bajo aquella hiedra verde en la que alguien había dejado una pequeña maceta con un girasol. En general, la gente adoraba el mito de Vincent pero la triste realidad era que casi nadie le conocía de verdad. Tampoco era necesario. Si sus pinturas y sus colores hacían felices a montones de personas, ¿qué importaba quién y cómo hubiera sido? Que siguieran leyendo las cartas censuradas y retocadas por la viuda de Theo, Jo, que fue quien las publicó para poder vender los cientos de cuadros de su cuñado que se le acumulaban en casa.

Nos detuvimos formando una fila delante de la tumba. Las rachas de viento nos alborotaban el pelo. *Ici repose Vincent Van Gogh. 1853-1890.*

—Es una pena que muriera tan joven —murmuró Gabriella—. ¡Sólo vivió treinta y siete años!

—Bueno —replicó Odette—, fue su decisión. Quizá tomada en un momento de flaqueza o de crisis pero, a fin de cuentas, su decisión. Puso fin a su vida cuando quiso.

No me podía creer lo que estaba oyendo. ¿Acaso no había leído nada sobre su antepasado después de regresar a Marsella?

—Vincent no se suicidó, Odette —le dijo Gabriella, tan sorprendida como yo—. Recibió un tiro accidental pero él no se disparó a sí mismo.

Odette la miró con incredulidad. La fuerza de la leyenda era muy grande.

—No tenía restos de pólvora —le expliqué yo— ni en las manos ni en la herida de entrada de la bala, lo que indica que el disparo se realizó desde bastante lejos. El arma nunca se encontró. Además, tú eres enfermera. Piensa por un momento. Si quisieras suicidarte con una pistola, ¿te dispararías en la barriga con un ángulo de arriba abajo, apuntando hacia el suelo?

Ella no lo tuvo que pensar.

—¡Por supuesto que no! —exclamó con seguridad—. Cuando alguien se quiere suicidar con una pistola apunta a la cabeza o a la boca. ¿Se disparó en el abdomen? ¿Estás seguro? ¿No querría dispararse en el corazón? Es raro, pero…

—¿Tú te dispararías en la barriga, apuntando hacia abajo, si quisieras dispararte en el corazón? —insistí.

—No, claro que no —admitió—. Pero él mismo dijo que se había herido con un revólver porque quería suicidarse. Lo he leído en un montón de sitios.

—Una cosa es lo que dijera y otra lo que ocurrió —añadió Oliver, doblando una rodilla para quedar a la altura de la tumba y arreglar las hojas de hiedra—. Yo también creí siempre que se había suicidado. Después de leer mucho durante estos cuatro meses, tengo claro que no se suicidó ya que las pruebas científicas que se han hecho lo demuestran. Cuál fue su enfermedad mental, si es que tuvo alguna, no lo sabremos nunca. Y quién le disparó aquel día accidentalmente tampoco, pero está claro que Vincent quería protegerle.

—Aunque él no fuera religioso —dijo Gabriella—, había recibido una educación cristiana muy rigurosa y siempre que hablaba del suicidio decía que era un acto inmoral y que estaba totalmente en contra. Además, jamás tuvo armas de fuego, jamás se le vio con una pistola en toda su vida. Quien sí tenía un revólver era Gustave Ravoux, el dueño del hostal donde se hospedaba. Un viejo revólver del calibre 38 que funcionaba mal y que fallaba mucho. Y, según parece, Ravoux se lo dejó a un joven veraneante parisino de dieciséis años, René Secrétan, que se paseaba todo el día por Auvers con un traje de vaquero comprado en la Exposición Universal de París de 1889. Esto es lo único que se sabe con certeza. El resto, son especulaciones.

—¿Se interrogó a ese chico, a René? —quiso saber Odette, con cara de horror.

—No —le respondí yo—. René Secrétan y su hermano mayor, Gaston, hijos de un rico farmacéutico de París con casa de veraneo en Auvers, desaparecieron del pueblo a la mañana siguiente del disparo y no se les pudo interrogar. Vincent tenía una buena relación con Gaston, el mayor, que tenía diecinueve años y aspiraba a ser artista, y al pequeño, René, lo llamaba Buffalo Bill, por el traje.

—El primer médico que le atendió, el doctor Mazery, era un obstetra —añadió Oliver—, un ginecólogo de la época especializado en embarazos. El segundo fue nuestro doctor Gachet, que trataba la melancolía. Ambos palparon el cuerpo de

407

Vincent y concluyeron que la bala había quedado alojada en la pared posterior de la cavidad abdominal. Pero no se atrevieron a operarle. Le vendaron y esperaron a que sanara. Punto. Vincent llegó a exigir que le abrieran el vientre pero ellos se negaron. Así que, durante dos días, permaneció agonizando en la cama que acabamos de ver en el hostal Ravoux, el segundo de ellos con Theo —y señaló la tumba contigua con un gesto de la cabeza—, que llegó la mañana del 28 de julio y se quedó con Vincent hasta su muerte, a la una de la madrugada del 29 de julio. Lo enterraron aquí el día 30.

En mitad del abismal silencio del cementerio, se empezaron a escuchar, a lo lejos, sonidos de voces que se acercaban. Oliver se incorporó y volvimos a quedar los cuatro, uno junto a otro, frente a la tumba de Vincent.

Al cabo de poco, Gabriella murmuró:

—Puede que fuera tan insoportable como John Morris, pero nosotros no existiríamos ni estaríamos aquí si no fuera por él y por su extraña vida.

—Era peor que John —afirmó Oliver, con un poco de resentimiento.

—Eso no es cierto, Oliver —objeté—. Morris es un bruto ignorante y Vincent era un tipo muy culto. Lo sabía todo sobre pintura, además de ser un gran lector.

—Y un gran artista —añadió Gabriella, acercándose a la lápida de nuestro antepasado para examinar de cerca un pequeño girasol grabado en la piedra.

Las voces se escuchaban cada vez más cerca. Era como si se acercara una manifestación. Me volví y contemplé un montón de cabezas que avanzaban hacia nosotros sin dejar de mirarnos por encima de las tumbas.

—Creo que ya están aquí —anuncié.

—¡Qué prisa se han dado! —se quejó suavemente Odette, con una sonrisa.

El primero en tomar la curva para llegar hasta nosotros fue un niño de seis años que llegó corriendo y se echó encima de su madre con una alegría exultante. Armand tenía el pelo oscuro como Odette y sus mismos ojos rasgados. El grupo grande, más rezagado, llegaría enseguida. Volví la mirada de nuevo hacia la tumba de Vincent y recordé que ahí, bajo la hiedra, estaba el gran pintor del que yo procedía. Luego, miré a Gabriella y ambos sonreímos.

Naturalmente, el segundo en tomar la curva y en llegar hasta donde nos encontrábamos fue Ichiro, que se puso en el centro del grupo con una sonrisa parecida a la del hijo de Odette. Le saludamos dándole abrazos occidentales para evitar que empezara a hacernos reverencias, aunque no pudimos evitar la que le hizo a la tumba de Vincent, larga y profunda. También él tenía una relación especial con nuestro antepasado. Los demás ya estaban allí: los padres de Odette, su hermana Marguerite con su pequeña hija Sandrine, y el marido de Odette, Gérard, llevando en brazos a Claude, el pequeño, que protestaba airadamente; mi hermano Johannes con mis dos sobrinos: Johannes, de catorce años y Maria, de doce; los padres de Oliver, su marido, Richard, y su hermana pequeña Rosie; los padres de Gabriella y sus dos hermanos, Renzo, con sus dos hijos, y Grazia, con los tres suyos. Y, por supuesto, Kentaro Koga y su mujer, Fumiko, acompañados por Midori, la mujer de Ichiro. Todos juntos formaban un verdadero batallón que invadía por completo aquella zona del cementerio.

Éramos más de treinta personas y, aunque no todos descendían de Vincent Van Gogh, digamos que, porque les queríamos, les permitíamos formar parte de nuestro selecto grupo. Por supuesto faltaban un montón de aquellos setenta y pico descendientes directos localizados por los Koga. Pero para aquel primer encuentro éramos suficientes. Quizá algún día los buscáramos (Morris sería el primero pero, para que olvidáramos la desagradable experiencia, aún debía pasar un tiempo). De momento, bastaban nuestras familias, las familias de los cuatro que habíamos encontrado el *Retrato del doctor Gachet*.

La escandalosa multitud guardó finalmente silencio, conscientes de dónde estaban y delante de quién. Yo le di la bienvenida a mi hermano cuando se puso a mi lado. Quizá ahora también él comprendiera por qué yo era diferente al resto de la familia y empezáramos a llevarnos mejor. Cuando le di la noticia de que descendíamos de Van Gogh, se quedó de una pieza y todo lo que hizo fue sonreír. A partir de ese mismo momento las cosas con él comenzaron a cambiar, aunque ni siquiera juntos habíamos podido conseguir que nuestros padres vinieran a Francia. Tiempo al tiempo. De momento, tenía que presentarle a Gabriella. El futuro diría la última palabra. Pero, dijera lo que dijera, estaba convencido de que sería bueno.

Pequeña bibliografía

Si alguien siente curiosidad por comprobar alguno de los datos del libro, añado una muy breve bibliografía que resolverá cualquier duda (incluso la de si existe o no existe el color marrón):

BALL, Philip, *La invención del color*, Colección Noema, Turner Publicaciones, Madrid, 2003.

MURPHY, Bernadette, *The mystery of Van Gogh's ear*, Documental de la BBC. (Puede verse en YouTube).

NAIFEH, Steven y WHITE SMITH, Gregory, *Van Gogh. La vida*, Taurus, Madrid, 2012.

SALTZMAN, Cynthia, *Portrait of Dr. Gachet. The story of a Van Gogh masterpiece. Money, Politics, Collectors, Greed, and Loss*, Penguin Books, Nueva York, 1999.

TILBORGH, Louis van, *et al.*, *Van Gogh & Japan*, Van Gogh Museum, Ámsterdam, 2018.

Índice

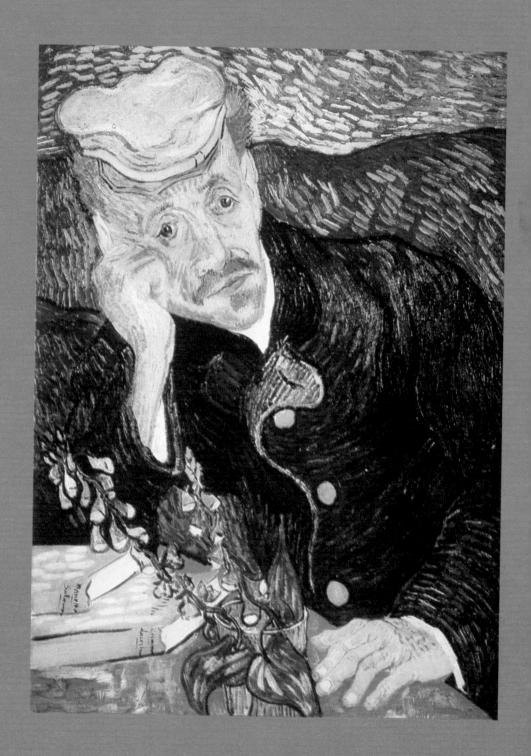